新潮文庫

ソロモンの偽証

第I部　事件

上　巻

宮部みゆき著

新潮社版

10000

ソロモンの偽証

第Ⅰ部　上巻

第Ⅰ部　事件　一九九〇年、冬

子供って何も知らない。
だけど子供はほんとは何でも知っているんだ、
知りすぎるくらい。

――フィリップ・K・ディック
「まだ人間じゃない」

I

十二月二十四日、クリスマス・イヴの夜のことだった。午過《ひるす》ぎから厚く空を覆《おお》っていた鈍色《にびいろ》の雲が、自分自身の重さに耐えかね、次第次第に低くたれこめてきて、とうとう我慢しきれなくなったかのように小雪がちらつき始めた。

小林修造《こばやししゅうぞう》は、テレビで七時のニュースが終わったので、表のシャッターをおろそうと、ぬくぬくとしたリビングを離れて、店の正面に出ていった。今日は一日電器店の方は営業せず、開けていたのは煙草《たばこ》屋の方だけだったから、コンクリートのたたきは冷え切っていた。シャッターに近づく途中で、くしゃみが二つ飛び出した。

鼻をグズグズいわせながら、シャッターを引っ張りおろす長い鉤《かぎ》を手に、外へ足を踏み出す。そのとき、店の前の歩道にある公衆電話のボックスのなかに、誰かいることに気づいた。一見して若者——まだ子供であると、すぐにわかった。

その子はこちらに背を向けていたので、顔が見えなかった。濃いベージュ色のジャケットの背中と、そこに背負っている赤っぽい色合いの、薄べったいナップサック――今はそういう呼び方をしないと、孫たちに何度も教えられるのだが、ちゃんと覚えられたためしがない――ジーンズに運動靴。この街のどこにでもいる男の子のいでたちで、そういう男の子たちの八割方がそうであるように、この子も姿勢が悪い。どうして今の子供はこう、そろいもそろって猫背なのだろう？

小林電器店にとってこの師走《しわす》は、新装開店をして初めて迎える年の暮れだった。住まいと店舗の増改築が終わったのが五月末のことで、すぐに娘夫婦が移り住んできた。それまで夫婦二人きりだった静かな暮らしに、小学生の孫たちのにぎやかな声が混じるようになって、半年が経《た》ったことになる。そして今日は、孫たちとひとつ屋根の下で迎える初めてのクリスマス・イヴだ。修造の心は弾んでいた。

電話ボックスのなかの男の子を見かけたとき、最初は、この子も今日の幸せ者の口だろうと、特に気に留めることもなく思った。なにしろクリスマスだ。ガールフレンドに電話しているのだろう。デートの約束かもしれない。今時の子は、そういうことに対してはとても積極的で、足が速いのだから。

この電話ボックスは、日頃から、修造が顔や背格好を記憶しているだけでも、ざっと七人くらいの〃常連〃のティーンエイジャーたちを抱えていた。彼らはたいてい、夜八時を過ぎたころになってここにやってきて、最低でも一時間は話し込んでゆく。自宅には電話があっても自室にはないのか、あっても親に盗み聞きされる危険のある場所では話したくないのか、どちらかだろう。毎夜彼らが使い捨ててゆくテレフォン・カードを拾って捨てるのが、修造の朝の仕事のひとつになって、もうかなりの時が経つ。もっともそれは、ボックスの内側に張りつけられるピンクちらしを剝《は》がして捨てるという作業よりは、ずっと楽なのだけれど。

昼間は昼間で、学校帰りの少年少女たちが、何の用があるのかわからないけれど、入れ替わり立ち替わり受話器にぶら下がって、笑ったりしゃべったりして飽きることがなかった。それでもまだ小林さんところはいいんだよ、目と鼻の先に交番があるから、悪ガキは来ないでしょう――家業の酒屋を息子に譲ったとたん、コンビニにされてしまった商店街の古顔の一人が言っていたことがある。うちなんざあんた、ひどいもんだよ。ケツの青い穀潰《ごくつぶ》しどもが一日中電話をふさいで、テレクラにかけたり、薬の売り買いなんかやっていやがるんだからね。

修造はうんと背伸びをして、シャッターの取っ手に鉤を引っかけた。引っ張ると、シャッターが降りてくる。ガラガラと大きな音はしないけれど、多少は騒がしい。それが気になったのだろうか、電話ボックスのなかの男の子が、受話器を耳にあてたまま、つとこちらを振り返り、そのとき、修造とまともに目があった。

その子は今日の幸せ者ではなかった。それに、このボックスの〝常連〟たちであるハイティーンの男の子や女の子たちよりも、なお幼いように見えた。たぶん中学生だろう。

彼は笑っていなかったし、楽しそうにも見えなかった。それどころか、少しばかり泣きそうになっているように見えた。修造は思わずシャッターをおろす手を止めて、電話ボックスの薄汚れたガラス越しに、しげしげとその子を観察した。

この電話ボックスが小林電器店の目の前に設置されたのは、娘が結婚した年のことだから、もう十二年前のことになる。以来、けっして好んでそうしてきたわけではないが、このボックスの〝常連〟たちを観察し続けてきた修造は、過去三回、彼らの行動に介入せざるを得なくなった経験があった。

一度は、男女混ぜて五、六人のグループがこのボックスを取り囲み、代わる代わる受話器を握りながらバカ騒ぎをしていて、その騒音があまりにけたたましかったので、少し静かにするようにと注意しに行ったのである。戦前からの住人の多いこの街には、まだまだそういう小うるさい頑固《がんこ》オヤジや頑固ババアが生存しているのだ。道端の不作法を、黙って見過ごすことはできないのだ。そのことを、きっちりと思い知らせてやらねばならぬ。

しかし、頑固オヤジは殴られそうになって、危ういところで逃げ出した。騒ぎを聞きつけた巡査が飛んできてくれて事なきを得た。確かに、交番が近くにあると、こういうときは助かるものだ。

二度目のときは、高校生らしい女の子が、彼氏との別れ話がこじれてヒステリーを起こし、ボックスのなかで左手首を切って座り込んでいるのを発見したのだった。幸い傷は浅かったのだが、女子高生はどうしても救急車を呼んでくれと言い張って聞かず、取り乱して泣くばかりなので、仕方なしにボックスの電話から一一九番をした。その後、彼女がどうなったのかはわからない。それ以降はこのボックスに電話をかけにこなくなってしまったからである。

三度目のときは、もう少し深刻だった。やはり女子高生だったが、夜十時頃にこのボックスから電話をかけているとき、暴漢に襲われたのである。修造が悲鳴を聞いて飛び出してみると、黒ずくめののっぽの男が、ボックスから少女を無理矢理引きずり出そうとしているところだった。近所の人たちも駆けつけてくれたし、誰かがすぐに交番に走ってくれたので、またまた巡査が飛んできて、暴漢は逃げ出した。

三件とも、修造夫婦の一人娘が多感な年代であった頃には、親の頭をよぎる極端な悪夢としては想像がついても、現実に我が娘の身の上に降りかかってくることなどあり得ないと思われた出来事ばかりだった。特に二件目の自殺未遂の件などは、修造にも妻にも、少女の内心を計りかねる出来事だった。〝命を粗末にする〟という言い回しそのものが、死語となりつつあるのだと、そのとき二人で話し合ったものである。

三つの事件以来、修造は、この電話ボックスで起こる出来事は——特に、若者たちを巻き込んで起こる出来事は——どんどん世間から離れて穏和な老後を送ろうとしている自分たち夫婦にとっての貴重な〝窓〟なのだと考えるようになった。そこから見えるものは、どれほど信じ難くてもたぶん真実で、ひょっとすると時代の最先端の心情なのかもしれない。ただしその〝最先端〟は、怖《おそ》ろしく先が鋭いが脆《もろ》いものでできており、ある限られた期間だけ、時代の流れの一端がそこにあるのだろうけれど、けっして長続きはしない。というより、ここに映し出される心情が長続きして一般化するような社会だったら、それはもはや社会とは呼べないのだろう。少なくとも、昭和七年生まれの修造はそう思う。

それだから修造には、この電話ボックスで起こる出来事を右から左に流してしまわないという、一種のクセがついていた。今、このボックスのなかで修造と視線のあったこの男の子は、そういう意味では、面倒な相手に出くわしたのかもしれなかった。

男の子は修造の目を見ると、怯《おび》えたように顔をそむけて、また背中を向けた。受話器に向かってしゃべり続けているようだ。修造はよくよくその子を観察した。ジーンズの裾《すそ》が雪で濡《ぬ》れている。ジャケットの肩の上にも溶けかかった雪が載っている。男の子はここまでかなり長い距離を歩いてきたか、そこそこ長い時間屋外にいたのだけれど、肩の雪が溶けきるほどの長電話をしてはいないということだ。

男の子は電話を切った。気のせいか、わざと大きな音をたてて受話器をフックに戻したように見えた。人が、電話の相手に対して、あるいはそんな電話をかけた自分自身に対して怒っているときに、よくそうするように。修造は一歩前に出た。

男の子はボックスの折戸を押して外に出てきた。まだ修造がそこにいることに気づいて、さっきよりもっと怯えた顔をした。この子はいわゆる不良ではないなと修造は思った。日頃から悪いことをし慣れている少年ならば、自分の存在を見咎《みとが》める大人の視線を跳ね返す術《すべ》を身につけているものだし、その前にそもそも、おどおどしたりして大人の注意を引きつけたりはしないものだ。

「何か困ってるのかい」と、修造は声をかけた。こういう場合にはこれがいちばん無難な口切りの台詞《せりふ》なのだと、経験でつかんだ言葉だった。自転車が壊れたのかい？　待ち合わせの相手と行き違ったのかい？　出先で急に具合が悪くなって、おうちの人に迎えに来てもらうのかい？　それなら、こっちへ来てなかで待っておいで。

男の子は黙っていた。返事に困っているようだった。彼の目がうろうろと動くのを見て、修造はひどく懐《なつ》かしいものを見た気分になった。彼が子育てをしていたころの子供たち、彼自身が子供だった時代の子供たちは、嘘《うそ》をついたり隠し事をしたり、大人に知られてはバツが悪いようなことがバレて追及されたりしたとき、みんなこんな目をしたものだ。

それは、どこまで本当のことを話したらいいかと迷う目だ。どれくらいまでうち明けたらカンベンしてもらえるだろうか、カンベンしてもらいつつも、秘密を共有する友達を裏切らずに済む妥協点はどこだろうか、と。

今の子供たちは違う。最初からカンベンしてもらう気もなければ本当のことを言う気もないから、瞳《ひとみ》をうろうろさせることなどまるでない。少なくとも、この電話ボックスという〝窓〟をよぎった子供たちはそうだった。

「いえ、あの、大丈夫です」

男の子はやっと口を開いてそう言った。内気な女の子みたいな声だった。言葉と一緒に、彼の呼気が、できそこないの幽霊みたいな白い固まりになって吐き出された。近くで見ると、男の子は泣いているのではなさそうだった。頰《ほお》が濡れて見えるのは、降りかかった雪が溶けているからだった。

ただ、ひどく歩き疲れているように見えた。ほとんど疲れ果てているように見えた。この年頃の子供には珍しいことだった。

「そんならいいが」修造は言って、わざと難しい顔をした。「もう夕食時だよ。子供が一人でうろうろする時間じゃない。早く家に帰りなさい」

お父さんそんな余計なことをすると、おせっかいなうるさいオヤジだって、刺されちゃうわよ——娘ならそう言うだろう。だが修造には、この男の子ならそんなことをするまいという確信があった。

「はい、そうします」

男の子は言って、わずかに頭を下げた。もっとも、ただうつむいただけだったかもしれない。修造は彼の後ろ姿を見送り、半分閉じたシャッターの方へと歩み寄った。

そのとき、二メートルほど先で、男の子が振り返った。また修造と目があった。修造は止まった。

だが、何も起こらなかった。

男の子はすぐに前を向いてしまい、振り向いたときよりも足を速めて、小雪のなかをどんどん遠ざかって行ってしまった。男の子が角を曲がり、ベージュ色の背中が見えなくなると、修造は何となく顔をしかめた。

ちらちらと降る雪は、凍った歩道をうっすらと白く覆《おお》っている。足跡がかすかに残るくらいに。男の子の足跡も点々と続いている。

彼の歩いた跡を目でたどると、振り向いたところで、ちょっとだけ足がよれていた。それは、そこで彼の心が一瞬だけよれたことを、ありありと顕《あら》わしていた。あの子は何か言いたかったのではないか、本当に何か困ったことに巻き込まれていたのではないかと、にわかに不安な気持ちになって、修造は立ちすくんだ。道端の不作法を見逃すことのできない小うるさいオヤジは、持ち前のおせっかいで、もうちょっとあの男の子に踏み込んでみるべきではなかったか。

遠い昔のことを、不意に思い出してしまった。この感覚——昔にも体験したことが、確かにあった。

あれは昭和二十年の三月のことだ。忘れもしない、あの大空襲の前日のことだ。修造の一家は、いよいよ東京にいては食べ物が手に入らなくなってきて、先《せん》から疎開《そかい》を勧められていた親戚《しんせき》の農家のところに身を寄せることになった。父は赤紙が来て南方に行ったきり、母と母の妹と、修造を頭に六人の弟妹たちだけの道中になるはずだった。

ところが出発間際《まぎわ》になって、いちばん下の妹が麻疹《はしか》にかかった。母はやむなく、妹の熱が下がるまでは東京に残る、あんたたちは叔母さんと一緒に先に行くようにと命令した。いい子にして、叔母さんを困らせたらいけないよ、修ちゃん、みんなの面倒を見てね。

出発の朝、母は電停まで見送りに来て、子供たちみんなの服装や持ち物をいちいち点検し、叔母にくれぐれも子供たちをよろしくと頼んで、皆を送り出した。皆が電車に乗り込むと、笑顔で手を振った。子供たちも振り返した。三、四日遅れるだけで、すぐにお母さんもおチビも追いついてやってくると思っていたから、誰も何の心配もしていなかった。

それでも修造は、一家の長男としての責任感を肩に、だからこそいっそう母親がいないことの心細さも強くて、電車の後ろの窓から、ずっと母の姿を見つめていた。母は路面電車が遠ざかると、電停から離れてこちらに背を向け、道を渡り始めた。家にはまだ熱を出している赤ん坊がいる。早足だった。

それなのに、道を渡りきったところで、母はつと立ち止まった。三角巾《さんかくきん》で髪を覆った頭がこちらを振り向いた。遠目でも、その顔はひどく寂しげに見え、足取りはにわかに心許《こころもと》なく自信なげになった。それはちょうど――一本に決まっていた母の気持ちが揺れ動き、ほどけてよれたという感じだった。

修造はそのとき、のろのろと進む路面電車から飛び降りて、母のところに駆け寄りたくなった。どうしてもそうしなければならない、切実な理由が閃《ひらめ》いたような気がした。それは衝動というより確信に近かった。母さんを連れて行かなくちゃいけない。おチビと母さんも一緒に連れていかなくちゃいけない。絶対そうしなくちゃいけない。なぜだかわからないけれどそうしなくちゃいけない。そうしなくちゃいけないという選択の機会を、この刹那《せつな》に与えられたという気がした。

だが実際には、修造は何もできなかった。十三歳の男の子には、叔母を揺り動かして後戻りすることも、一人だけ家に駆け戻ることも、どちらもできなかったのだ。

その翌日の三月十日、東京の下町は大空襲で焦土と化した。母もいちばん下の妹も亡《な》くなった。母さんとおチビは帰らなかった。お骨《こつ》さえ見つからなかったのだ。

「お父さん、ご飯よ」

娘が呼ぶ声に、修造ははっと我に返った。まだ半分開いたシャッターの前、小雪を頭や肩にくっつけて突っ立っていたのだった。

今ごろになってなぜ、こんな昔のことを思い出したのだろう？

歩道の上の少年の足跡は、まだうっすらと残っていた。今夜はこれから大雪になるそうだ。やがてはこの足跡も、わずかによれた少年の気持ちの痕跡《こんせき》も、きれいに消えてしまうことだろう。

それでも、悪い予感は消えなかった。引き戻しておけばよかったという後悔も消えなかった。何か決定的なものを、決定的なところで助け損ねてしまったという焦燥感に似たものが、その苦《にが》い後味が、娘の手料理の味をもかいくぐって、そこはかとなく、だがはっきりと感じられた。

あの子はどこの誰だったのだろうかと、小林修造は考え続けた。

2

毎年、藤野《ふじの》涼子《りょうこ》のクリスマス・イヴは忙しい。しかし今年は例年の比ではなかった。まだ泡立て器もちゃんと使うことのできない二人の妹を指揮して、直径三十センチのクリスマスケーキを焼き、華やかにデコレーションする一方で、家族そろってテーブルを囲む夕食の支度もせねばならない。

チキンの丸焼きは、仕事帰りの母が、日本橋のデリカテッセンに予約注文していたのを受け取ってきてくれる。涼子としては、本当はチキンも自分で焼きたかったのだけれど、今年はケーキかチキンかどちらかひとつにしておきなさいと厳しくたしなめられてしまった。大きすぎる野望は挫折《ざせつ》の元だというわけだ。これは母の持論である。

だが涼子の目には、母の邦子《くにこ》は若いときから大きすぎるくらい大きな希望を胸に抱き、それを次々と実現させてきた女性として映っていた。二十年前、佐田《さた》邦子という明るくて愛嬌《あいきよう》美人の若い女性が、丸三不動産という大手デベロッパーで事務職のOLとして働いていた。十七年前、その若いOLは、まず宅地建物取引主任者の試験に合格した。それだけでも営業職の社員たちにとっては驚きだったが、翌年には、彼女は続いて司法書士の資格も得た。

会社を辞めた佐田邦子は、実家の近くの町の不動産屋で働き始め、実務を積んだ。そのころ、近くで起こった短銃発砲事件について聞き込みに来た、所轄署《しよかつしよ》刑事課の藤野剛《たけし》という若い刑事と知り合いになり、やがて交際するようになる。一年足らずで藤野剛は邦子にプロポーズし、彼女はそれを受け、ここに藤野邦子という新しい女性が誕生する。彼女は、周囲の大反対にも負けずに、結婚しても仕事はやめないと宣言した。幸い、剛は彼女の働きたいという希望に理解を示したが、運がいいのか悪いのか、結婚直後に彼の本庁への異動が決まり、若夫婦は想像以上に忙しい新婚生活へと突入することになったのであった。

涼子は、母が自分を妊娠中、不動産鑑定士の資格を得るために勉強していたということを知っている。もちろん、働きながらである。つまり邦子はこの当時、妻・母・不動産屋・受験生の一人四役をこなしていたわけだ。そのかわり、嫁としても娘としても落第で、姑《しゅうとめ》どころか実の母とのあいだにも口喧嘩《くちげんか》が絶えなかったのだと、恥ずかしそうにうち明けてくれたことがあった。

涼子の三歳年下の妹、翔子《しょうこ》が誕生した年に、母はめでたく不動産鑑定士の資格を得る。翔子がやっと母親の顔を目で追いかけられるぐらいになったころに、独立して事務所を構える話が持ちあがり、しかしこの時にはこの話は、様々な葛藤《かっとう》ともめ事の挙げ句、おじゃんになってしまった。資金繰りが、どうしてもうまくいかなかったのである。だから、涼子の自覚している最初の記憶は、母が台所でエプロンで顔を拭《ぬぐ》いながら泣いているというもので、しかしその悔し泣きは、姑に虐《いじ》められたのでもなければ、夫に浮気されたためでもなかった。頑として開業資金を融資しようとしない銀行の融資課の行員の、頭から女をバカにしたような態度に、母は歯ぎしりしていたのであった。

結局、藤野邦子が念願の事務所を開業したのは、末の妹の瞳子《とうこ》が一歳を迎えた年——一九八二年の春のことである。

物心ついてからこっち、涼子は、祖母がため息混じりにこぼすこんな台詞を、何回となく耳にしてきた——曰《いわ》く、邦子があんな仕事バカじゃ、剛さんに浮気されたって仕方がない。だが涼子の見る限り、父の人生という道を舗装しているいちばん数多いレンガはやっぱり仕事で、そこに他の女性の入り込む余地など、まったくなさそうに見えた。それでもまあ、レンガの隙間《すきま》にタンポポの一輪ぐらい咲いたことはあるかもしれないが、百合《ゆり》や胡蝶蘭《こちょうらん》が咲くことはなかったろう。というようなことを、この夏、眠れない熱帯夜に母とおしゃべりしているついでに発言したら、あんたもずいぶん大人びたわねと大いに受けた。だけどそんなこと、お祖母《ばあ》ちゃんには言っちゃダメよ、いいわね？

現在は警視庁捜査一課に奉職する父は、必然的にかなり血なまぐさい事件に関わることになるわけで、多感な娘三人が暮らす家庭には、ほとんど仕事を持ち込まない。それでも涼子は、父が時々母に、今手がけている事件について話し、意見を求めることがあるのに気づいていた。そういう時の藤野邦子は、求められる意見に応じて、母親の顔になったり、仕事人の顔になったり、女の顔になったりしている。話し込む両親はとても親密そうで、それでいてそう――互いに毅然《きぜん》としている感じがした。

藤野涼子にとって、両親――とりわけ母親は、他に並ぶ者のない立派な人生のお手本《ロール・モデル》として存在していた。それだけに、せっかちに追いつこうとすると、どうしてもつんのめりがちになる。涼子のそういう頑張りすぎ、欲張りすぎ、完璧《かんぺき》主義者の側面は、中学に入学して最初の通知簿をもらったころから、ずっと指摘され続けている問題だった。今日だって、たかがクリスマス・イヴのチキンとケーキのことぐらいで、邦子が厳しく釘《くぎ》を刺したのも、やはりそのことが頭に引っかかっているからに他ならない。チキンは出来合いのものを受け入れるとしても、サラダとスープは、どうしても自分でつくりたい。涼子はきっちりと計画を立て、時間配分まで決めていた。今日の彼女の頭のなかを占めているのは、ただただ料理のことだけだった。

3

野田健一《のだけんいち》のところに、向坂行夫《こうさかゆきお》から電話がかかってきたのは、その日の午後四時すぎのことだった。

振替休日の、暇なクリスマス・イヴが暮れかけていた。ぱっとすることも、ケーキもないイヴだ。鉄道会社に勤める健一の父は、今日は夜勤なので夕食は家でとらない。母と二人、夜は寿司《すし》でもとろうかということで、早々に話がついてしまった。

健一はひ弱な少年だったが、これは母方の遺伝であるらしかった。母はもともと虚弱な体質だったところに、健一を出産したことで身体《からだ》に負担がかかったのか、さらに弱くなった。健一は、母が元気で家のなかを動き回っている姿は、片手で数えるほどしか見たことがない。これまで母が救急車で運ばれて緊急入院した回数と、ほとんど同じくらいである。

母は心臓が弱いのだという。血圧も低いし、貧血だし、食も細くて痩《や》せこけている。医者の話では、良くないところは数多くあるけれど、今後加齢するにつれてさらに大きな問題になりそうな具体的な疾患《しっかん》は心臓のわずかな肥大ぐらいのもので、あとはすべて体質と自律神経の問題だという。口の悪い父方の親戚が、幸恵《ゆきえ》さんの病気は気の病だと、法事だのなんだので集まるたびに言っているが、医者の診断も、つまりはそういうことなのではないかと健一は思っていた。

だがそうであっても、健一の母に同情する気持ちに変わりはなかった。彼は聡明《そうめい》な子供だったから、的確に見抜いていた。どうひいき目に見ても、野田幸恵は幸せではない。成功した人生をおくっているとは思えない。それが彼女自身の咎《とが》なのか、ただの不運のせいなのか、健一にはまだ、全体としては判断がつかなかった。それほど、人間のことがよくわかる年頃ではまだないと、自分で思う。ただ、せめて母を心配させないために、おとなしく無難な子供であろうと心に決めていた。

うっかり自分を露《あら》わに出して、持ち前の聡明さを見せてしまい、その結果誰かとぶつかってトラブルになったりしないように、学校での彼は極端に寡黙《かもく》になった。誰にも本心は見せないし、本当の姿も現さない。ただ、どれほど賢くてもやはり幼い彼は、人が本性を隠して何かを装《よそお》っていると、いつしかその装っているものの方が本性になってしまうのだということに気づいていなかった。今の彼は、〝気の病〟を病む母親そっくりの、とらえどころのない蒸気の塊のような無気力な少年になり果てているのだった。

向坂行夫は、健一にとってはたった一人の親しい友達と呼べる存在だった。小学校五年生のときから今の中学二年まで、ずっと同じクラスだ。ぽっちゃりと太って、健一と同じように口数の少ない行夫は、やはり目立たない少年であり、時としてクラスのお荷物でもあった。

——似たもの同士だ。

そんなふうに思うこともある。いや、正確に言うならば、似たもの同士に見える二人だ。その裏には(本当は違う)という健一の本音が隠されているのだが、誰もそれを知る者はいない。当の向坂行夫だって、思ってもいないだろう。彼とて健一が、彼自身と同じようにおとなしくてクセのない性格だから、健ちゃんはオレと似てて具合がいいなぁと思って付き合っているのに決まっている。行夫はそれで満足だ。そして健一は、周囲の目に、彼と行夫が似たもの同士のように見えていれば満足だ。その意味では向坂行夫は、健一にとって、身の平穏を保つため、常に気をつけて見守っていなければならない計器の目盛りのような存在だった。行夫がどう行動するかが、健一の指針となった。彼と同じように動いてさえいれば、目立とうにも目立てない。

「コンチハ。今日は寒いね」

電話の向こうで、行夫はまずそんな挨拶《あいさつ》をした。こういうところが行夫らしくハズれている。中学生はいちいち電話で時候の挨拶なんかしないものだ。

「ホワイトクリスマスになりそうだね」と、健一は言った。「あんまり積もると、後が面倒だからイヤなんだけどな」

「そしたら、雪かきの手伝いに行ってやるよ」行夫は楽しそうに言った。彼の父親は地元の生まれだが、母親の故郷は新潟の豪雪地帯だという。だから行夫は、子供のころから雪かきに慣れているのだそうだ。

行夫は、健一の父が鉄道員で、事務職のサラリーマンのような九時五時で週休二日の勤務体制にはないことを知っている。健一の母親が病弱であることも知っている。だから、何かあったらすぐに、何でも手伝うよというようなことを、折に触れて口に出す。

しかし野田幸恵がもっとも嫌うのは、他人が家のなかに入ってくることだ。たとえそれが夫の上司や同僚や、息子の親しい友達であっても、彼女は自分の住まいに他人が足を踏み入れることを忌《い》み嫌う。だから行夫の親切心は、実はありがた迷惑なのだった。

「ところで、なんだよ？　何の用？」健一は、話題を雪かきからそらそうとして、少し強引な言い方をした。

「あ、ゴメン。出かけるとかするところだったか？」

「そうじゃないけど、本読んでたんだ」

「そっか。じゃ、駄目《だめ》かな。これから一緒にライブラへ行かないかなって思ったんだ」

ライブラ・ロード――通称ライブラというのは、ここから自転車で十五分ほどのところにある大きなショッピング・モールである。元は大手物流会社の倉庫だったところが引き払われて、そのあとにモールとホテルとレストラン街ができた。一昨年の春のことだ。モールのなかには、ちょっと見には洒落《しゃれ》た感じのするブティックや小物の店がたくさんあり、いつも賑《にぎ》わっている。レストラン街に並ぶ店は、値段の点でも味の面でも玉石混淆《こんこう》で、会席料理の店もあればマクドナルドも入っているという幅の広さ。言い換えれば、いかにも便利さ優先の下町らしい。

「何を買うのさ」

「まあこのクリスマスプレゼント」

行夫には五つ年下の妹が一人いる。昌子《まさこ》という名前だが、彼はいつも「まあこ」とか「まあ」とか呼んでいる。家のなかでは「まあちゃん」と呼ぶこともあるようだ。つまりはネコっ可愛《かわい》がりしているのである。妹の方も、お兄ちゃんお兄ちゃんとなついている。

「まだ買ってなかったんだ」

行夫は面目なさそうな声を出した。「うん……オレ、期末テストの後、ずっと補習受けてたからヒマがなくって」

「何にするか決めてあんの？」

「新しいスケッチブック買ってやろうと思ってんだ。父さんと母さんがクレヨン買ってやるって言ってるから」

「じゃあ、簡単じゃないか」

「でもさ、安いもんだから、きれいに包んでもらおうと思って。ラッピングってか？ そういうのオレ、駄目だからよ、健ちゃんに見立ててもらいたいんだ」

健一は受話器を持ったままリビングルームの窓際《まどぎわ》に寄り、レースのカーテンの端をちょっと持ち上げて、空を仰いだ。一面の綿の色で、距離感が狂うほどだ。空がすぐ近くまで降りてきている。

それでも、ついさっきのテレビの天気予報では、雪が降り出すのは夕方だと言っていた。一時間かそこら出かけるだけなら大丈夫だろう。行ってみるかと思った。

せっかくの休日のクリスマス・イヴに、家から一歩も外に出ないってのもつまんないし――と考えて、そんなことを思う自分に、自分で驚いた。

「いいよ、付き合うよ」

自分の頭のなかの考えを横に押しやるために、急いで受話器に言った。

「ホント？　助かるよ。じゃあさ、オレすぐに自転車《チャリ》出してそっち行くよ」

「うん」

行夫の家からここまで、自転車で五分かそこらだ。健一は母にあてたメモを書いてリビングのテーブルの上に載せ、火の元を点検し、コートに袖《そで》を通しながらまた窓から外をのぞいた。雪は降り出していない。玄関の方へ足を向けながら、確かにメモがテーブルの上にあるのを確認する。

そのとき、ふと思った。

――父さんはどうなんだろう？

父はいつだって、ああいう母に、きわめて優しく、辛抱強く接している。実際、健一は、取り乱しやすく壊れやすい母の心を扱うノウハウを、父から教えられ、見よう見まねで覚えてきたのだ。

――オレ、なんでまたこんなこと考えたんだろう？

両親の暮らしぶりを見つめていて、そこにお互いに対する不安や不満の影を見たことなど一度もない。父は母をいたわり、守り、母は父に頼りきりだ。だから、あらためて考えることなんかなかった。それなのにどうして。

クリスマス・イヴのせいだろうか。どんなにくだらないと突っ放していても、やっぱり、まわりが浮かれていると、知らず知らずのうちに影響されてしまうんだろうか。

――面白くないな。

玄関先で自転車のベルが鳴った。行夫だ。健一は急いでドアを開けた。

ライブラ・ロードは混んでいた。駆け込みで今夜のためのプレゼントを買おうという客。今夜のご馳走《ちそう》のための食材を求める客。クリスマス・イヴだから外食しようという人々。クリスマス・イヴだからとにかく賑やかな場所に行こうという人々。出がけにあんなことを考えた反動もあって、もともと人混みが苦手な健一は、モールのなかに入って十分と経《た》たないうちに、なんだクリスマス・イヴなんてくだらないと、かなり戦闘的に考えるようになっていた。

自転車は、入口のところの駐輪場に停《と》めてきたので、健一と行夫は人混みにもまれながら歩いた。行夫が目指すのは、モールのちょうど真ん中あたりにある大きな文具屋だ。三階建てで、一階二階が文具とオフィス用品売場、三階は画材売場と小さなギャラリーになっている。ギャラリーと言っても、ここでは地元の学校の生徒たちの作品を飾ったり、区のカルチャーセンターや老人会や婦人会の趣味の会の展示会に使われることが圧倒的に多い。そう気取ったものではないのである。

やっとたどりついた店内もひどい混みようだった。エレベーター前に長い行列ができている。健一は行夫を促《うなが》して階段をあがったが、その階段も、あがったり降りたりする客たちの喧噪《けんそう》で満たされていて、げんなりした。

子供向けのスケッチブックなど、文具売場で買えばいいだろうに、行夫は画材売場にこだわった。彼が言うには、まあはこの店の包装紙が売場ごとに少し違っているのを知っているので、画材売場で買ってやった方が、ゼッタイに喜ぶのだという。だってその方が、それらしいじゃないかよ？

「優しいニイちゃんなんだなあ」健一は仕方なしに笑ってみせた。「妹って、そんなに可愛いか？」

「うん、可愛いんだ」行夫は照れながらうなずいた。「何やっても可愛いよ。面白いこと言うしさ。まあがいるのといないのとじゃ、ウチのなかの明るさまで違うもんね」

結局、赤い地にサンタとトナカイと雪だるまの柄が散っている包み紙を選び、そこにありふれたリボンではなく、雪の玉を思わせる真っ白なボンボンをつけてもらった。行夫は大喜びで、さすがは健ちゃんだ、オレだったら考えなしで、ただのリボンつけてゴソゴソさせちゃってたところだと上機嫌だ。

店内が暑いので、喉《のど》が渇いた。マクドナルドで飲み物おごるよと、行夫は言った。

「そんな気を遣わなくていいよ……しっかし混んでるな。ギャラリーなんか、なんであんなに人がいるんだ？」

「婦人会で作ったクリスマス・リースの展示会やってるからだよ」

「くっだらないなあ」

「こないだまあ連れて見に来たら、けっこうきれいだったよ」

やっとこさ外に出ても、モールの通路はますます混むばかりだった。マクドナルドも同じような有様だろう。健一はこれ以上長居せず、とっとと帰りたくなった。しかし行夫は、モールの出口寄りにあるマクドナルドの方へと、大きな身体を器用にひねって人の波をかわしながら、もう歩き出している。ひ弱な健一は、人に押されたり流れに押し戻されたりしているうちに、一旦《いったん》は行夫の背中を見失ってしまったほどだ。やっと追いついたときには、行夫はもうマクドナルドの入口の自動ドアのすぐ手前まで行ってしまっていた。

「こうさか——」

帰ろうよ、と声をかけようとしたとき、行夫がいきなり立ち止まった。彼の肩を叩《たた》こうとしていた健一は、ちょうどそのとき後ろから来たおばさん二人組に押されて、行夫の背中にぶつかった。

「なんだよ」

回り込んでのぞくと、行夫はびっくりしたみたいに小さな目を丸くしていた。視線をたどると、店の窓際にしつらえてあるカウンター席を見ている。

「誰かいる？」

一瞬、健一は藤野涼子がいるのかと思った。理由《わけ》もなく、そう思った。彼女はクリスマス・イヴにはケーキを焼く。忙しい母親に代わってご馳走の支度もする。だから夕方近くになってモールをウロウロしているわけがないし、ましてやマクドナルドにいるはずがない。だが、健一はそう思った。町を歩くとき、知らず知らずのうちに彼女のことを想《おも》ったり、その角を曲がったところで彼女とバッタリ鉢合《はちあ》わせしたら、信号待ちの交差点の反対側で彼女が自分に気づいて笑みを見せたりしたらどうしようかと思ったり、二学年で彼女と同じクラスになって以来、日常的にそんなことばかり空想しているので、これは健一にとってはいっそ反射的なものだった。

「あれ――」と、行夫は声をひそめて人差し指でさした。「柏木《かしわぎ》だ」

名前を聞いて初めて、健一の目の焦点が合った。なるほど、カウンターの右側に、柏木卓也《たくや》が座っている。

どうやら一人のようだ。カウンターには客が鈴なりだが、柏木の左隣はカップルで、盛んにいちゃついている。右隣は親子連れで、まだ幼稚園ぐらいの子供をはさんだ若い両親が黙々とハンバーガーをほおばっている。

柏木は黒いハイネックのセーターにジーンズ、ベージュ色のジャケットを着ていた。足元にはえんじ色のデイパックが、捨てられたみたいにぐんにゃりと丸まっている。柏木は人通りの多いモールの通路の方へ目をやりながら、フライドポテトをつまんで食べていた。妙に機械的な食べ方で、味わっているようには見えない。よほど空腹なのだろうか。

柏木の視線はあさっての方を向いており、健一と行夫に気づいた様子はなかった。それどころか、周囲の誰のことも気にしている様子がなかった。健一は彼がウォークマンのイヤフォンを耳につけているのだろうと思った。あれをつけると、誰でも放心したような顔になるものだから。

「あいつ……元気なんだな」行夫が、どことなくホッとしたような口調で言った。

「生きてたんだな」健一は、わざときつい言い方をした。「学校へ来なくなって、一ヵ月ぐらいになるだろ？　死亡説が出てた」

行夫はそろそろと後ずさりして、マクドナルドの入口から離れ始めた。それでも、目はまだ柏木卓也の横顔を見ていた。

「一ヵ月も経つかな？」

「経つさ。大出《おおいで》たちと騒ぎを起こしたの、十一月の中ごろだったからね」

その騒動というのは、昼休みに、柏木卓也が椅子《いす》を振り上げて大出俊次《しゅんじ》に殴りかかったという椿事《ちんじ》のことである。以来、ぷっつりと学校にこなくなっている。

「柏木は一人だよな。大出たちとばったり会ったりしないといいけど」

まだ遠目にマクドナルドの方を透かし見ながら、行夫は小声で言った。

「あいつらは、クリスマス・イヴにこんなところに出没しないだろ」

「家にいるとも思えないけどね」

「たまり場があるって噂《うわさ》を聞いたよ。湾岸の方の倉庫を改造したスナックだかパブだかで、先輩がマスターをやってるんだって」

大出たち――とひとくくりにされることの多い数人組は、城東《じょうとう》第三中学校の不良グループのひとつである。二学年にはいくつか先生に手を焼かせている問題児の小集団があるのだが、大出を頭《あたま》とするグループは、そのなかでもっとも古典的というかわかりやすいタイプだった。勉強はまったくしない。授業の邪魔《じゃま》はするし、若い女の先生にはしつこく絡《から》むし、サボることは日常的。遅刻もほとんど毎日で、テストさえパスすることが珍しくはない。服装が乱れ、髪を染め、隠れるどころか堂々と煙草《たばこ》を吸い、見咎《みとが》められて叱《しか》られると屁理屈《へりくつ》をこねる。いわく、個人の自由に先生が干渉すンのはおかしいんじゃねえの？　オレは自分の面倒ぐらい自分でみられるから、ほっといてよ。

噂で聞いた話なので、あまり丸飲みにするのも危険だが、大出の父親も、かつて城東第三中学に在学していたころには、札付きのワルだったのだそうだ。高校も中退している。現在の大出勝《まさる》は、「大出集成材」という材木加工会社の社長だが、これは親から譲り受けた家業で、俊次もゆくゆくはその跡を取るのだという。将来が決まっているのだから、何も無理にギリギリ勉強なんざさせることはない、それよりも、社会に出てから必要な世渡りや人付き合いを覚える方がずっといいというのがこの父親のいつもの言い分で、従って、一人息子が授業をサボりまくり、行事にも参加せず、たまりかねた学校が父親を呼び出すと、大出勝はそのたびに張り切って職員室へ飛んで行き、教師の言うことなど聞きもせず、学校なんざ行かなくっても自分は立派に社長として会社を切り回せるだけの度量の人間になったし、学校という狭い世界しか知らない頭でっかちの先生なんかに、世の中の理《ことわり》を教わる必要もなければ、教えてもらわねばならない義理もない、うちの倅《せがれ》のことなら放っておいてくれと怒鳴りまくって、意気揚々と引き上げてゆくのだそうだ。

大出俊次がよくつるんでいる仲間に、橋田《はしだ》祐太郎《ゆうたろう》と井口充《いぐちみつる》の二人がいる。一般に

「大出たち」と言ったとき、皆が頭に思い浮かべるのはこの三人の顔である。大出はそれなりに人気があり、彼を囲んでいる仲間の輪はけっこうな人数になることもあるが、常に左右に控えているのは橋田と井口だ。橋田の家も居酒屋か何かをやっているというし、井口はこのモール内に店を構えている雑貨屋の長男だ。従ってこの二人にも、大出勝社長の説が通用する。本人が勉強したいってんならいざ知らず、学校なんざ行かなくてもこいつらには生計の道があるんだから、嫌がるもんを無理に机に縛りつけることはねえ、そうだろ、先生？

実はこの考え方は、自営業者や町工場の多いこの下町では、それほど珍妙なものではない。倅や娘が家業を継いでくれることを望む親は、よほど飛び抜けた能力があるならばともかく、ごく普通のデキである自分の子供が、東大に行って官僚になろうかというような子供と同じだけの学力と勉強の量を要求される今の学校のシステムに、ほとんど本能的な嫌悪《けんお》感《かん》を抱いている。

向坂行夫の両親だってそうだ。去年の夏、中学生になって初めての通知簿が出た終業式の日のことを、健一はよく覚えている。健一が、今日は母さんが病院に行っているから、帰っても誰もいないんだと言うと、行夫が、そんならうちに寄ってかき氷を食ってけよと誘ってくれた。家庭用のかき氷製造器を買ったのだという。シロップもいろいろ揃《そろ》えたんだ、まあが好きだから。

向坂印刷に寄ると、小母《おば》さんが出てきて、行夫の差し出した通知簿を受け取ると、中身を見もしないで神棚にあげた。ぽんぽんと手を打って拝むと、すぐにかき氷を作り始める。健一は、小母さんは通知簿の数字が気にならないのだろうかと思った。その疑問が顔に出たのだろう、行夫が笑いながら、オレはずっと低空飛行だから、別に母さんも急いで通知簿見たりしないんだ、ただ、学校から見放されずに、ちゃんと通知簿をもらってこられるっていうだけでいいんだよと説明した。

「そりゃ、本音を言えば成績がいい方がいいけどね」小母さんは行夫とよく似た丸顔をほころばせて言った。「あたしもお父ちゃんも、けっしてデキのいい方じゃなかった。行夫に無理を言ったってしょうがないよ」

「とりあえず九九はできるしなあ、オレ」

「こないだ、まあに教えるときに間違ってたじゃないか」

「あれ、そうだったかな？」

昌子は先に帰っており、母親と一緒に楽しそうにかき氷を作った。彼女も成績は良くない。良くないと行夫が言っている。

「でもいいんだ、女の子だもんな。それにまあは絵が巧《うま》いし」

「野田君とこは、いいよねえ。お父さんは立派な大学出てらっしゃるし、お母さんだって学士さんだろ？」小母さんが言う。行夫から聞いたのだろう。「健ちゃんだって、これからいろんな可能性があるってことだよね」

「そうだけど……」

母は一度も就職したことがない。確かにかなり有名な女子大を出ているが、ただ出たというだけで、そこで学んだことを活《い》かしているとは思えない。父は土木を学び、技師として鉄道会社に入って、今現在の仕事も好きなようだけども、だからといって格別めざましい何かがあるというわけでもない。

「でも、健ちゃんの小父《おじ》さん小母さんって、勉強しろしろってうるさい人じゃないよ」

「今はまだね」と、健一は言った。

「まあねえ、うちみたいな商売や工場《こうば》やってたらさ、子供がちゃんとあとを継いでくれるだけでいいよ。商売なんて、学校じゃ習えないことばっかりだからね。だけど行夫、高校だけは出ておくれよね。母さんだって世間体悪いしさ、だいいち、あんただけ高校へ行かなかったら、同じ年頃の友達ができやしないよ」

「そうかなあ」行夫はかき氷をかきこみながら首をひねった。「健ちゃんが開成とか九段とかに入ったら、やっぱり、いくら近所に住んでても、オレとはつるんでくれなくなるのかな？」

健一は返事に困った。行夫とは、進路が違えば付き合いが遠くなるだろう。でも、彼が素朴に寂しそうな言い方をしたので、うんとはうなずけない。

そこで、いちばん曖昧《あいまい》なことを言った。

「オレは開成にも九段にも入れないよ」

そのとき、まあがかき氷の器をひっくり返してしまったので、話はそれきりになった。

帰る道々、行夫があとを継いでくれるだけでいいと言う向坂の小母さんの言葉や、行夫ののんびりした笑い顔を思い出しては考え込んでしまった。向坂の両親が行夫に望むことは明解で単純だ。あれくらいはっきりした希望を、健一の両親は健一に対して抱いているだろうか？　父も母も、健一には何を望んでいるのだろう？

健一にはいろいろな可能性があると、向坂の小母さんは言った。だけど本当にそうだろうか？　自分には可能性なんかあるんだろうか？　ただ家業がない、親から引き継ぐ店や職業がないだけではなくて、可能性もないのじゃないのか。

現実に、母さんは勉強はできたかもしれないけれど、あんな無気力な人生をおくっているじゃないか――

「ケンちゃん」

肘《ひじ》でつつかれて、健一ははっと我に返った。

「なんだよ、ぼうっとして」

二人はまだモールの雑踏のなかにいた。行夫も、柏木の姿を見つけて、マクドナルドに入る気をなくしたらしい。

「帰ろうよ」

「そうだな。雪が降ると面倒だしな」

モールの出口目指して歩き始めながら、健一はつと振り返り、もう一度柏木卓也の顔を盗み見た。彼はまだそっぽを向いており、紙コップから何かを飲んでいた。何も考えていないし、何も味わっていないというふうに見えた。

「クリスマス・イヴなのにな」と、思わずぽつりと言った。「一人だな、あいつ」

「その方が気分がいいんだよ、きっと」行夫が言って、少しばかり大人びた顔をした。

「学校でも、いつも一人だったじゃん。一人の方がいいんだよ、柏木は」

4

倉田《くらた》まり子は、今夜のために、自分の分と弟の分と、二つの靴下を編みあげていた。赤と白と緑色の派手な靴下だ。まり子がかぶると、頭がすっぽり隠れてしまうくらいに大きい。サンタさんが大きなプレゼントを持ってきてくれたときのためだ。大は小を兼ねる。

ところが小憎らしい大樹《だいき》ときたら、まだ小学校の四年生のくせに、十三歳にもなって、未《いま》だにサンタクロースが本当にいると信じてるなんて姉ちゃんはバカだと言い放ち、まり子の靴下をベッドの柱にぶら下げることを、頭から拒否した。

「信じるとか信じないの問題じゃないの。クリスマス・イヴにはサンタさんがプレゼント持ってきてくれるって思ってた方が楽しいじゃないの」

まり子がそう言うと、楽しけりゃ何でもいいってもんじゃないと言い返す。

「クリスマスプレゼントは、靴下なんかさげておかなくたって、明日の朝になればもらえるんだよ。父さんと母さんがくれるんだからさ。毎年そうじゃないか。図書券と文具券くれるだろ。サンタがそんなもん持ってくるかよ」

「だけど、靴下があった方がクリスマス気分が出ていいじゃない」

「キリスト教徒でもないくせして、なんでクリスマスの気分を出さなくちゃならないんだよ。そもそも姉ちゃんなんか、クリスマスにどんな意味があるかも知らないだろ。信仰もしてないのに、お祭り騒ぎだけするなんておかしいんだ」

「あんたって、へ理屈コネ男《お》ね。名前変えたら？」

「へ理屈じゃない。正しい理屈だ。その見分けもつかないから姉ちゃんはバカなんだ」

「お姉ちゃんのことをバカバカ言わないでよ」

「ホントなんだからしょうがないじゃないか。なんだよ、オール2のくせして」

まり子は通知簿のことを言われるのがいちばん辛《つら》い。同じ両親から生まれているのに、弟はどういうわけかデキがよくて、小学校の通知簿でも、「たいへん良くできました」ばっかりもらってくる。オール5の生徒なのだ。体育や音楽が苦手ならまだ可《か》愛気《わいげ》もあるのに、大樹には、不得手なものなんて何にもないみたいだ。両親はそんな弟に大きな期待を抱いているようで、大樹の言うことならほとんど何でも聞いてやる。喧嘩《けんか》をしたって、大樹は口が達者だから、いつだってまり子には勝ち目がない。普通は、女の子の方がおしゃべりで口喧嘩に強いはずなのに、倉田家では何か間違っているようだった。

夕食は一家六人で美味《おい》しく食べた。いつもは何かと険悪な母と祖父母も、今日は特別なのか、あまりとげとげしい言葉のやりとりをしなかった。豪華なデコレーションケーキを買ってきたり、食卓に花を飾ったりしたのがよかったのかもしれない。だからまり子は本当に楽しい気分で、サンタさんのプレゼントを待ち受けようと思っていたのだ。それなのに――

悔《くや》しいから、自分のベッドの柱に靴下を二つぶら下げた。靴下はだらりと垂れて、何だかそろって、まり子に対して赤白緑の長いベロを出してあっかんべえをしているみたいに見える。大樹にやりこめられたのも辛かったけれど、家族が誰も弟を諌《いさ》めたり、まり子を慰めたりしてくれなかったのがもっと悲しかった。部屋に入って一人きりになり、靴下をながめているうちに、涙が出てきてしまった。

まり子の両親は、二人して湾岸の埋め立て地にある食品工場で働いている。スーパーやコンビニに卸《おろ》す弁当やサンドイッチをつくっている工場である。二十四時間操業だし、夜勤もあれば早朝勤務もある。明日は二人とも朝六時からの勤務なので、早々に寝てしまった。祖父母は老齢なのでもともと早寝だ。午後十時、倉田家のなかで起きて活動しているのは、まり子と大樹だけだった。

まり子と大樹の部屋は、姉弟の個室と言ったって、もとはひとつの八畳間だったところを、書棚と家具で仕切って二部屋にしてあるだけのものだ。だから出入口はひとつしかないし、天井の近くは隙間《すきま》が開いている。まり子はその天井の方を見上げて様子を窺《うかが》った。弟は例によって例の如《ごと》く本を読んでいるのだろう。静かだ。大樹は本の虫なのだ。

まり子はそっと廊下に忍び出ると、階段を降りて台所まで行った。明かりもなければ火も消えていて、早冷え冷えとしている。電話機に近づいて受話器を持ち上げ、ボタンを押す。ぷるぷると呼び出し音が鳴り始める。そのあいだに、急いでスリッパを履《は》く。

「もしもし藤野ですが」

大人の男の声が出た。あ痛ぁ！　今日のまり子はよくよくツイてないらしい。

「あの、わたし、倉田といいます」まり子はできるだけ取り澄ました声を出した。

「夜遅くにすみません。涼子ちゃんにお電話をかけたんですけれども、いいでしょうか」

相手の声がとたんにほころんだ。「ああ、倉田さんですか。こんばんは」

「こんばんは」

「ちょっと待ってくださいね」受話器を置く音がする。涼子、涼子と呼んでいる。

まり子は知っている。涼ちゃんのお父さんは、警視庁の鬼刑事なのだ。藤野家に電話して、お父さんが電話口に出る確率はすごく低いけれど、出るときは思いがけない時間帯に出る。普通の職業のお父さんなら、家で電話に出るはずのない時間帯だ。というより、そもそもお父さんというのはあんまり電話に出るものではないと、まり子は思っている。まり子の父など、祖母や母やまり子が食事の支度や後かたづけや何やかんやで忙しくしているときでも、絶対に電話には出ない。おい、電話鳴ってるぞ、うるさいから早く出ろと怒鳴るだけである。

涼ちゃんのお父さんはものすごく忙しくて、家にはめったに帰ってこられないのだろう。刑事ドラマに出てくる刑事はみんなそうだ。たまに時間がとれると、急いで帰ってきて子供の顔を見たり、着替えたりして、またすぐに捜査に出かけて行くのに違いない。だから、家にいるわずかな時間は、家族のみんなとすごく仲良く過ごすのだ。一人だけ威張《いば》ってそっくり返って座っているなんてことはしない。ご飯だって自分でよそう。お茶もいれる。子供の話をうるさがったりしない。

それと涼ちゃんのお父さんは、電話を取り次ぐとき、けっして通話を保留にしない。これはきっと、警視庁にはそういう決まりがあるに違いない。保留にしないでわざとそちら側の騒音を聞かせることに、なにかしらシンリ的意味があるのだ。もっとも、以前まり子がこれらのことを涼ちゃんに話したら、彼女は大笑いして、それはまり子の考えすぎだと言っていたけど……。

「もしもしまりちゃん？　お待たせ」

藤野涼子が電話口に出てきた。彼女の落ち着いた明るい声を耳にしたとたんに、まり子は泣けてきてしまった。

「あらヤダ、まりちゃんどうしたの？」

まり子は涙ながらに大樹の仕打ちについて話した。涼子はうんうんと相づちをうちながら聞いて、ホントに大ちゃんはしょうがないわねと、ちょっぴり怒ったような声を出してくれた。

「ねえ涼ちゃん、あたしってやっぱりバカだと思う？」涙を拭《ふ》きながらまり子は訊《き》いた。

「嫌ねえ、そんなこと考えるもんじゃないわよ」

「だって……」

「まりちゃんはちっともバカじゃないよ。サンタクロースがいたら楽しいなって考える人がみんなバカだったら、世界中の人のほとんどがバカになっちゃうじゃない」

藤野涼子もこういう理屈を言う女の子だが、彼女の理屈は大樹の理屈ほど鋭く心に刺さったりしない。なぜだろうかとまり子は思う。

「涼ちゃん、ケーキ美味しく焼けた？」

涼子も大樹と同じく、何をやっても上手でそつがない。成績もいいしスポーツも万能だ。おまけに顔も可愛い。しかもお父さんは鬼刑事だ。

「それがねえ、妹たちがうるさくって、もうタイヘンだったの」

涼子のお母さんも働いている。自分の事務所を持っているのだ。カッコいい。

まり子は時々、どうして自分が藤野涼子でなくて倉田まり子なのだろうかと考える。もしもまり子が藤野涼子になれればとても生きやすくなって幸せだし、涼子が倉田まり子になってくれれば、まり子自身よりもずっと上手に、混乱することなく、倉田まり子の良い部分を見つけて、そこを伸ばして生きていってくれるような気がするのだ。こういう取りかえっこ、できないものだろうか。

「でも楽しそうだなあ。あたしも妹がほしかった」

「あたしはもううんざり。もうちょっとしたら、弟の方が何かと頼りになるかもよ」

「どんなふうに？」

「夜道の送り迎えとか。ボディガードね」

「そうかなぁ。大樹はあたしのこと徹底的にバカにしてるから、大きくなればなるほど心が離れていくだけだって思う」

「まりちゃんてば、そんなふうに考えちゃ駄目だよ」

「でもあたしホントにバカだから、しょうがないのかもね。サンタさんがどうのこうのってことだけじゃないもん。成績悪いし」

期末試験の結果が最悪だったので、冬休みに入る直前まで、まり子は特別居残り授業を受けなければならなかった。そのことで、大樹にはずいぶんと軽蔑《けいべつ》された。こんなみっともない姉ちゃんの弟だと認識されるのはまっぴら御免《ごめん》なので、彼は私立の中学に進むと宣言している。両親もその気でいるらしい。

「明日、終業式でしょ。通知簿もらうと、またバカにされるんだな、あたし」

涼子がまり子に聞こえるようにため息をついた。「まりちゃん、今夜はとことんブルーなんだね。せっかくのクリスマス・イヴなのに」

「ごめんねえ」

「謝ることなんかないけど、元気出して。明日、クリスマスプレゼントに何をもらったのか教えてよ。あたしも教えるから」

「うん、そうね」

涼子の話し方がセカセカしてきたので、電話を終わらせたがっているのだと察しがついた。まり子はおやすみを言って受話器を置いた。電話を切ってしまうと、かける前よりもっと独りぼっちになった気がした。

——つまんない。

涙ぐんでいるうちに疲れて眠くなってきてしまった。通知簿の心配をしながら、弟にバカにされ、両親に軽んじられ、そんな自分が自分でも好きになれず、重すぎる体重を小さなベッドで持て余し、倉田まり子は、あたしのクリスマス・イヴは世界でいちばん不幸なクリスマス・イヴだと思いながら、眠りについた。

5

夜明け——

閉じたまぶたの裏にぼんやりと光を感じて、野田健一は、毛布の縁から顔をのぞかせた。窓の方に目をやると、ぴたりと閉じたカーテンの裏側が白く底光りしたようになっている。雪はまだ降っているのだろうか。

目覚まし時計は、今まさに午前六時になろうとしているところだ。健一が目をしばしばさせながら眺めるうちに、秒針がひと回りして、かちりと小さな音がしたかと思うと、ベルが鳴り出した。布団《ふとん》から手を出してボタンを押し、うるさい音を止める。時計の金具が冷たいので、部屋の空気の冷え切っているのがよくわかった。

階下で人の声がした。くぐもっていてよく聞き取れないが、父の声のようだ。

健一は几帳面《きちようめん》な気質《たち》なので、よくこんなふうに、目覚ましが鳴り出す直前に目が覚めることがある。だが今朝は、まぶたを開くちょっと前まで、何か夢のようなものを見ていた。その夢に急《せ》かされて目を覚ましたような感じもする。枕《まくら》に頭をうずめなおして、健一は目をつぶった。変な夢だった。なんかよく思い出せないけど――

階下で、また声がした。今度は母の声のようだ。続いて、その声の尻《しり》にかぶるようにして、何かがガチャンと割れる音が響いた。

健一は枕の上でパッと目を見開いた。階下でまた声がした。今度は大声だった。はっきり聞き取れた。

「ほっといてちょうだい！」

母さんが叫んでいる。健一はベッドから跳ね起きた。パジャマの上に何も羽織らず、裸足《はだし》で廊下に飛び出すと、そのまま階段を駆けおりる。

裸足で廊下に降り立つのとほとんど同時に、また盛大なガチャンという音がした。台所だ。健一は一瞬その場に立ちすくみ、前へ進もうとする身体《からだ》の勢いと、このまま回れ右をして自室に駆け戻り、布団をかぶって知らん顔を決め込もうという衝動とのあいだで宙づりになった。そのあいだにも、台所でまた何かが床に落ちた。そして椅《い》子《す》を引く音がした。

「幸恵《ゆきえ》」と、父が平べったい口調で母の名を呟《つぶや》くのが聞こえた。呼んだのではなく、ただ母の名を口にしたというだけだった。

両親は喧嘩《けんか》しているのだ。おそらく。それは健一にとっては前代未聞《みもん》のことだった。今まで一度だってこんなことはなかった。ささいな言い争いさえしたことのなかった両親だ。泣いたり叫んだり物を壊したりするような喧嘩をするなんて、健一にとっては、今朝から地球の自転が逆になりましたと告げられるよりも非現実的で、いっそ滑《こっ》稽《けい》なくらいのことだった。

健一は足を押し出すようにして台所へ向かった。ドアを開けるとき、パジャマ姿というのもどうにもおかしい、せめて着替えてくるべきだったなどと、余計なことをちらっと考えた。

母は台所のテーブルに突伏して、両手で頭を抱えて泣いていた。パジャマの上にキルトのガウンを羽織り、厚い室内履きを履いている。褪《あ》せたピンク色の室内履きの爪《つま》先《さき》あたりに、コーヒーカップが割れてひっくり返っている。テーブルの上では調味料入れが数本倒れており、醬油《しょうゆ》がこぼれて黒い水たまりをつくっていた。母の右肘《みぎひじ》がその水たまりの端に触って、キルトのガウンの肘に染《し》みが広がりつつあった。

父は母の斜向《はすむ》かいに、テーブルから椅子を引き離して座っていた。さっき椅子を引く音がしたのは、父が腰掛けたときの音だろう。父はきちんと背広を着て、ゆるくネクタイを締めていた。眼鏡《めがね》が少し鼻梁《びりょう》の先にずれて、いかにも間抜けな感じに見えていた。ひどく疲れたように両肩を落としているが、それは夜勤明けのせいではないはずだ。夜通しの勤務を終えて帰ってくるときにも、これから出勤する人びとと同じくらいこざっぱりして見えるのが野田健夫《たけお》の常の姿なのだから。夜勤明けで帰宅する早朝、たまたま駅前で知り合いとすれ違うと、「行ってらっしゃい」と声をかけられると、自慢そうに笑って言っていたことがある。

父の足元にも何かガラスの鉢のようなものが割れて転がっており、その破片がひとつ、父のつっかけているスリッパの甲の部分に、微妙なバランスを保って載っかっていた。

二人とも、すぐには健一に気づかなかった。健一は無言劇にまぎれこんだような気分で、ただ足の裏が冷たいのを感じていた。このまま踵《きびす》を返して自室に戻り、十分ほどしてからもう一度降りてきたら、この不可解な無言劇は終わっているのではないか。この光景は、観客に見せる予定のまったくない舞台裏の稽古《けいこ》のようなもので、見なかったことにすれば消えて失《な》くなってしまうのではないか。そう思って、本当にそっとその場を離れかけたとき、父がつと顔をあげて健一を見つけた。

野田健夫は口を開き、何か聞き取りにくいことを言った。野田幸恵はテーブルの上につっぷしたままだった。キルトの肘の醬油の染みがどんどん広がってゆく。

父が手招きでリビングの方へ来るように合図をしたので、健一は廊下の方を通ってリビングに入った。ソファの背には父のコートが袖畳《そでだた》みにしてかけてあり、父はそこに片手を載せて立っていた。

「お母さんは少し具合が悪い」と、野田健夫は言った。「そんな格好じゃ風邪《かぜ》を引くから、着替えてきなさい。お父さんは台所を片づけておくから」

訊きたいこと、言いたいことが口元に殺到してくるのを感じたが、それらの言葉は結局ひとつも形にならなかった。健一はごくりと喉《のど》をならして、未成熟の質問をまとめて呑《の》み込むと、ただ「母さんは大丈夫なの」とだけ質問した。

「ちょっと興奮したんだ」と、父は答えた。指先で眼鏡を押しあげる。その指がかすかに震えていた。

「父さん、いつ帰ってきたの」

「うん？　さっきだ。ちょっと前だ」

「帰ってきたら、お母さんの様子がおかしかったの？」

「とにかくおまえは着替えてきなさい。学校に遅れるよ」

健一は素直に父の言葉に従い、のろのろと階段をのぼると、じっくりと時間をかけて着替えた。今日は終業式で、授業があるわけではない。それなのにわざわざ鞄《かばん》を開けて、中身を点検した。箪笥《たんす》の引き出しから靴下を出して履くのにも、じっくりと手間をかけた。そうやって父に時間をあげないと悪いような気がした。まだ開店準備のできていない店にズカズカ踏み込んで行くような気がした。だから、階下に降りるときにも、わざとぺたぺた足音をたてた。

台所はとりあえず、見える範囲内はきれいに片づけられていた。母の姿も見えなくなっていた。父がコーヒーをわかして、トースターにパンを放り込んでいた。

「母さんは寝た」と、流し台の方に向いたまま背中で言った。「階段ですれ違わなかったかい？」

「全然」と、健一は言った。実際、気配も感じなかった。野田幸恵は、必要とあらば幽霊のように歩くことができるのだ。

「早く食べなさい」

父は無表情にそう言って、焼けたトーストをテーブルの皿の上に載せた。健一は椅子を引いたが、シートの上がこぼれた醬油で汚れていることに気づいて、それをじっと見つめた。壊れた食器は片づけられても、壊れた感情を抱えた家族を寝室に追いやることはできても、ぬぐい取れないものだってあるんだぞと、その染みが主張しているような感じがした。それなのにニイちゃん、黙って知らん顔して学校へ行く気かい？

「父さん」と、健一は呼んだ。「何があったの？」

父は無言でコーヒーをカップに注いでいる。「母さんと喧嘩するなんて、僕は初めて見たよ。ビックリしたよ」

父は流しの方を向いたままコーヒーを飲み始めた。

「父さん」

父は背中を向けて、意外なことを訊《き》いた。「おまえ昨日、夕方出かけたか？」

健一は驚いた。「それが何か関係あるの？」

「出かけたかと訊いてる」父の声に、初めて苛立《いらだ》ちが混じった。「友達と出かけたんだろ？」

「うん」健一は短く答えて黙った。父も黙っている。

「どこへ行ったんだ」

「友達が妹にクリスマスプレゼントを買うっていって、それに付き合ったんだ。だからモールまで行ったんだよ」

そうかと、父は呟いた。コーヒーの残りを乱暴に流しのなかに捨てると、カップを脇《わき》に置いた。

「母さんに黙ってたろ」

「声をかけに行ったら寝てたから、メモ書いて出かけたんだ」

父は思いがけないほど鋭く身体を回して振り向いた。目が怒っていた。

「本当か？」

「ホントだよ」

「そのメモ、どこに置いた？」

健一はリビングのテーブルの上のあたりを指し示した。「このへん……」

「母さんは、そんなもの見なかったって言ってたぞ」

「だけど僕は書いて行ったよ。黙って出かけたりしない。そうでないと母さん心配するし、父さんの会社に電話したりするからさ」

そこまでやりとりをして、やっと健一には事態が呑み込めた。そうか、と思った。昨日、健一の書いたメモが何かの拍子でどこかに落ちたか、クッションの陰になってしまったかして、母の目には触れなかったのだろう。それで心配した母は、いつもの調子でどうしようどうしようと父の会社に電話をかけた。ところが父はひどく忙しかったか、取り次いだ会社の人に「奥さんにも困ったもんだね」と嫌味のひとつも言われたかして、珍しく気分を損ねてしまったのだ。それで今朝帰宅してすぐに、母を叱《しか》った。そしたら母が拗《す》ねてしまって、あんなふうな喧嘩になったのだろう。

「僕は昨日、帰ってきても、別に母さんには叱られなかったよ」と、健一はなだめるように言った。

父は眼鏡の奥で両目をしばたたいた。「叱られなかったのか」

「うん。母さん具合が悪かったからね。ずっと元気なくて。昨日は凄く冷えたから。今日はいい天気だけど」

窓の外は一面の雪景色だ。昨夜一晩のあいだに、まるで雪国のようになってしまった。だが、そろそろと明け初《そ》める夜明けの空は、南国の海のような陽性の青色を帯びている。関東地方では、大雪の翌日は、冬場とは思えないような明るいピーカンになることが多いが、今日もまたそのパターンの見本のような一日になるらしい。

父は眼鏡をはずすと、片手で目をごしごしとこすった。それからちょっと眉《まゆ》をしかめて、床の方に目をやったまま呟いた。

「おまえも、いろいろ気を遣うな」

何とも返事のしようがない。

「まあ、いいや」父は不意に投げやりになり、またごしごしと顔をこすった。

「学校へ行きなさい。遅れるよ」

実際には少しも遅れてなどいなかった。まだやっと七時を五分ほど過ぎたばかりだ。この季節、城東第三中学校の授業開始時間は午前八時三十分。予鈴は十五分前に鳴る。健一の家から学校まで、ゆっくり歩いても二十分ほどの距離だから、この時刻に家を出たって、まだ正門は開いてないだろう。

雪道を歩くのは、思いの外たいへんな作業だった。思い切って長靴を履いてくればよかったのかもしれないが、それでは自分から運動神経のニブイことを宣伝しているようなものだ。

城東第三中学の正門が見えてきた。驚いたことに、男の先生が二人シャベルを手にして、せっせと雪かきをしている。一人は体育の先生で、一年生の担任をしているからよく知らない。もう一人は健一たち二年生に社会科を教えている楠山《くすやま》先生だ。三十代も後半になるはずだが、柔道部の顧問で、体格もいいしおっそろしく強い。女子生徒にはけっこう人気があり、男子生徒のなかにも、クスヤマはわりかし話せばわかるとか言う向きもあるけれど、健一は大嫌いだった。楠山先生は、彼のようなひ弱な男子生徒を、頭からバカにしたようなことを平気で言う。人間、身体ができてなければマトモじゃない、スポーツ好きでない人間はロクなもんじゃないということも平気で言う。健全な精神は健全な肉体に宿るという〝標語〟が大好きだ。

幸い、まだ気づかれていない。ぼちぼち登校してくる生徒たちもいるだろうけれど、まだ目の届く範囲には制服姿は一人も見当たらない。健一はそろそろと後ずさりをして、来た道を戻り始めた。塀に沿って右に進み、ぐるりと回れば通用門が見える。通常、登校時間には通用門は閉められており、生徒は全員正門を通らなければならない決まりだ。むろん、その方が生徒たちを監視しやすいからだろう。しかし生徒たちの方も手慣れたもので、服装規定違反や遅刻常習の連中なんて、みんな通用門を乗り越えて学校に出入りしている。

健一も、途中で忘れ物に気づいて家に戻り、正門に回っていたら間に合わないと思ったときに、通用門を乗り越えた経験がある。運動が苦手でも、必要とあらばその程度のことはできるものだ。

案の定、通用門はしっかり閉まっていた。地上八十センチぐらいの高さにある横棒のところまで、吹き寄せられた雪が届いていた。黒塗りの鉄柵《てっさく》をつかむと、手が悲鳴をあげた。

通用門の向こう、裏庭にはまったく人気《ひとけ》がない。レンガ色の校舎まで二メートルほどの距離しかない狭い裏庭だが、大きな雪の吹き溜《だ》まりがそこここにできていて、のっぺらぼうの雪男みたいに健一を見守っている。こちら側は北側で日陰《ひかげ》なので、体感する気温もぐっと低いようだ。とっとと登ってしまおう。門越しに鞄を投げ入れておいて、健一は鉄柵に両手をかけた。

手がかじかんで、以前によじ登ったときよりも、うんと難しいような感じがした。鉄の門は凍りつき、運動靴の底がつるつるする。門をまたぎ越したところで足が滑り、バランスを崩しそうになって冷汗をかいた。あわてててっぺんの横棒をつかみなおすと、その手がまた滑った。

——落ちる。

一瞬、頭が後ろに反った。空が見えた。このまま真下に落ちると、門に身体がぶつかる——とっさにそう思って、両手で空を泳ぎ、できるだけ門から離れた吹き溜まりの上に落ちようと頑張った。ひどく長いあいだ空《くう》をかいていたような気がした——

どさりと落ちた。衝撃よりも、冷たさの方が身に染みた。思っていた以上に門から離れ、しかも横に逸《そ》れて、通用門の脇の植え込みの上に落下したらしい。凍りかけたツツジの葉が身体の下でざわざわと鳴るのが聞こえた。

健一は半回転して植え込みから脱出した。頭のてっぺんから爪先《つまさき》まで雪まみれだった。もがきながら身体を起こすと、崩れた吹き溜まりのなかに尻餅《しりもち》をついている自分を発見した。頭がクラクラした。

さっき投げ入れた鞄の上に、半分ほど雪がかかっている。まわりを見回す。誰もいない。今の派手な落下も、幸い聞き咎《とが》められなかったようだ。身体の雪をパタパタとはらって立ち上がろうとした。

そのとき、自分の鞄のすぐ脇の雪の山のなかから、手首が突き出しているのが目に入った。あんなところに手があるや——髪の雪をはらいながらそんなことを考えた。まるで健一の鞄を摑《つか》もうとしているみたいな格好だった。手のひらを下に、鞄の取っ手の方に指を伸ばして。

いいいいいいいい、あんなところに手が出てる。

そんなバカな。

健一の手が止まった。彼の目が慎重に動いて、その手首につながるものがあるはずの、崩れた吹き溜まりの山をなぞっていった。雪の山は無垢《むく》で、純白で、いっそ美味《おい》しそうにさえ見えた。その下にとんでもないものを隠しているなんてことは、およそなさそうに思えた。

鞄を拾って、校舎のなかに入ろう。健一はそう思った。今朝は起き抜けからヘンなこと続きだ。こういう日はおとなしく亀《かめ》の子みたいに首を引っ込めて、二十四時間が頭の上を通過してゆくのを待つのがいちばんだ。日付けが変われば運勢も変わる。だっておかしいじゃないか、こんなところに血の気のない真っ白な手首が落ちてるなんて——

強いて自分にそう言い聞かせるのに、健一はいつの間にか膝立《ひざだ》ちになり、その腕は意志に反して勝手に動き、手首の突き出している雪の山を掘り返し始める。表面が凍りついて固まった雪は、健一の拳骨《げんこつ》の形に崩れてゆく。ぼすん、ぼすんと音をたてて、雪に穴がうがたれてゆく。その穴に手を突っ込んで、大きく腕をなぎはらって雪を取り除く。顔に雪片が降りかかる。

目の前に、顔が現れた。それはぽっかりと両目を開いていた。黒いハイネックのセーターの襟元に、雪がびっしりこびりついていた。睫毛《まつげ》も凍っていた。まぶたが開いたままなのも、凍っているからなのかもしれなかった。

顔はきれいだった。すぐに誰だか見分けがついた。知っている顔だった。しかしその名を思い浮かべるよりも早く、健一は悲鳴をあげていた。前後を忘れて叫び続けながら、自分が何を喚《わめ》いているのか、遠いところで聞いていた。たいへんだ、たいへんだ、先生、先生、死んでる、死んでるヒトが死んでる。死んでる、死んでる、ここで死んでる。

柏木卓也の亡骸《なきがら》は、健一のパニックなど素知らぬ顔で、雪のなかに仰向《あおむ》けに横たわり、生前の彼の表情そのままに、すべてに無関心そうな目つきで空を仰いでいた。

6

藤野涼子は、朝六時過ぎに起き出した。冬休みに入るまでは寒稽古《かんげいこ》もないので、本当ならもうちょっと寝ていたかったのだが、あまりにも冷え込みがきついので目が覚めてしまったのだ。

カーテンを開けると、思わず歓声をあげたくなるような雪景色が広がっていた。歩道でも二十センチ以上は積もっているし、吹き溜まりでは三十センチ、いや五十センチに達しているかもしれない。家の隣の青空駐車場では、並んだ車がすべて雪に覆《おお》われて、純白の小山の連なりと化している。まだ手つかず、まっさらの降雪だが、厳しい寒気に表面が凍りついて、つぶつぶが浮いている。そのせいで、再生紙製の巨大な卵パックが伏せられているみたいな眺めになっていた。

いつもは寝起きの悪い翔子《しょうこ》と瞳子《とうこ》も、今朝は涼子と一緒に起き出すと、早々に身支《みじ》度《たく》を済ませて、大喜びで庭に飛び出した。二対の小さな手足でささやかな庭の中を駆け回り、できそこないの雪だるまをひとつこしらえ、隣の駐車場の小山の連山に向けて、雪玉の高射砲を何発も発射して、それはもう大騒ぎである。母を手伝って朝食の支度をしながら、涼子が台所の小窓からのぞいてみたときには、巨大な卵パックは哀れ穴だらけにされていた。

「早くご飯を食べなさい。まだ冬休みになったわけじゃないのよ。終業式があるんだから。今日遅刻したら目立っちゃうわよ！」

玄関口まで出ていって、母が大声で呼びかける。その息が真っ白な蒸気になり、青い空に吸い込まれてゆく。それが七時ごろのことだ。いつもなら、妹たちはまだベッドから出てもいない時刻である。

「大雪は、犬と子供を等しく興奮させる」

食卓で湿った朝刊を広げている父に、そう感想を述べると、

「じゃあ、おまえはもう子供じゃないのか」と問い返された。

「少なくとも犬じゃないのは確かね」

「そうか。父さんは犬だがな」父は大あくびをしながら言った。

「お父さんたちをつかまえて、〝犬め〟なんて罵《ののし》るヒトが、今でもいるの? 古い映画の台詞《せりふ》みたいだね」

「誰に罵られなくても、鎖につながれてるから犬なんだ」

「そしたら、働く男たちはみんな犬じゃない?」

「今朝のおまえは妙にシニカルだな。昨夜《ゆうべ》のプレゼントが気に入らなかったのか?」

ちょっと図星であった。

片手では持ち上げられないような重たい国語辞典をもらったのである。確かに、小学校のころからずっと使っているコンパクトな国語辞典は語彙《ごい》が少なく、時には載っていない言葉もあって不便だと、文句を並べたことがあるのは認める。ならばその不足を埋めようと、両親は考えたわけだ。すこぶる合理的にして実利的。でも、十四歳の女の子のもらうクリスマスプレゼントなのだ。もうちょっとお洒落《しゃれ》なものであってもいいじゃないか。

「どうせ暮れの買い物にいったら、母さんにあれこれねだるんだろ？　だったらいいじゃないか」と、父は言う。これもまた非常に正しく合理的である。

妹たちが頬を真っ赤にして戻ってきたので、親子五人で食卓を囲んだ。父にはあんなことを言われたけれど、実は涼子はちっともシニカルになどなっていない。むしろ浮かれていた。全員揃《そろ》ってクリスマス・イヴを迎えられただけでなく、翌朝の朝食も顔を並べて食べることができる。こんなのは本当に珍しい。涼子の記憶にある限り、初めてじゃないだろうか。これまでは、イヴの食事こそ揃ってとることができても、父はその夜のうちに仕事に戻って行ったり、あるいはイヴの夜は泊まりで、翌朝早く帰ってきて朝食だけ一緒に食べるというパターンの連続だった。

これはずいぶん後になってのことだが、涼子は、父がこの朝自宅にいてくれたのは、単なる偶然ではないと考えるようになった。天の配剤と言ったら大げさだけれども、第二の天性ともいえる刑事としての勘が、二十五日の朝は家にいて、三人の娘たち、わけても涼子のそばについていた方がいいと、父の心に囁《ささや》きかけたのではないか。

もっともこの時には、まだ、そんな考えなどちらりとも抱いてはいなかった。お父さんは疲れてる。顎《あご》もげっそりしたし、髭《ひげ》に混じる白いものが急に目立つようになった。少し休みが必要だ。捜査本部の誰かが、藤野さんちょっと家でゆっくりしてこいと、気を利《き》かせてくれたんだろうぐらいに思っていた。

特殊で大事な仕事に忙しい父親。

藤野の家のそんな暮らしを、倉田まり子がとてもうらやましがっている。そういえば、おしゃべりのなかでひょいと涼子が「帳場事件」と言い、その言葉の意味を問われて、警視庁が捜査本部を置くような事件のことだと説明してあげると、ものすごく感心されたことがあった。涼ちゃんの家はいいなぁ、普通の家じゃないもの。ぜんぜん普通だよと涼子は笑ったが、心の隅ではちょっぴり得意だった。

もちろん、まり子が想像し憧《あこが》れている「刑事の家」はドラマのなかのそれであり、現実の藤野家とは違うとわかっている。それでも、どんなことだって、級友に憧れられるのは悪くない。「悪くない」と素直に認めるくらいには涼子もまだ子供であり、素直でもあった。

コーヒーカップを片づけながら、雪道だから、今日はいつもより早めに家を出た方がいいと、母が言った。「翔子と瞳子は、お母さんが送っていってあげる」

「やった！　車でしょ？」

手を打って喜ぶ瞳子に首を振って、

「違うわよ。集合場所まで一緒に行ってあげるってこと」

翔子と瞳子の通う小学校には、まだ集団登校の規則《きまり》がある。都内では、こういう小学校は少なくなった。子供の数がどんどん減っているからだ。しかし、この町にはもともと都営住宅や公団住宅が多い上に、近年新築分譲されたマンションがおしなべてファミリー・タイプなので、時代に逆行して学童の数は増加している。

「うちの車はエンジンが凍っちゃってるかもよ」と、翔子が生意気な口振りで言った。

「あんなオモチャみたいなミニだもんね。だから、ベンツのワゴンがいいって言ってるのに」

母はにっと笑った。「あら、翔子がお年玉で買ってくれるの？　悪いわねぇ」

妹たちは、昨夜もらったばかりのフード付きコートを着て行くという。マフラーは、涼子が編んでやったお揃いだ。翔子が髪をポニーテールにしてくれとねだるので、涼子は自分の支度を後回しにして、翔子の手強《てごわ》い癖毛と格闘する羽目になった。

「ああ、ストレートパーマかけたいな」

「そんなの、あたしだってまだ駄目だって言われてンだから」

「ミキちゃんはかけてるよ。ブリーチもしてるし」

「他所《よそ》ん家《ち》のことよ」

ようやく母が二人の妹を連れて出るころには、八時五分前になっていた。涼子は歯を磨《みが》き顔を洗っただけで、まだパジャマの上にセーターを着た格好だった。八時十五分までには教室に入らないと遅刻になってしまうから、急がなくては。

実は、藤野家から三中へは、最短距離を通れば二分で行くことができる。通用門を通ればいいのだ。が、三中では全生徒に、登校の際には正門を通るようにと指導しているので、朝は通用門が閉められている。だから涼子は毎朝、遠回りをしているのだ。正門側に回ると、徒歩で六、七分はかかる。

「遅刻しちゃう!」

焦《あせ》って制服に着替えているとき、最初のパトカーのサイレンを聞いた。近いな、と思った。家の一本北側の通りを走り抜けてゆく。朝っぱらから何事だろうか。

洗面所に降りて髪をとかしていると、次のパトカーのサイレンが通過するのが聞こえてきた。やはり近い。さっきと同じ方角だ。雪道だからスピードが出せず、なおさらにサイレンばかりがけたたましい。

それと、別のサイレン音も聞こえてくる。今度は救急車だ。

「交通事故かな?」

リビングに首を出して父に問いかけた。が、父はいない。玄関のドアが開きっぱなしになっている。

「お父さん？」

　家の近所にパトカーが通ると、父は必ず様子を見に行く。職業病だと言っている。涼子はサンダルをつっかけて玄関から出た。父はこちらに背を向け、門扉《もんぴ》のところに立っていた。温かく輝き始めた太陽を、雪がまぶしく照り返す。涼子は片手を額の上にかざした。

「近所かな？」

　涼子の声に、父は振り返った。眉《まゆ》のあたりがちょっと険しくなっている。

「そうだな。三中の方へ向かってる」

「ウソぉ」

　確かに方角はそうなのだが、これは〝お約束〟の合いの手だ。ほとんど習慣だ。いつもなら「そうやってすぐ〝ウソぉ〟と言うのは行儀が悪い」と怒る父だが、今朝は咎《とが》めなかった。涼子の合いの手に気づいてもいないみたいだ。

「支度はできたのか？　父さんも着替えてくるから、ちょっと待ってろ。一緒に行く」

「何で？　遅れちゃうよ」

「すぐだから」

家のなかに戻る父と入れ違いに、涼子は門扉のところまで行ってみた。家族がつけた足跡の上を歩いたが、ひとつひとつの足跡が二十センチぐらいの深さがあり、足がサンダルごと埋もれてしまう。

もちろん、そこからは何が見えるわけでもなかった。雪に覆われて、雑駁《ざつぱく》な町並みが、神々《こうごう》しく輝いているだけだ。空は透き通るほどに青く、雲の切れっ端さえ見えない。天には完全なる蒼《あお》。地には清浄の純白。いつもとは違った朝。

そう、本当に違っていた。決定的に。

藤野剛の勘はあたっていた。町角を曲がると、城東三中の通用門前に、パトカーが二台と救急車が一台。狭い道にひしめき合って停《と》まっているのが目に入った。他に車両は見えない。バイクも、自転車もない。交通事故ではなく、明らかに三中の内部で何か起こっているのだ。制服巡査に混じって、数人の教師が雪のなかに悄然《しょうぜん》と立っている。

父親の同道に渋っていた涼子も、この光景を見て顔色を変えた。藤野の防寒着の袖《そで》を強く摑《つか》み、足を止める。

「何だろう？　何だと思う、お父さん」

「わからん」

藤野はパトライトに目を据《す》えたまま、娘の肩に手を置いた。「おまえはここにいろ。ちょっと事情を聞いてくるから」

「ここで？」

「待ってろ」

「友達が来たら何て言えばいい？」

「一緒に待ってろ。学校には行くな」

「一緒に？　だって――」

不審気だった涼子の目が、はっと晴れた。

「うん、わかった」

藤野は雪道に手こずりながらも急いだ。頭にあるのは、学校内で何らかの暴力事件が起こり、あるいはそれが今も進行中なのではないかという懸念《けねん》だった。終業式の朝だというのも気にかかる。昨今の校内暴力は、ひと昔前の、校内の施設を壊したり、ただやみくもに暴れたりするような形ではなくなり、もっとピンポイントに先鋭化している。在籍中の生徒ではなく、過去の卒業生が戻ってきて事件を起こす場合もある。

誰か殺傷されたのでなければいいのだが。

今の短い会話でも、涼子にはそれが通じたはずである。

「おはようございます！」

一歩進むだけで、いつもの三歩分の時間がかかる。藤野は、パトカーのかなり手前から通用門に向かって大きな声を張り上げた。巡査たちと教師たちが、まるで脅かされたみたいに一斉にこちらに顔を向けた。

雪道に苦闘しながら、藤野は防寒着の内ポケットから警察手帳を取り出すと、顔の脇《わき》に掲げてみせた。

「警視庁の藤野と申します。この学校の父兄です。二年A組の藤野涼子の父親です」

やっと、巡査たちや教師の顔が見分けられるくらいにまで近づいた。教師たちは通用門の向こう側に固まっている。巡査たちや救急隊員は手前にいる。そのあいだに何かがあるようだ。

「家が近所なので、様子を見に来ました。何事ですか？」

教師たちは、とっさに譲り合うように顔を見合わせている。藤野はいちばん手前にいた巡査のところへぐいぐいと雪を分けて近づいていった。年輩者で、制帽からはみ出している髪はほとんど白髪だ。長靴で雪を踏んで寄ってくると、ちらりと藤野の警察手帳を見てから、声をひそめた。

「実は、生徒が死亡しとるのです。雪の下から遺体が発見されまして」

藤野が予想していた最悪の返答ではなかったが、まったく予想外のことでもなかった。

「こちらの生徒であることには間違いないんですか？」

「そうです。発見者が同級生で、顔を見てすぐわかったんですな。男子生徒ですが――」

「学校の中で暴力沙汰《ざた》が起きているということではないんですね？」

年輩の巡査は激しく首を振った。「それはないです。校内に異変はありません」

藤野は死んだ生徒の名を訊《き》こうとして、思いとどまった。聞いても彼にはどこの誰だかわからない。

寒気に頬を赤くした若い巡査が、パトカーの開いたドアの脇に立ち、しきりと無線のやりとりをしている。所轄署《しょかつしょ》と連絡をとっているのだろう。城東警察署はここからそう遠くない場所にあるが、路面状態がこれでは、臨場まで時間がかかるかもしれない。とりあえず現場保存をしなくてはならないが、雪はすでにかなり踏み荒らされている。

藤野の脳裏を〝自殺〟の二文字がよぎった。「生徒」と「自殺」の悲劇的な親和性。予断を持ってはいけないが、ほとんど反射的に心はそちらに傾く。

しかし一方で、自ら命を絶つ不幸な子供が、死に場所に「学校」を選ぶケースは少ないということも、藤野は考えていた。学校が原因で死のうとする子供ほど、学校では死なない。

「自殺……かなぁ。殺人事件だとか、そんな類《たぐい》のもんだとは思えませんがねえ」

藤野の考えに同調しているかのように、年輩の巡査が小声で言った。「しかし、昨今の学校じゃ何があるかわかりませんからな。また苛《いじ》めとか、そんなことだったら嫌な話だ」

「今はまだ何も言えないですよ」

藤野は彼から離れた。通用門のすぐ先の雪溜《だ》まりのなかで、こちらに背を向けて救急隊員がしゃがみこんでいる。遺体はそこにあるらしい。張り巡らされたばかりの立入禁止の黄色いテープが、場違いに鮮やかだ。

救急隊員が立ち上がり、黙礼してから脇に退いたので、藤野の目に、かき分けられた雪のあいだからのぞく、凍って硬直しきった腕が見えた。黒いセーターの袖が、霜が降ったように白っぽくなっている。

これでは、もはや救急隊員の出番はない。通報者にもそれはわかったろうに、一一九番せずにはいられなかったのが切ない。

可哀想《かわいそう》に、冷たかったたな。藤野はつと手を合わせた。が、三中のまわりに建ち並んでいる民家の人びとが、戸口や窓からちらちらと顔をのぞかせているのに気がついて、心のなかでそっと付け加えた。でもこの雪が、野次馬の視線から、君を隠してくれてるからな。もう少し、寒いのを我慢してくれよ。

「藤野さん、藤野さんのお父さん」

呼ばれて顔を向けると、小柄で丸顔の五十過ぎの男性と、彼より頭ひとつ背の高い同年輩の女性が、あわてたように会釈《えしゃく》をした。藤野は学校のことは妻に任せきりで、教師たちの顔をまったく知らない。

「校長の津崎《つざき》です」と、丸顔の男性が言って、もう一度うなずくように頭を下げた。頭頂部がくるりと薄くなっている。

「こちらは二年生の学年主任の高木《たかぎ》先生です」

痩《や》せぎすの女性の方にちょっと手をあげると、

「御覧のような事態です。ご心配をおかけして申し訳ありません」

ぷっくりと丸い穏和そうな顔が白っちゃけている。ああこの人が〝豆ダヌキ〟かと、藤野は思った。生徒たちにつけられたあだ名である。涼子が笑いながら話しているのを聞いたことがあった。

「いえ、残念なことが起こってしまいました。他の生徒たちはどうなさいますか」

津崎校長はすぐに答えた。「とりあえず、登校してきた生徒たちは、教室に待機させることにしました。みんな正門を通るので、まだほとんど誰も事態に気づいてはいないと思います」

「これからは嫌でも知ることになるでしょう。このパトカーを見ればね」

「今朝は終業式で、体育館で全校集会を開く予定でしたが、その前に、私が子供たちに校内放送で説明をします。いろいろ調べることもあるでしょうから、警察のご指示には従いますが、生徒たちはできるだけ早く下校させたいと思います」

顔色こそ悪いが、口振りは落ち着いていた。かなり昔のことになるが、藤野は二度ほど、学校で発生した傷害事件を手がけたことがある。そのケースでは、警察が介入するような大事になってしまったことに、どちらの学校の先生もただあわてるばかりで、まったく頼りにならなかった。

〝豆ダヌキ〟はちょっと違うようだ。少なくとも今の段階では、これが最良の対処の方法だろう。この学校の生徒の父親として、藤野は少し安堵《あんど》した。

「サイレンを聞いて心配になったので、娘と一緒に来てみたんです。途中で待たせていましたが、登校するように言います。先生方も大変ですが、よろしくお願いいたします」

丁寧に頭を下げ、巡査たちにも挨拶《あいさつ》して、藤野は踵《きびす》を返した。いくら自分の子供の通う学校の事件だとはいえ、やみくもに介入するわけにはいかない立場だ。事情さえわかれば、今はそれでいい。涼子が凍りついてしまう前に、登校させなければ。

戻ってみると、涼子は友達らしい少女と二人で立っていた。ショートカットに目の大きな子で、制服に赤いマフラーを巻いている。藤野の顔を見て、目をぱちくりさせた。

「事情はわかった。学校へ行きなさい」

「何があったの？」

「教室にいれば、先生から説明がある。不幸な事件があったことは確かだが、父さんが心配していたような種類の事件ではなかった。だから危険はないよ」

涼子の頬が少しだけ緩《ゆる》んだ。「よかった。あたし怖かった」

「怖がることはないよ。ただ、ちょっとショックかもしらん」

「ショック？」

「うん。生徒の一人が死亡したようだ。名前や学年はわからん。亡《な》くなったということがわかってるだけだ」

涼子は友達と顔を見合わせた。友達が何か言いかけて、言葉を呑《の》み込んだ。口先に出かかったその言葉も、やっぱり〝自殺〟であるようだと、藤野は思った。

「とにかく学校へ行って、あとは先生の指示に従いなさい」

目にまた動揺の色が浮いたけれど、涼子はしっかりしていた。「はい」

赤いマフラーの少女が涼子を突っつき、訊いた。「涼子のお父さん？」

「うん」

少女はしげしげと藤野の顔を仰いで呟《つぶや》いた。「ウワサの鬼刑事」

問うわけでなく呼ぶわけでなく、分類する口調だった。それがあまりにも大真面目《おおまじめ》で可愛《かわい》らしかったので、こんな時ではあるけれど、藤野は思わず口元を緩めてしまった。涼子もちょっと照れ笑いしている。

「走らないと、もう遅刻だぞ」

二人の少女を正門方向へと追いやった。その後ろ姿に、あらためて胸が痛んだ。亡くなった男子生徒が、涼子たちの友達でなければいいのだが。

7

正門のところでは、教頭先生が待ちかまえていた。きっと叱《しか》られると思ったのに、とにかく早く教室に入れと言うだけで、お咎《とが》めはなかった。

死んだ子は誰？　何年生で、どこのクラスの子なのだろう。

藤野涼子、滑り込みセーフ。八時十五分はとっくに過ぎてしまっていたが、二年A組の教室内はざわついていて、教卓の前には誰もいなかった。担任の森内《もりうち》先生は自宅が遠いので、この大雪に、ひょっとしたらまだ出勤してこられないのかもしれない。

級友たちも、珍現象である藤野クラス委員の遅刻に気づきもしなかった。みんな〝事件〟の話題で持ちきりだ。

「ねえねえ、通用門のところにパトカーが停まってるでしょ。何かあったみたいなんだよ。知ってる？」

さっそく倉田まり子が話しかけてきた。おさげ髪がぴょいぴょい揺れている。

「何かわからないけど、何だろうね」と、涼子は答えた。軽率なおしゃべりはやめておいた方がいい。一緒に登校してきた古野《ふるの》章子《あきこ》は隣のB組だが、赤いマフラーを巻き直しながら、やはり「涼子の鬼パパから聞いたことは、あたし、しゃべらないで黙ってる」と言っていた。

「ヘンに騒ぐの、良くないもんね」

章子は演劇部に所属しており、舞台にも立つが脚本も書く。一年生のとき同じクラスで、すぐ仲良くなった。いっぷう変わったところのある女の子だが、母の邦子の言葉を借りるならば「なかなか分別のある子」だから、こういうリアクションになるのだ。父が戻ってくるのを待っているあいだ、通りかかったのが章子でよかった。これがほかの女子たちだったら、今頃はもう火がついたような勢いで「誰か生徒が死んだんだって！　警察が調べてるのよ！」と、しゃべりまくっていることだろう。

教室の喧噪《けんそう》に包まれると、ほっとした。席に着いて、冷え切ってしまった手を擦《こす》り合わせながら、涼子は自分がビリッケツではなかったことに気がついて、ちょっと目を瞠《みは》った。

机がふたつ、空《あ》いている。

ひとつは窓際《まどぎわ》の最前列、柏木卓也の机だ。彼は十一月半ば以来不登校状態なので、机が空いていることに、涼子も慣れっこになっていた。でももうひとつ、廊下側の最前列の机に誰もいないのは訝《いぶか》しいことだった。あれは野田健一の席だ。

健一は無口でおとなしく、ひよわな少年だった。涼子の親しい級友ではないし、これからも親しくなる可能性は少ないだろう。あの無気力そうな感じが好きじゃない。野田健一を見ていると、涼子は、「休まず、遅れず、働かず」というサラリーマンの標語を思い出すのだった。

でもそれだけに、彼が欠席するのは珍しい。

涼子の頭を、一瞬、死んだのは野田健一ではないかという考えがかすめた。休みはいいいいいい、いけど自殺はする。しないいけど自殺はする。

自殺？　やっぱりそう考えてしまう。章子も言っていた。生徒が死んだって。きっと自殺だよね。うちのクラスの子じゃないといいんだけど。

まさかね。涼子は健一の机から目をそらした。城東三中には、一年生から三年生まで、それぞれAからDまで四クラスあるのだ。各クラスだいたい三十人前後、全校でざっと三百六十人ほどの生徒がいることになる。三六〇分の一だ。

「通知簿、もらえねえの」

「いいじゃん、その方が」

後ろの方が特に賑《にぎ》やかだ。涼子の席は教室のほぼ真ん中に位置しており、それは彼女の学友たちとの距離感をも象徴していた。後ろに陣取る賑やか組とも、前に並ぶお静か組とも、そこそこに友好的。なにしろクラス委員なのだし。

教室の前のドアの曇り硝子《ガラス》に人影が映った。がらりと開いて、出席簿を手に、学年主任の高木先生が入ってきた。これで大丈夫なのかと思うほどカラカラに痩せていて、金縁眼鏡に、いつもきちんとスーツを着た五十代。教室内のざわめきが、抗議や不満の響きを帯びる。厳しい高木先生は、生徒たちには人気がないのだ。先生の国語の授業がちょっと独特で、難しいということもある。そのせいで、一部の父母からは嫌われるどころか、不倶戴天《ふぐたいてん》の敵扱いを受けている。

「おはようございます」

生徒たちの誰よりも姿勢をしゃんと正して、高木先生は挨拶をした。そして両手を教卓の上に突っ張ると、

「みんなも気づいていると思うけど、今朝、学校内で不幸な事件がありました」

いつもと変わらない、張りのある声でそう切り出した。

「それについては、間もなく校長先生から、校内放送でお話があると思います。それまで静かに教室で待機していてください。まず出欠を採《と》ります」

「なんで先生が来るんですかぁ」

教室の後ろから、およそ友好的とは言えない胴間声で、男子生徒の一人が質問した。

「森内先生は、今、手が離せない用事があるのです」

男子生徒たちが笑いさざめく。

「モリリン、遅刻だぜ」

「朝帰りだったんじゃないのぉ」

森内先生は、まだ二十四歳の女性教師である。城東三中が教師生活の振り出しだ。英語の先生で、あか抜けた美貌《びぼう》と滑らかな発音に、帰国子女ではないかという噂《うわさ》があった。事実は違うようだけれど、テレビのCNNヘッドラインに登場する女性キャスターみたいな華やかな雰囲気を持っていることは確かだ。A組に限らず学年全体で、あんまり――というかほとんど勉強をやる気のない男子生徒たちからは、絶大な支持を集めている。尊敬ではなく、玩具《おもちゃ》みたいなアイドルタレント的支持だ。

女子生徒たちの半分はそんな先生に憧《あこが》れ、残り半分は反発している。憧れ組のなかの先鋭的な一派は、必然的に取り巻きにもなっている。涼子はどちらかと言えば反発組に軸足を置いているが、まわりからはそれと悟られていないはずである。とりわけ、森内先生本人には。

「先生をあだ名で呼んではいけないと、何度言えばわかるのかしらね」

高木先生は斬《き》り捨てるようにそう言うと、生徒たちの反応を待たずに出欠を採り始めた。毎朝繰り返される、日常のひとコマ。点滅するパトライトも、「生徒が死んだ」という情報も、ここでは関係ない。

高木先生は柏木卓也の名前を飛ばした。それは気にならなかった。十一月以来、森内先生もそうしている。だが、野田健一の名前を飛ばしたのはおかしかった。

そう感じたのは涼子一人ではなかったらしい。高木先生が全員の名を呼び終えると、向坂行夫《こうさかゆきお》が手をあげた。

「先生、野田君は欠席なんですか」

向坂行夫もおとなしい男子生徒だ。野田健一と仲がいい。

「野田君は登校しています。ただ少し具合が悪くて、休んでいるんですよ。心配することはありません」

「具合が悪いって……」向坂行夫は見る見る不安げな顔になった。「どうしたんだろう」

彼としては、先生に問いかけたつもりではなかったのだろうが、鋭く切り返された。

「ですから、心配しなくてもいいと言ってるんですよ」

「先生」教室の後ろから、また別の男子生徒の声が飛んだ。「あのパトカーさ、何？

誰か死んだんだろ。自殺じゃねえの？」

ざわざわと生徒たちの頭が動く。涼子が、章子がとっさにそう感じたのと同じように、みんなも感じているのだ。ああ、誰か死んだ。自殺したんだろうな。

だけどそれは気軽な感想。大きな答が返ってくるとは予期していないからこそ投げかけられる、不謹慎な問いだ。

それなのに——高木先生のこの目の色は何だろう？

生徒たちを見回して、すっくと立っている。顎《あご》や頬だけでなく、額まで痩せている。骨の上に皮膚が一枚かぶさっているだけだ。でもそこに、見事なまでに深いしわが寄っている。あれは物理の法則に反していないか。

眉《まゆ》をひそめたまま瞬《まばた》きをすると、先生は空いている机の方に目をやった。

柏木卓也の机だった。

涼子は、悪意ある小さな爪先《つまさき》で、胸を内側から蹴《け》り上げられたような気がした。

「グズグズと隠しているのは、かえってよくないわよね。特にこのクラスでは」

先生は顔を上げ、誰にともなくそう言った。眼鏡の縁が光った。

「あなたたちの級友である柏木卓也君が亡くなりました。詳しいことは、まだわかりません。騒がずに、落ち着いて教室で待機していてください。それと、柏木君の机に花を飾るから、誰か手伝ってくれないかしら」

8

〝豆ダヌキ〟は話好きだ。スピーチの機会があると、いつまでも機嫌良くしゃべっていて、聞かされている方は永遠に終わらないのじゃないかという気がしてくる。真夏の校庭に整列していたり、寒い体育館の床でお尻《しり》が痛いのを我慢していたりするときは、なおさらである。

ただ唯一《ゆいいつ》の救いは、津崎校長の話は割と面白い——ということである。話題は多岐に亘《わた》る。若い時に観《み》た映画や芝居のこと、最近読んだ本。時事問題について語ることも多いが、そんな時でも、新聞の社説をそのまま孫引きするようなことはなく、日常語を使って自分の感想や考えを述べる。ただ、そのせいか興に乗ってしゃべると口調が乱暴になったり、いささか強引な自説を展開してしまったりして、生徒の父兄から抗議の電話がかかってきたこともあるし、生徒自身から言葉の間違いを指摘されたことも、過去に二度あった。それがまた面白いと話題になる。

しかし、今朝のこのスピーチばかりは、どうやったって面白くなるはずがなかったし、面白くあっていいはずもなかった。校内放送が始まったとき、藤野涼子は、津崎校長が最初から言葉に詰まっているのを感じた。

「皆さん、おはようございます。校長の津崎です」

そう言ってから、ちょっと間があいた。いつもならポンポンしゃべるのに。

三中のおんぼろ放送設備は、それでなくても音響が悪い。お昼の校内放送で沖縄音楽を流したら、女性歌手の高音部分が割れてピンピンと雑音を発し、ハイテンションのお経を流しているみたいになってしまったという事件があるほどだ。音響の「受け皿」である校舎も老朽化しているので、傷《いた》みの激しい壁や廊下で音が変なふうに反響したり吸い込まれたりしてしまい、スピーカーのすぐそばに立っていても、何が話されているのかわからないことだってある。

だから津崎校長の声がひび割れていて、

「みださん、おばようございます」

というふうに聞こえたとしても、それは格別珍しいことではなかった。珍しいのは、生徒たちがそれを聞いても、誰ひとり、クスリとも笑わないということの方だ。

スピーカーの向こうの校長の長い沈黙に、みんなが目と耳を向けている。生徒たちの放つ不安と好奇心がない混ぜになって、学舎のなかに立ちこめる。

「今朝は、東京には珍しい大雪の朝になりました」

少し音量を落としたのか、さっきよりは聞きやすくなった。涼子は机の上に両肘《りょうひじ》を載せ、指を組んだ。隣の席では倉田まり子が、なぜか祈るように顔の前で手を合わせ、そこに額を押しつけている。さっきまで泣いていた女子生徒が、鼻をかむ音がした。

それ以外はしいんとしている。

「美しい朝です。見慣れた町並みが、輝いて見えますね。しかしその朝に、たいへん悲しい出来事が起こってしまいました」

また間があいた。スピーカーからぱちぱちと雑音が漏れる。

「通用門のところにパトカーが来ていたことは、皆さんもすでに知っていると思います。サイレンに驚いた人もいたことでしょう。先にお話ししておきますが、学校内で、皆さんが不安を感じなくてはならない種類の事件が発生したわけではありません。皆さんの身に危険があるわけではありませんから、落ち着いて最後までこの放送を聞いてください」

校長先生、何言ってんだろと、女子生徒の一人が泣き声で訴えた。柏木君が死んだことが、なんで危険なのよ。すると誰かが小声で、校内暴力とかの事件じゃないって言ってるんだよと説明してやった。そんなのどうだっていいじゃないのよと、女子生徒がまた泣き出す。

とっさに涼子は振り返り、うるさい、黙ってなさいと怒鳴りつけたくなった。柏木のことなんか気にもしてなかったくせして、勝手に気分出して泣いてんじゃないわよ！

その衝動を押し返すために、うつむいて目を伏せた。他にも泣いている女子生徒がいて、そこらじゅうでシクシクしゅんしゅんと鼻を鳴らす音がする。

涼子の目は乾いていた。級友の死にショックは受けたけれど、涙は出なかった。泣かないあたしは心が冷たいのだろうかと、心の隅で考えた。そもそも、柏木卓也の死を悼《いた》むよりも、そんな自分の心の動きの方を気にしてしまうというのは、冷血人間の印だろうか。

涼子に代わって、教室の後方の男子生徒が、

「ああ、うざってえ」と声をあげてくれた。

「なに泣いてんだよ。バカくせえ」

誰も何も言わなかった。それで泣きやむ者もいなかった。

スピーカーがざあざあ鳴った。校長の声が聞こえてくる。

「悲しい出来事というのは、他でもありません。私たちのこの学校のなかで、大切な

仲間である二年生の生徒の一人が、今朝、亡《な》くなっていることがわかったのです。亡《なき》骸《がら》は雪の下に埋もれておりました。そこで、パトカーや救急車が駆けつけてきたのです。

その生徒が、どういう事情があって学校で亡くなっていたのか、まだ詳しいことはわかっていません。不幸な事故であるかもしれません。これから調べなくてはならないことが、たくさんあります。しかし皆さんの生活に影響が出るようなことは、けっしてありません。その点については心配をしないでください。

本日の全校集会はとりやめにします。皆さんは、この放送を聞いたら、各教室でホームルームを行い、担任の先生から二学期の通知簿をもらって、速やかに下校してください。本日の午後を含め、冬休み中に予定されていた部活動は、とりあえず、すべて休止になります。皆さんはそれぞれの家で健やかに冬休みを過ごし、新年を迎えてください。

とても辛《つら》い出来事ですが、私は皆さんが、強い心で乗り切ってくれると信じています」

ちょっと言葉を切ってから、

「もしも気分の悪い人がいたら、担任の先生に申し出てください。また、ホームルームの時に、皆さんそれぞれの連絡先を、担任の先生に申し出ておいてください。すでに学校に提出してある連絡先でいい人は、そのままでかまいません。また、部活動が再開される時に備えて、部内の連絡電話番号も確認しておいた方がいいでしょう」

本来なら、校長先生が直々に言わなくたっていいような実務的なことだ。これはいかにも〝豆ダヌキ〟らしかった。

「皆さんのご家族も、今朝の事件のことを知って心配されることと思います。家に帰ったら、ご両親に、数日中に保護者集会を開く予定になっていることを伝えてください。その日時については、皆さんの電話連絡網を使ってお知らせします。

それでは皆さん、この放送を以《もっ》て二学期の終業式とします。三学期の始業式では、皆さんの明るい顔を見られることを期待しています」

放送が終わると、それまで下げていた視線を上げて、高木先生はぐるりと教室のなかを見回した。

「校長先生のお話は、よくわかりましたね。それではまず、冬休み中に家族で帰省するなどのことで連絡先が変わる人がいたら、手をあげて。旅行は、二、三日間出かける分にはかまいません。冬休み中家を留守にするような場合だけでいいです」

生徒たちはちらちらと互いの顔を盗み見たが、手をあげる者はいなかった。

「いないようね。部活動の電話連絡網は、いつも使っているでしょうから、確認はそれぞれに任せます。では、通知簿を配ります」

「先生」と、女子生徒の一人が手をあげた。「森内先生はどうしたんですか？」

涼子は、余計な質問はしなくてよろしいと、高木先生が叱《しか》るかと思った。が、先生は固い表情のまま、静かに答えた。「森内先生は今、柏木君の家にうかがっています。あなたたちのことも心配しておられましたが、今はいろいろとしなくてはならないことがたくさんありますからね」

それから——と、痩《や》せて骨張った肩を落として、

「柏木君のお葬式の日程が決まったら、このクラスの人たちには、電話連絡網を使って報《しら》せます。みんな、お別れに行きたいでしょう」

葬式という言葉に反応したのか、泣き声が大きくなった。まり子も目を真っ赤にしている。涼子は、今度は自分が少しも泣いていないことを隠すために、深くうなだれなければならなかった。

普段なら大騒ぎになるはずの通知簿の配付も、今日は静けさのなかで事務的に行われた。涼子はふと、テレビのドキュメンタリー番組で見た、列をなして食糧の配給を待つ人びとの光景を連想した。東欧の、内戦続きの国のことだ。寒さに震え、白い息

を吐きながら、辛抱強く待つ市民たち。

自分の番が来たとき、間近に仰ぐ高木先生の顔を見て、先生の目も涼子と同じく、まったく乾いたままであるのに気づいた。涙はおろか、目尻を赤くしてさえいない。視線があったとき、先生も、涼子が泣いていないことに気づいたと思った。ほんの一瞬のことだけれど、先生の瞳《ひとみ》に、それに対する理解の色が浮かんだように、涼子には思えた。

日頃、涼子はこの先生が好きではない。担任の森内先生は水気がたっぷり過ぎて、学年主任の高木先生は水気がなさ過ぎて、どちらも虫の好かない存在だった。この二人の先生を足して二で割ればちょうどよくなるのにと、家でも話したことがある。

でもこの一時だけは、高木先生と心が通じたような気がした。錯覚かもしれないけれど、それでもよかった。重荷がとれた。

そして初めて、柏木卓也という級友の死に、確かに自分の胸が痛んでいるのを感じることができた。涙や叫びに通じる痛み方ではなくても、傷がうずくのを感じた。それはたぶん、身近に起こった早すぎる死に対する、ごく当たり前の反応なのだろうとも思った。だから少しの困惑と、コンマ以下の微量ではあるけれど、怒りも混じっている。何に対する怒りかはわからない。ただ心のなかの小さな小さな声が、理不尽だと訴えている。

人が死ぬということへの不満？

それは、とても抽象的なもの。

柏木卓也とは、その程度の距離感だった。そして涼子は、多感な年頃らしい一時的な強い感傷に浸るよりも、その感傷の生まれ出る原因を冷静に見極める理性の方を優先する少女に育っているのだった。

ホームルームの終わりに、全員で黙禱《もくとう》を捧《ささ》げた。それが終わると、女子生徒たちは何人か、集まって肩を抱き合い、しがみつきあって大声で泣き始めた。涼子は一人、柏木卓也の机の上に飾られている、白い百合《ゆり》の花をながめた。きれいに開いた百合の花は、級友たちの慟哭《どうこく》に背を向けて、窓の方を向いて咲いている。その格好は涼子に、生前の、まだ学校に出てきていたころの柏木卓也の姿を思い出させた。

彼も、いつもそっぽを向いていたから。


廊下のスピーカーから、生徒たちに下校を促《うなが》す放送が聞こえてくる。放送部員ではなく、この声は、教頭先生のようだ。

野田健一はまだ校長室にいた。しかし今は一人きりではなかった。津崎校長が隣に座っている。そしてソファの向かいには、地元城東署の刑事が二人。一人は校長先生よりも年長のように見えるおっさんで、もう一人は三十歳くらいの女の人だ。

二人とも校長先生には名刺を出したけれど、健一には名乗っただけだった。健一はひどく疲れ、消耗していたので、どちらの名前も覚えることができなかった。

二人の刑事は、健一が柏木卓也の遺体を発見したときの様子を聞きたがった。最初のうち、健一はうまく話せなかった。どこから始めたらいいのかわからなかったのだ。するとおっさん刑事の方が、今朝は何時に起きたのかとか、学校には一人で来たのかとか、具体的に訊《き》いてくれるようになったので、何とか説明することができるようになった。

「野田君は、柏木君と同じクラスなんだよね？」

おっさん刑事は訊《たず》ねた。この人は、きっと入れ歯だ。あるいは総入れ歯かもしれない。年齢にふさわしくないほど歯並びがきれいだし、話す声がもごもごともっているから。

健一がうなずくと、津崎校長が補足した。

「二年A組だね」

「は、はい。そうです」

「柏木君とは友達だった？」

健一は首を振った。そして、また校長にフォローされないうちに、急いで付け足した。

「同じクラスだっていうだけの関係です」

「それでも、顔を見たらすぐ柏木君だとわかった」

「それぐらいは、わかります」

おっさん刑事はうなずいている。若い女性刑事はしきりとメモを取っている。きちんとスーツを着ているのに、足元だけは長靴でがっちりと雪道対策をしている。化粧っけのない素顔に、くちびるが荒れている。

「柏木君は、十一月の中頃から不登校になっていたそうですね？」

おっさん刑事が津崎校長に尋ねた。校長は丸い目をぱちりと瞠《みは》って、即答した。

「そうです。正確には十一月十五日以来、登校してきておりませんでした」

おっさん刑事は健一に視線を戻すと、

「そうすると野田君も、十一月十五日以来、柏木君には会ってなかったんだ」

うなずきかけて、健一は思い出した。学校では会っていない。でも、昨日の夕方見かけたじゃないか。

「あ……いえ、えっと」

「どこかで会った？　君らは、家も近所でしょう。三中の学区域は狭いから」

少年課の刑事らしい言葉だ。

「昨日、ライブラ・ロードで見かけました」健一は説明した。「僕と、同じクラスの向坂と一緒に。でも話しかけたりしませんでしたから、見かけただけだけど」

健一がその時の柏木卓也の様子を話すと、女性刑事がすごい勢いでメモを取り続けているのをちらりと見て、おっさん刑事は訊いた。

「柏木君は、誰かと待ち合わせしているような様子じゃなかった？」

「さあ……そんなふうには思いませんでした。あんまし興味なかったし」

「ずっと学校に出てきていないクラスメイトに、久しぶりに会ったのに？」

「そんなに親しくなかったから」

もともと、柏木卓也のことは好きじゃなかったと言おうとして、やめた。親しくなかったのになぜ嫌いなのだと、理詰めで問い返されそうな気がしたのだ。

不安だった。何でこんなにしつこく質問されなくちゃいけないんだろう。健一は不運な第一発見者だというだけだ。

それとも——何かしら疑われているのだろうか。ミステリー・ドラマじゃよくあるパターンだ。だけどそんな理不尽な。僕が何をしたっていうんだろう。

「僕だけじゃないですよ、そういうの」

健一の言葉に、おっさん刑事の視線が、ちょっと冷たくなったような感じがした。まずいこと言ったかなと、健一は内心うろたえた。

「みんな柏木君には冷たかったわけか」

責められてるみたいだ。何で僕一人が？

「柏木君には、親しい友達がいなかったようです」と、津崎校長が言った。スーツの襟元《えりもと》に、赤いウールのチョッキがちらりとのぞいている。校長先生は、冬中いろいろな色のチョッキを着ている。全部手編みだ。先生の奥さんのお手製なのだそうだ。朝礼でもスピーチしていたことがある。

「柏木君が不登校になって以来、私と担任教師と学年主任で、何度か家庭訪問をしています。その記録がありますので、必要でしたらご覧ください」

そして健一にうなずきかけると、

「野田君は、これで帰してやっていただきたいのですが。ショックを受けて、疲れていると思います。お話しできることは、全部お話ししたよな？」

健一はこの助け船に飛びついた。「はい」

「それじゃあ、今日はいいでしょう。野田君、また事情を聞きに行くことがあるかもしれないからね」

おっさん刑事の言葉を脇《わき》に押しやるように、津崎校長は肘《ひじ》を張って立ち上がり、健一を促して立ち上がらせた。足元に置いていた健一の鞄《かばん》を、健一よりも先に持ってくれた。

校長室から廊下に通じる方のドアを開け、健一を先に部屋から出すと、津崎校長はついてきた。ドアを閉める。

「辛い思いをさせて申し訳なかったね」

健一は黙ってうなずくことしかできなかった。

「君の通知簿は、高木先生が預かっているはずだ。もうホームルームは終わってしまったから、職員室をのぞいてごらん。それとも教室に戻ってみるかい？　誰か友達が君を待っているかもしれないよね」

「……いいです」

こんな騒動の時に健一を案じ、残っていてくれる誰かを〝友達〟と呼ぶのならば、健一にはその誰かなどいそうもなかった。誰の顔も名前も頭に浮かばない。

でも、そうか。ホームルームのあいだじゅう、僕は教室にいなかった。みんなはそれをどんなふうに解釈しているだろう？　急に心配になってきた。柏木が死んだことは、みんなもう知っているはずだ。校長先生の校内放送では、生徒の名前までは言っていなかったけれど、二年Ａ組ではバレていることだろう。死んだ柏木の机と、ぽっかり空いているもうひとつの机――野田健一の机。

みんなが、それを変なふうに結びつけて考えていたとしたら？　僕が死体の発見者だということが正しく伝わらないまま、おかしな疑いを抱かれていたら？

森内先生は頼りにならない。あの先生は、健一のような目立たない生徒には興味がないから、健一のことを知りもしない。仮に誤解が誤解を呼んでおかしな展開になっていたとしても、森内先生にはそれにブレーキをかける力はないし、やる気もないだろう。

「せ、先生」健一は津崎校長の丸い顔を仰いだ。「僕、疑われてるんですか」

校長の薄くなりかけた眉毛《まゆげ》が持ち上がった。目と同じで、眉毛の弧もまん丸だ。

「疑われてる？」

「あの刑事さんも、いろいろ訊いてた。それは疑ってるからでしょう。みんなにもそんなふうに思われたら困ります」

「そんなことはないよ」

津崎校長は両手を健一の肩に載せると、優しく揺さぶった。

「そんなことがあるわけがない。君の考えすぎだよ」

にっこりと笑う。健一は笑う気持ちにはなれない。

「君が柏木君を発見したということは、まだ誰も知らないはずだ。先生たちでも、知っているのは私や高木先生ぐらいだよ」

「でも僕、ホームルームに出てないから」

「それは高木先生が説明してくれているはずだ。気分が悪くて保健室にいるとかね。そうだ、本当に保健室に行かないか？　顔色が悪い。尾崎《おざき》先生に、何か温かいものでも飲ませてもらおう。先生が一緒に行って頼んであげるよ」

そう言って、健一の肩を抱いたまま歩き出した。健一は目眩《めまい》がしそうだった。幸い、校長室と職員室の並ぶこの廊下には、生徒たちの姿は見えなかった。誰かにこんな様子を見られたら、それもまたおかしな噂《うわさ》の震源になりかねない。〝豆ダヌキ〟に付き添われて歩いてるなんて。

どうしてこんな立場に置かれてしまったのだろう。ずっと目立たないようにしてきたのに。何でこんな目に遭《あ》うんだ？

保健室の尾崎先生は、三中でいちばん人気のある先生だ。優しい――なんといっても、それが理由である。

先生の年齢はわからない。もう五十歳近いはずだとにらむ生徒もいれば、案外若いよと主張する生徒もいる。尾崎先生自身は、生年月日を「謎《なぞ》よ」と伏せたままでいるけれど、以前お世話になったときに、健一は、

「先生はみんなのお母さんであっても全然おかしくない歳《とし》だから」

と言うのを聞いたことがあった。

津崎校長があれこれ言わなくても、尾崎先生は事情を承知しているようだった。すぐに健一を保健室のなかに入れると、ストーブのそばの椅子《いす》に座らせてくれた。

「すっかり冷え切っちゃったという顔をしてるわね。ちょっと待っててね。少しそこで温まっているといいわ」

ここは温かくていいなあと言いながら、津崎校長は引き上げていった。出てゆくとき、その顔がにわかに険《けわ》しく、悲しそうになったのだが、健一は気づかなかった。自分のことだけで精一杯だった。

なにしろ古い三中の校舎には、空調などという洒落《しゃれ》たものはない。夏はうだるように暑いままだし、冬場は灯油ファンヒーターが教卓の脇に据えられる。

保健室にあるのはファンヒーターではなく、旧式の石油ストーブだ。円筒形のネットが真っ赤に燃えているのがよく見える。その上に薬缶《やかん》を乗せて、お湯を沸かすことができるのだ。今も、薬缶の口からほのかに湯気が出ている。

健一は魅せられたように燃える炎を見つめ、うっとりと手をかざした。保健室がこの旧式のストーブを使い続けているのは、予算のせいだけじゃなくて、火の色が人に安らぎを与えるということを、尾崎先生が知っているからかもしれない。

先生が「待っててね」と言ったのは、保健室に先客がいたからだった。カーテンを引き回したベッドのところで話し声がする。と、カーテンが開いて女子生徒が出てきた。

「お母さんにはお電話しておいたけど、本当に一人で帰れますか？」

「はい、大丈夫です」

知らない子だ。名札を見ると一年生。元気のない感じだが、怪我《けが》とか熱があるとかではなさそうだった。

「帰ったら、すぐかかりつけのお医者さまに行ってね」

「はい」

ありがとうございましたとぺこりと頭を下げ、一年生は出ていった。「お大事に」

と声をかけ、戻ってきた尾崎先生は、健一が何か言う前に、

「ぜんそくの子なのよ」と説明した。「通知簿をもらうので緊張しちゃって、発作が出てしまったらしいの」

「校内放送で、柏木のことがショックだったんじゃないんですか」

健一の問いに、尾崎先生は微笑《ほほえ》んだ。「一年生だからね。それはないでしょう。柏木君のことを知らない一年生や三年生は、むしろ興奮して騒いでるみたいよ。事件だ、事件だって。テレビ局が来るんじゃないかとかね」

確かに、他の学年の知りもしない生徒が死んだのだったら、自分もそうなったかもしれないと、健一は思った。

「二年生は、誰も来てないですね」

「そうね。心配していたんだけど、校長先生がきちんと校内放送でお話ししてくださったんで、みんな思ったほど混乱しなかったみたい。だから今日は、野田君が二人目の患者さんだ」

たいへんだったね――労《いたわ》るように声を落として、そう言ってくれた。

「念のために熱をはかってみましょう。それと、ちょっと手を出して」

健一の脈をとり、腕時計に目を落としていたが、すぐ笑顔に戻った。

「大丈夫。野田君はしっかりしてるね。あれだけのことがあったのに、大したものよ。先生だったらその場で腰を抜かしちゃったかもしれない」

そして尾崎先生はハーブティをいれ始めた。病気や怪我ではなく、〝保護〟を求めて保健室に駆け込んでくる生徒たちに、必ずふるまう定番の飲み物だ。

湯気の立つカップを盆に載せて、尾崎先生が「あら」と声をあげた。目は窓の外に向けられている。

「野田君、見える？　あそこに立ってるの、向坂君じゃないかしら。倉田さんも一緒にいるみたいよ」

健一は立ち上がり、真っ白な校庭に目をやった。今日はさすがに生徒たちが校庭ではしゃぐということがないので、一面の雪景色はそのままだ。ただ先生たちが行き来した足跡だけが、ねじくれた線を描いて、その調和を乱しているだけである。

雪面に反射する陽光が鋭くて、健一は目を細めた。

「ほら、あっちの窓のところ」

尾崎先生が指さした。なるほど、正門に続く通路の端の窓の前に、寒そうに着ぶくれた向坂行夫と倉田まり子が立っている。足を踏みかえ手をこすりあわせながら、何かしゃべっているようだ。

「ついさっき、十分くらい前だったかな。二人でここに顔を出したのよ」

「向坂が？」

「ええ。野田君がいませんかって。ホームルームが終わって、すぐ来たみたいだった。高木先生に、野田君は学校に来たけれど、具合が悪くて休んでるって聞いたんですって」

尾崎先生は、野田君はここにはいないけれど、後で来るかもしれないからなかで待っていたらと勧めた。でも二人は、だったら正門のところで待っていますと言って去ったそうである。今日は通用門が使えないので、生徒は皆正門を通る。そこにいれば行き違うことはないから。

「二人とも心配してたわよ」

健一は尾崎先生の顔を見た。「先生、僕が柏木を見つけて、警察に事情を聞かれてるってこと、言ったんですか」

「ううん。それは野田君から話せばいいじゃない？　だから引き留めたんだけどね。校長先生から、刑事さんたちに会ったら、あとで野田君をここに寄越《よこ》すかもしれないとうかがっていたし」

尾崎先生はちょっと首をかしげてみせた。

「それに向坂君は、何となく察していたような感じがしたわよ」

二人をここに呼びましょうと言った。

「一緒にお茶を飲んで、それから帰ればいいわ。ね？」

がらりと窓を開けると、上半身を大きく乗り出して、向坂たちに向かって手を振り始めた。

「向坂くーん、倉田さーん」

二人が気づいて、顔を向けた。尾崎先生は両手で大きくおいでおいでをして、

「こっちにいらっしゃーい、早く、早く！」

こんな時の尾崎先生は、精神年齢が生徒たちと同じくらいになっちゃってるみたいだ。

健一は、ひさしぶりに微笑んだ。先生の明るい声と、何よりも、行夫が待っていてくれたのが嬉《うれ》しかった。さっき〝豆ダヌキ〟にあんなふうに言ったのは間違いだった。教室に顔を出してみればよかった。

「ああ、いたいた、健ちゃん！」

間もなく、赤くなった頬をぴかぴかに光らせて、向坂行夫が保健室に飛び込んできた。倉田まり子はびっくりしたみたいに目を見開いて、

「ここにいたの！」と、大声をあげる。

まり子は向坂と幼なじみの間柄で、兄弟姉妹《きょうだい》のように仲がいい。

「いったいどうしたんだよ？　今までどこにいたんだ？」

「高木先生、何にも教えてくれないんだもの。心配しちゃったわよ」

にこにこしている尾崎先生の顔をちらりと見て、健一はちょっと言いよどんだ。

「あの……さ」

「柏木のことだろ」行夫はまだ息を切らしている。「通用門とこで、雪に埋もれて死んでたんだって。ひょっとして健ちゃん、柏木を見つけちゃったんじゃないの？　発見者ってやつ？　だからホームルームに来れなかったんだろ。そういうことなんじゃないかってオレ考えてたんだけども、違う？」

尾崎先生は正しかった。向坂行夫は察していてくれたのだ。健一は、今朝以来ずっと凍りついていて、刑事たちとのやりとりでさらに絶対零度にまでなってしまっていたものが、ほっこりと緩《ゆる》むのを感じた。

教室に残っている級友たちから離れて、涼子は一人、そっと逃げるように帰宅した。誰とも話をしたくなかった。話せば、みんなと一緒になって、柏木卓也が死んでどんなに悲しいか、こんなことになる前に、自分にも何かできることがあったのではないかなんて、言わなくてはならない。

そんなふうに感情的になるのが、今はきっと正しいことなんだろう。だからこそ、そうなれない自分を露《あら》わにしたくはなかった。高木先生は許してくれた。それをよしとして、早く帰ろう。

正門を抜けると、道の反対側に新聞社の旗を立てた黒い乗用車が停まっていることに気がついた。取材が来てるのだ。

そのうちに、テレビ局もやってくるだろう。不登校の生徒の、学校での突然の死。大きなニュース種だ。今の学校教育を憂《うれ》えている大人たちが、こぞって関心を寄せる事件だ。そして世の大人たちは、報道する側もそれを見る側も、声をあわせて嘆くのだろう。こんなことになる前にできることはなかったのか。人の命は地球よりも重いのだ、うんぬん、かんぬん。

ああ、嫌だ。涼子はかぶりを振った。何でこんなことを、こんなにも皮肉な感情まじりで考えてしまうのだろう。あたし、やっぱり何か大切なものを欠いて育ってしまってるんじゃないんだろうか。

家に着くと、妹たちが先に帰っていて、騒がしい声で迎えてくれた。通知簿を見せあっていたらしい。翔子よりも瞳子の方が「たいへんよくできました」の数が多かったとかで、そっくり返って威張っている。小学生でも、こんなときにはやっぱり鼻の穴をふくらませるのだ。

妹たちに、テレビのニュースで三中のことをやってなかったかと訊《たず》ねると、二人ともちんぷんかんぷんの様子だった。まだなんだなと、涼子は思った。

リビングにある電話機に手を置いて、涼子はしばらく考えた。そして結局、先に父と話すことにした。母はまだ事件について知らないだろうが、父は心配していることだろう。捜査会議中とかでなければいいのだが。

電話をかけると、コール音が二回鳴らないうちに父が出た。父の声を聞いて、涼子は自分でも意外なほど安心することができた。

「お父さん？」

「おう、涼子か」

「仕事中にすみません。今、話していい？」

「いいよ。ちょっと待ってくれ」

周囲は静かなようだ。書類仕事をしているところだったのだろう。

「気になってたんだ。学校はどうだった？」

「うん」涼子は手早く事情を説明した。

「そうか……おまえのクラスメイトだったか。残念だな。親しかった子か？」

「全然」

その言葉は、やっぱり冷たく聞こえる。でも、父が相手なら気にする必要はない。

「柏木君て、ちょっと変わった子だった。他人を寄せ付けないところがあって。あたしだけじゃなく、誰も親しくなんかなれなかったんじゃないかな」

「ふうん……」

「学校は大変みたい。もう新聞社の車が来てたし、何で死んだのか、警察がいろいろ調べるんだろうから」

「そりゃ、もちろんだ」

「まだ詳しいことは何もわかってないから、ホントいい加減な印象って感じなんだけど」

「何が」

「みんな、自殺だって思ってる」

ちょっと間をおいて、父は訊ねた。「その〝みんな〟には、おまえも入ってるのか？」

「うん」

「そうか」

「柏木君、学校に来てなかったしね」

言ってから、これは父にはまったく初耳だったのだと涼子は気がついた。十一月半ばの事件はちょっとした騒動だったから、母の耳には入っている。でも、父は知らないはずだ。

「不登校の子だった？」

「そうなの。同じ学年の不良グループと揉《も》めちゃって」

涼子はため息をついた。今朝からずっと、ため息が胸の奥に溜《た》まっていたような気がする。やっとそれを吐き出すことができた。

「お父さん、あたし冷たいよね」

「何でそう思う？」

「みんな泣いてた。クラスの女の子たち。柏木君が可哀想《かわいそう》だ、何とかしてあげればよかったって。だけどあたし……理屈ではそうあるべきなんだろうけど、そう思えなかったの。涙なんて一滴も出なかった」

父は黙って、涼子が言いたいことを吐き出しきるのを待っていた。藤野涼子、ゲロすれば、それだけ早く楽になるぞ。

「あたしたちみたいな歳《とし》の子が死ぬってことに、怖さとか悲しさは感じるよ。それは本当。だけど、それは相手が柏木君だからじゃない。柏木君のこと、あたし何も知らなかったし、関心もなかったもん。彼が死んだからって、いきなり関心を持つっていうふうにはなれない。あたし異常かな？」

「異常ではないな。それもひとつの心の動き方だと、父さんは思う」

「そう？」嬉しかった。高木先生と目があったときの感情を百倍して二乗したような大きな安堵《あんど》に包まれた。

「でも、あまり人前ではっきり言うべきことでもないな」

「外聞が悪い？」

「いや、そうじゃない。本当は涼子だって、自分で思ってるほど柏木君の死に無関心じゃないはずだからだ。わざと押しやってるだけでな。おまえ、クラスの女の子たちが悲劇のど真ん中で気持ちよく泣いてるみたいに思っちまって、意固地になってるんだよ」

涼子は声をたてず、ちょっと笑った。

「無理に泣いたり嘆いたりする必要はない。でも、もう家に帰ってるんだろ？」

「うん」

「だったら、少し静かに考えてみるんだな。クラスメイトが一人命を落としたってことは事実なんだ。大変なことだ」

「うん、そうする」

「父さんとしては」言ってから、父はちょっと迷ったようだった。「その柏木君が不登校になったという経緯《いきさつ》が、今度のことと関連があるのかどうか、ちょっと気になる。今はまだ何とも言えないが」

父さんと話したくなったら、いつでもいいから電話しろと言ってくれた。涼子はうん、ありがとうと答えた。受話器を置くとき、初めて少し涙が出た。

そういえば――と、ティッシュで鼻をかみながら考えた。柏木卓也の死に関して、彼と衝突したことのある大出俊次たちは、警察や学校から事情を聞かれる可能性があるわけだ。父に指摘されるまで、考えてもみなかった。だって、あの喧嘩《けんか》は確かに凄《すご》かったけれど、たった一回こっきりだったし、あんなことがあるまでは、誰も柏木卓也と大出たち不良三人組を結びつけて考えることなんかなかったのだ。彼等に付き合いがあるとも思っていなかった。

でも、それは単に、あたしを含めてみんなが何も知らなかっただけだとしたら？

そんなこと、あるかな。

地平線の彼方《かなた》に、小さな黒雲。涼子は今、それを目にした。でもまだ遠い。近づいてくると決まったわけでもない――

9

十二月二十六日。クリスマスの楽しい喧騒は過ぎた。一九九〇年もあと六日を残すのみだ。世間は忙しい。大人たちはせわしなく動き回る。

それと引き換えに、学校は静まり返る。生徒たちは冬休みに入り、校舎は空っぽになる。

だが、城東第三中学校だけは例外だった。柏木卓也という一人の二年生の死が、この学校の平和な冬ごもりに待ったをかけたのだ。

この日は朝のうちから、二学年の全生徒の家庭に、緊急連絡が行き渡り始めた。本日午後七時より、体育館にて二学年の保護者集会が開催されます――

「どうしても行かなくちゃならないってことはないから、気にしないでいいよ、お母さん」

正午を少しまわった時刻、藤野涼子は母の事務所にいた。応接セットのソファに腰掛けて、ようやく窮屈《きゅうくつ》なブーツから解放された足を、カーペットの上に放り出している。

「そうもいかないわよ」

右耳の上に赤いボールペンを挟み、台所のコーヒーメーカーのそばに立って、藤野邦子はちょっと疲れた声でそう答える。

「お父さんは——」

「ああ、無理無理」

「そうよねえ……」

二人の声が白い天井に跳ね返る。

自宅からは地下鉄で五駅。日本橋蠣殻町《かきがらちょう》の一角に立つ、少しばかり古びてはいるが瀟洒《しょうしゃ》なマンションの三階、東向きの2LDK、八十二平米。以前、家賃はどのくらいなのと尋ねたら、あんたは余計な心配をしなくてよろしいと、教えてもらえなかった。涼子としてはそんなつもりはなかった。このあたりの相場を知りたかっただけなのだ。雰囲気のいい街だから、もしも将来、一人暮らしをするときがきたら、あたしもこのへんに住みたいな――と、夢想して。

窓のブラインドは、半分ほど開いている。クリスマス・イヴは大雪で、昨日は一転して青空が広がり、今日はまた曇天に戻っている。

邦子が赤と白の大きなマグカップを二つ持ち、キッチンから出てきた。熱いわよといいながら、赤い方を涼子に差し出す。牛乳のたっぷり入ったカフェオレだ。自宅でも同じものを飲むけれど、ここでご馳走《ちそう》になるときの方が、ずっと美味《おい》しいような気がする。

ソファの対面《トイメン》に腰をおろして、邦子が娘の顔を見る。殊勝な娘は、お母さんはお正月の前に美容院に行って、髪を染め直した方がいいわねと思いながら見つめ返す。生《は》え際《ぎわ》の白髪が光ってるもの。

「こんな大事な保護者集会に、お母さんだけ欠席するなんてことできないわ」

「どうして？　いいじゃない。先生たちだって、別に気にしやしないわよ」

「そういう問題じゃないわ」

邦子はちょっとため息をもらした。「あんた、大丈夫？」

その口調があまりに深刻なので、涼子は驚いた。「大丈夫って、何が？」

「気持ちよ、気持ち。ショックなんでしょう？」

藤野邦子はすらりと長身で、髪も豊かで（白髪は多いけど）、整った顔立ちにしわも目立たず、今でも充分イケてる女性である。中学二年を頭に三人も娘のいるお母さんとしては、うんと上等な方だろうと涼子は思う。半年ばかり前、仕事で地方に出たとき、空港の待合室でナンパされかけたのもむべなるかなだ。

でも、どれほど美人でスマートで若々しく見えようと、お母さんはお母さんだ。そしてお母さんというものは心配性なのだ。

「あたしはショックなんか受けてないよ」

「本当に？」と、邦子は半身を乗り出した。

「口ではさばけたようなことを言ってるわよ。確かにね。でもそれって無理してるんじゃないの？　亡《な》くなったのはあんたのクラスメイトなんだもの」

今度こそ、驚きを通り越して涼子は吹き出しそうになった。

「お母さんてば、それは考えすぎよ」

おかしいなぁ。あたしとお母さんは、けっこう意思の疎通《そつう》ができてると思うのに、こんなふうに食い違うこともあるんだ。あたしは自分が柏木卓也の死について、あまりに冷淡で冷血なんじゃないかと気にしてる。だけどお母さんは、それは単なるポーズであって、本当は深く傷ついているのを隠しているんじゃないかと気に病んでいる。

「あたしはそんな強がりなんかしない。本当にショックなら、そう言うよ」

邦子はゆっくりとうなずいている。「とは思うけど……」

「保護者集会のことなら、後で誰かに聞けばいいもの。だから仕事を優先していいよ。お母さんみたいな仕事をしてると、実は年末だってけっこう忙しいんだってこと、あたしはよくわかってるから」

涼子はカフェオレを飲み干すと、そのままマグカップを持って立ち上がった。

「とにかく、ホントに心配ないから、仕事に行ってよ。緊急連絡網で来ちゃったお知らせだから、お母さんに内緒にしとくわけにはいかないって思っただけ」

「そりゃ当然だわ」邦子は急に母親の威厳を見せた。思案顔になる。

「倉田さんのお母さんに電話して、あとでお話を聞かせてもらえるように頼んでおこうかな」

「まり子のお母さん？　どうかなぁ。保護者集会に行くかしら」

「行くわよ。決まってるじゃないの」

涼子はそうは思わない。まり子の両親も忙しい身体《からだ》だ。案外、今ごろは倉田家でも、ことと同じような会話が交わされているかもしれない。ごめんよ、まり子。父さんも母さんも保護者集会には行かれないよ。いいのよ、気にしないで。

根本的な誤解があるんだな――と、涼子は気づいた。柏木卓也の死の大きさについて。ねえお母さん、あたしだけじゃなくてたぶんまり子も、彼が死んだことで、そんなにショックなんか受けてないと思うよ。

〝死〟には衝撃を受けた。それが身近で、ましてや学校内で起こったことには。でも、それは、柏木卓也という級友が死んだからじゃない。だいたい〝級友〟って何だろう？　ただクラスが同じだったというだけでは、友達とは呼べないんじゃないのか。

それとも、こんなふうに堅苦しく考えるあたしは、やっぱりそうやって自分の本音を隠しているのだろうか？

涼子は黙ったまま、キッチンの流しでマグカップを洗う。邦子が尋ねる。「柏木君て子、不登校だったんでしょう？」

「うん。十一月から学校に来てなかった」

「いじめられてたって噂《うわさ》は本当？」

「誰に聞いたの？」

「ちょっとね」と、邦子は言葉を濁した。

「今度のことと、いじめが関係していたんだとしたら、あんたはどう思う？」

レバーを下げて水をとめると、マグカップを水切りに乗せて、涼子は顔を上げた。

「わからない」

　母は黙って涼子を見ている。

「柏木君のこと、あたしにはわからないの。だから何をどう思うこともできない」

「あんたは興味がなかったのね、柏木君に」

　興味がない。正しい言葉だ。涼子が見つけ損ねていた表現だ。

「うん。そうだと思う。彼が学校に来ていても、同じクラスにいても、学校に来なくなっても、あたしには関係なかった」

　静かに、なぜかしら少し悲しげに、邦子は続けて問いかけた。「どうして興味がなかったんだろうね」

「そんなの――」

　少女らしくない苦笑いを浮かべて、涼子は髪をかきあげる。

「もっとわかんないわ。友達じゃなかったってことじゃないの、要するに」

　叱《しか》られるかなと、一瞬思った。なんて冷たい言い方なの、と。

　でも邦子は怒らなかった。座ってマグカップの中身をゆっくりと味わい、それから言った。「それならいいわ。あんたが大丈夫だってわかって、母さんほっとした。もううるさく訊《き》いたりしないからね」

優しい口調だった。しかし涼子は、叱られるよりもっとバツの悪い気がして、ちょっとのあいだ母親の顔から目が離せなかった。

10

体育館の入口には、どこから調達してきたのだろう、子供の二人ぐらいはすっぽり潜れてしまいそうな大きさの段ボール箱が二つ、縁を揃《そろ》えて並べられている。そのひとつには大量のスリッパが、もうひとつの方には半透明のビニール袋がごっそり入っていた。箱のすぐ脇《わき》に立った男女が、列をつくって体育館のなかに入ってゆく父母たちに、手際よくそれを組み合わせて渡してゆく。

ここでスリッパに履《は》き替え、脱いだ靴をビニール袋に入れろということだろう。学生向けの大衆居酒屋に入るみたいだ——と思いながら、藤野邦子もそれを受け取った。父母たちのなかには、自前のスリッパを持参してきている人もいた。用意のいいことだ。

——結局、来ちゃった。

仕事を優先してくれという涼子の気遣いは嬉《うれ》しいが、やはり今回は知らん顔をしていられない。

段ボール箱の脇にいる男女は、服装こそラフだが、やはりこの学校の職員なのか、作業をしながら、「こんばんは」「ご苦労さまです」などと、父母たちに向かって丁寧に挨拶《あいさつ》をしている。ある母親が、「あら山田先生」と女性の方に声をかけ、親しげに頭を下げた。

正門のところでもこの体育館入口でも、誰の保護者なのかと問われることはなかった。集会参加者が氏名を記帳するような用意もなく、事実上フリーパスという感じだ。学校側がマスコミ対策をするのではないかという予想は外れていた。というより、テレビ局のクルーなどどこにも来ていなかったし、ざっと見た限りでは取材記者らしい人物も見当たらない。昨今、公立学校の生徒が一人死亡したということでは、ニュースのうちに入らないのか。テレビを観《み》ていないのでわからないが、あるいは、他所《よそ》で大きな事件でも発生しているのかもしれない。

腕時計を見ると、午後七時十分前だ。共働きの家庭が多い現在、平日に、できる限り多くの父母が参加できる時間帯となると、どうしてもこうなってしまうのだろう。師走《しわす》ともなれば、この時刻は既に夕方ではなく夜である。雲の多いどんよりとした空に、星は見えない。校舎は暗く寒そうに佇《たたず》み、建物の角が、くっきりと鋭角的に空を区切っている。お世辞にも充分な広さがあるとは言えない校庭だが、街中ではこれほどの空き地はやっぱり珍しく、そこだけ夜の密度が薄くなっているように見えた。未《いま》だ一面をもっさりと覆《おお》ったままの雪の反射のせいもあるかもしれない。校舎の一階の半分ほどに煌々《こうこう》と明りが灯《とも》されているので、その光を受け、端っこの方に片寄せられたサッカーのゴールがぼんやりと見える。

体育館の内部は天井の水銀灯が眩《まぶ》しく、邦子はちょっと目を細めた。講堂として使われることもある場所だから、長四角の正面の一辺はステージになっている。今、その上は空っぽだ。明りもそこだけは落とされている。この集会では、教師たちが壇上に立つことはないらしい。

体育館の床には、三色のペイントで、大きさの微妙に違うコートが描かれていた。白いのはバレーボール用、黄色いのがバスケット用か。いちばん小さい、赤で描かれているのはどんなスポーツのコートだろう。

それらのコートの上に、折りたたみ椅子《いす》がずらりと整列していた。もう半分ほど埋まっている。コンサート会場とは違い、前列を残して、真ん中あたりから人が入っている。後方の席も人気だ。ざわざわしているが、もちろん雰囲気が明るいわけはなかった。

それに寒い。公立学校の体育館には、空調設備などありはしないのだ。急遽《きゅうきょ》持ち込んだのだろう、石油ファンヒーターが二、三台見えるが、それだけでこの空間を暖めるなど無理な話だ。邦子はコートを脱ぐのをやめて、そのまま手近の折りたたみ椅子に腰をおろした。最後列から二番目の、ステージ側から見ていちばん左の席だ。

この列の、他の席はすでに埋まっていた。隣の席の、栗色《くりいろ》に染めた髪によく似合う革のコートを着た女性が、腰掛けた邦子をちらりと見て会釈《えしゃく》した。邦子も会釈を返す。

「寒いですね」と、話しかけられた。「暖房がないんだもの。子供たちもよくガマンしてるわよね」

邦子は微笑してうなずいた。「運動している分には気にならないんでしょうが、じっとしていると辛《つら》いですね」

「あら、子供たちだって寒がってますよ。夏は蒸し風呂《ぶろ》だし。エアコンぐらい付けてくれたって、バチはあたらないでしょうにねえ」

本当に寒そうだ。革のコートは風除《かぜよ》けにはいいが、ぬくもりには欠ける。

「わたしはあまり学校の集まりに参加できないのですが、よくいらっしゃるんですか」と、水を向けてみた。栗色の髪の女性はかぶりを振った。

「わたしも、校内合唱コンクールの時に来たことがあるくらいですよ。昨年だったかしらね」と、小首をかしげる。

「ここでやるとうるさいって、ご近所から苦情が出ちゃって、今年から区民会館を借りるようになりましたでしょ」

「ああ、そうでしたね」と、邦子は調子を合わせた。へえ、合唱コンクールを体育館でやると、騒音だと苦情が寄せられるのか。学校の運営も、なかなか大変そうだ。

「ＰＴＡにも興味ないんだけど」と、栗色の髪の女性はつまらなさそうに言った。

「今日ばっかりは知らん顔してられなくて」

「おたくのお子さんが、亡くなったお子さんと同じクラスなんですか」

「いえいえ」女性は目を剝《む》いてかぶりを振った。「違うんですよ。でもうちの子は気が弱くって。何だか怖がっちゃってしょうがないの。お母さん、ちゃんと話を聞いてきてくれって」

急に声をひそめると、邦子に顔を寄せた。

「いじめで殺されたって噂があるでしょ」

「それ本当なんでしょうかねえ」

「だって、不登校だったそうじゃないですか。不良グループとぶつかって」

「ああ、それで」

何も知らないのねえというふうに、栗色の髪の女性は邦子を斜《はす》に見た。

「嫌な話よね……」

ひそひそ話が距離感を縮めたのか、栗色の髪の女性は、打ち解けた様子でしみじみと吐き出した。

「子供が学校で死ぬなんて、親にとっちゃ悪夢ですもの。何があったんだかわからないけど、ちゃんと責任をとってもらわなきゃね」

灰色の背広姿の男性が、折りたたみ椅子を何脚か小脇に抱え、猫背の小走りですぐそばを通り過ぎた。最前列のさらにその先まで行って、こちらに向けて椅子を並べ始める。教師たちの席だろう。そこにはスタンドマイクも設置されていた。

「七時ね」と、栗色の髪の女性が言った。正面のステージの上部にある、丸い時計を仰いでいる。

会場は八割方埋まっていた。大部分は女性――つまりは母親たちだが、男性の参加者もちらほらと目につく。

最前列にも空席がなくなった。椅子を並べていた背広姿の男性が、マイクテストを始めた。音響がよくなくて、声が割れているが、そのまま話し始めた。

「本日は、急なお知らせで大変恐縮でしたが、お集まりをいただきましてありがとうございました。まもなく保護者集会を開始いたします。もうしばらくお待ちくださ い」

タイミングを合わせたように、後ろの出入口から、小柄な五十がらみの男性を先頭に、ぞろぞろと一団が入ってきた。みな目を伏せて、そそくさと歩いてくる。

――先生たちの登場ね。

邦子の思ったとおりだった。一団は用意されたこちら向きの椅子に腰をおろさず、その前に並んで立った。と、最前列の中央に座っていた体格のいい男性がさっと立ち上がり、彼らに寄って何か声をかけた。教師たちは会釈しながら応じている。

やがて、小柄な五十がらみの男性が、マイクを譲られて、スタンドに歩み寄る。

「遅い時刻にお集まりをいただきましてありがとうございました。私は校長の津崎でございます」

表情は沈鬱《ちんうつ》だ。父母の席が静まった。

津崎校長はいったんマイクから離れると、深々と頭を垂れた。脇に下がって並んだ教師たちも一礼する。数えてみると、校長と灰色の背広の男性も入れて八人だ。うち二人は女性である。一人は白衣を着ているから、養護の先生だろう。

「このたび、当校においてまことに不幸な出来事が発生してしまいました。すでにご存知のことと思いますが、二年A組に在籍しておりました柏木卓也君が、昨日早朝、当校の通用門のそばで死亡しているのが発見されたのです。この出来事に、子供たちがどれほど大きな衝撃を受けたかは、察するに余りあるところでございます。どうしてこのような不幸な事態を未然に防ぐことができなかったのか。我々教師一同は、深く責任を感じておる次第でございます」

言葉を切り、目を伏せたまま間を置いた。話しぶりはとつとつとしているが、緊張しているのだろう、口の端が不自然に曲がっている。

野暮《やぼ》ったいほど古い型の背広だ。襟《えり》のところから、黒いベストがのぞいている。ベストというよりチョッキと呼んだ方がふさわしいか。ネクタイをきちきちに締めているので、小柄な上に首がさらに詰まって見えた。これから予想される父母からの質問攻勢に備えて、あらかじめ首を縮めているみたいな感じでもある。

邦子がこの人の好《よ》さそうな校長先生の顔を見るのは、涼子の入学式のとき以来である。印象は変わらない。親しみはあるが威厳には欠ける。陰では生徒たちに、けっこうからかわれたりしているのかもしれない。

順列からいって、すぐ隣に立っている長身の男性が教頭先生だろう。こちらは洒落《しゃれ》者《もの》だ。この距離からでも、背広の形が垢抜《あかぬ》けているのがわかる。歳《とし》も津崎校長よりはかなり若そうだ。その隣にいる、校長と同年輩の女性教師は、学年主任の高木教諭だ。

津崎校長は、抑えた口調で続けた。

「子供たちと、保護者の皆さんのご心痛・ご心配を少しでも和らげることがかなえばと、このような形で集会を設けることになりました。今回の不幸がなぜ起こってしまったのか、どのような経緯《けいい》で起こったのか、現時点で判明している事柄につきまして、できるだけ詳しくご報告させていただきたいと存じます」

そして、脇に並んでいる教師たちの方に目を向けた。

「最初に、当校よりの出席者をご紹介させていただきます」

やはり長身の伊達《だて》男は教頭だった。名前は岡野《おかの》先生。頭を下げると、天井の水銀灯を受けて、ポマードで固めた髪がてらてらと光った。ついでB組、C組、D組の担任教師と続き、白衣姿はやはり養護の尾崎先生、そして、椅子を並べたりマイクテストをしたりしていた灰色スーツの男性は、事務局長の村野《むらの》という人だった。

「なお、少々遅れますが、一年生の担任で、二年生にも社会科を教えている楠山先生も参ります。昨日、柏木君が発見されたとき、現場に居合わせておりました教師です」

津崎校長がそこまで話すと、先ほど彼らが入ってきたとき声をかけていた最前列中央の男性が席から立ち、校長からマイクを取ると、おもむろに向き直って話し出した。

邦子は驚いたが、この体格のいい男性の発した一言を聞いて、すぐ納得した。

「お集まりの皆さん、ご苦労さまです。私は城東第三中学のPTA会長を務めている石川《いしかわ》と申します」

ツイードのジャケットに、黒いハイネック。襟元に小さな金色のバッジを留めているのがよく目立つ。校長よりもはるかにざっくばらんな口調で、すらすらと語る。

「本日の保護者集会は、PTAの方から強く申し入れて開催してもらったものです。柏木君のことは、一部の新聞やテレビでも取り沙汰《ざた》されましたし、狭い町のことですから、皆さんの耳にもいろいろと噂《うわさ》や風聞が飛び込んでいることでしょう。子供たちの心の傷を考えても、こうした不安で不透明な状況を長引かせるのは望ましくない。今日はこの場で、明らかにできることは明らかにして、皆さんに安心していただきたいと私は願っております。そして今後も、城東三中の健全な運営のために、皆さんのお力添えをいただきたい。よろしくお願い申し上げます」

慇懃《いんぎん》に頭を下げる。たったこれだけの話で、場を仕切ってしまった。

「よくやるわよねえ」と、邦子の隣の栗色の髪が小声で言った。

「わたしは初めてお見かけするんですが、てきぱきした会長さんのようですね」

邦子の言葉に、彼女は苦笑した。

「石川さんて、お子さんが四人いてね。順番にこの学校に入ってるもんだから、PTAの主《ぬし》みたいなもんなんですよ」

「はあ……」

「まあ、面倒なことを進んで引き受けてくれる人がいるのは助かるけど」

「お仕事もあるのに、大変でしょうね」

「建築会社の社長さんなの」と、栗色の髪の女性は言った。「お金持ちなんですよ」

なるほど。教師たちより、よほど世慣れた感じがするのもそのせいだろう。

「だからPTAは道楽ね」

栗色の髪の女性は、ふふんと鼻先で笑っている。邦子は黙っていた。

石川会長は、今回の事件は本当に残念なことだとひとしきり嘆いた後、

「では、まず校長先生から、これまでの経緯《いきさつ》を説明していただきましょう。質疑応答は、その後ということで、あ、それでですがね、皆さん。A組の父兄の方は気がついていると思いますが、本来ここにいらっしゃるはずのA組の担任、森内先生が欠席しておられますけれども——」

津崎校長がそれについて説明しようとするように前に出たが、石川会長はマイクを

離さない。

「ご存知のとおり森内先生は新任で、まだお若い。今回のことに大変なショックを受けて、寝込んでいるんですよ。もちろん、責任を感じているからこそでしょう。そういう次第でここにはおられませんが、ひとつご了解を願います」

言うだけ言って、やっと校長にマイクを渡し、よっこらしょというように席に戻った。こんなところで笑ってはいけないが、邦子は可笑《おか》しかった。どこにもいるのだ、こういう人は。いてくれれば便利なのだから文句も言えない。

会場のそこここで、ざわめきが起きた。森内先生が――というような会話の断片が聞こえる。A組の生徒の父母たちだろう。

マイクは返されたものの、津崎校長はすぐにはしゃべり出せなかった。石川会長が座ったまま身を乗り出し、口早に話しかけているからだ。指示しているというか叱咤《しった》しているというか。こんなに仕切られちゃうなんて、やっぱり頼りない校長だわと、邦子はまた思った。

「ええ……それでは」

バツが悪そうに空咳《からぜき》をして、津崎校長は、背広の内ポケットから折りたたんだ書類を取り出し、広げた。ついで老眼鏡を鼻先に載せる。丸顔に丸いレンズの眼鏡。小さな目がぱちぱちとまたたきする。

「柏木君が発見された経緯につきまして、ご説明を申し上げます」集まった父母たちのあいだに、ようやく緊張感が漂い始めた。そわそわしていた頭の動きが静まってゆく。津崎校長に注目している。

ニュースでは、柏木卓也の遺体が学校内で発見されたということしか報じていなかった。涼子から聞いた話でも、「通用門のそば」ということしかわからなかった。

津崎校長は、発見されたとき、柏木卓也が通用門の内側の裏庭で、雪に埋もれて凍りついていたことを語った。えっというような驚きの声が、父母たちの席からあがった。さらに校長が、彼を発見して職員たちに急報したのが同じ二年生の生徒であるということを語るに及んで、会場に動揺が走った。みんな初耳だったのだ。もちろん邦子も驚いた。その子は今どうしているだろう。

津崎校長は手元の書類から目を上げると、

「発見者となった生徒につきましては、学校側でも慎重に対処し、少しでも本人の被《こう》った衝撃を和らげることができるよう、善処したいと考えております。またこの集会には、この生徒の保護者の方はご参加になっておられませんが、個別面談の機会を設けつつ、綿密に連絡を取り合って参りたいと思います」

一一〇番通報、警察と救急車が来たこと。登校してきた子供たちに向けて校内放送をし、通知簿を渡して順次下校させたこと。津崎校長の説明は続く。書類を見てはいるが、それは確認のためで、話すべきことは頭に入っているように、邦子には思えた。頼りなさそうには見えても、やっぱり校長だ。だんだんと話し振りも落ち着いてきた。話のなかで、校長は、けっして「死体」という言葉を使わなかった。「亡骸《なきがら》」とさえ口にしない。常に「柏木卓也君」だ。「柏木卓也君を病院に搬送し」「柏木卓也君の保護者に連絡し」――学校にとって、「死」は忌《い》み言葉の最たるものなのだと、邦子は思った。歳若い子供たちの集う場所には、本来、持ち込むことさえ許されない概念なのだ。

「柏木君の自宅には、私と担任の森内教諭の二人で、すぐおうかがいしました。自宅にはお母さんがおられまして、そのまま森内先生が付き添って、柏木君の搬送された城東病院へ行っていただき、対面していただくことになりました」

いいいいいいいいいい。

あなたのお子さんが亡くなりました。そう告げられるのは、どんな気持ちだろう。邦子もこれまでに、身内や親しい友人の死を体験してきた。そこから想像をすることはできる。でも、やっぱり想像だけでは届かない。母から子へ向かうベクトルは、他のどんな親密な繋《つな》がりよりも強い、比べようのないものだ。母親にとって我が子は分身なのだから。自分の身体《からだ》から生まれ出てきた命なのだから。この世のどこを探しても、それに等しい人間の繋がり方は存在しない。

「生徒たちが帰宅した後に、警察は学校内の検証に取りかかりました」

津崎校長は、手元の書類を一枚めくった。端のところをホチキスでとめてある。

「当校としても、警察としても、柏木君が何らかの事件に巻き込まれたのか、あるいは事故に遭《あ》ったのか、非常に見定めにくい状況にありました。ですから学校内の検証は綿密に執り行われましたし、当校としてもできる限りの協力をいたしました」

邦子はバッグから愛用のペンとメモ帳を取り出した。

「なお、二十四日は終日、部活動やサークル活動などはすべて休みでありまして、生徒は一人も登校しておりませんでした。職員は数人出てきておりましたが、午後五時前には帰宅しております。また、忘れ物などの理由で学校を訪れた生徒もおりません。正門は閉鎖されており、職員は通用門を使用しましたが、ここも彼らの帰宅後、当校の学校管理を担当しております主事の岩崎《いわさき》が閉めました。その後岩崎は、午後九時と午前零時の二回、校内を巡回しております」

邦子は忙しくボールペンを走らせる。

「午後九時の時点では、岩崎は通用門近くを巡回し、異常がないことと、通用門に鍵《かぎ》がかけられていることを確認しております。午前零時の巡回は、校舎内のみのものでございました」

校長は言いにくそうになった。

「もしもこのとき、岩崎が裏庭を巡回しておれば、あるいはこの時点で柏木君を発見することができたかもしれません。非常に遺憾《いかん》に——申し訳ないことでございます」

さあ、それはどうだろうか。柏木卓也の死亡推定時刻が判《わか》らない限り、はっきりしたことは言えない。校長は、今からそんなに恐縮したって仕方がないと、邦子は思う。

「そうしまして——警察の綿密な検証の結果でございますが」

つっかえ気味に再開した。

「校内に誰かが侵入した形跡——窓ガラスが割れているなどの痕跡《こんせき》は発見されませんでした。備品などにも異常はありません。各教室の様子につきましては、昨日は生徒たちが登校しておりましたし、教職員たちも注意深く検分しておりましたが、やはり変わったところはありませんでした——のですが」

左右の眉根《まゆね》がますます接近する。

「当校の屋上に通じる西側の階段、これがちょうど通用門の側にある階段でありますが、その最上部、屋上への出入口の扉にかけられた鍵が開けられ、誰かが屋上に出たらしい痕《あと》があることがわかりました。屋上にも雪が積もっておりまして、一面の雪でして、足跡などはございません。しかし、確かに鍵は開けられておりました」

すると、邦子とはちょうど対角線の席にいた男性が手をあげると、立ち上がって何か問いかけた。マイクがないので聞こえない。職員がハンドマイクを持ってきて手渡した。津崎校長はぱっとそちらを向き、小さな目をまたせかせかとしばたたいた。丸い老眼鏡がずり落ちる。

立ち上がった男性が、マイクに口をくっつけて尋ねた。「どんな鍵なんですか？」

津崎校長は大きくうなずくと、マイクのそばに戻った。

「当校の校舎は、ご存知のとおり古い建物でございますので、屋上へ通じる扉も、いわゆる南京錠《なんきんじょう》で施錠しておりました。その鍵は、主事室のキーボックスに保管してございます」

今度は中央あたりで、座ったまま女性の保護者が質問した。高い声なのでよく通る。

「普段、屋上は使ってたんですか？」

「いえ、使っておりません」津崎校長は素早く答えた。「屋上の周囲にはフェンスをめぐらせてありますが、万にひとつの危険を考えまして、生徒も教職員も、一切立ち入り禁止ということにしてございます」

質問者と、それへの回答が起こしたさざ波が、父母たちのあいだを通り抜けてゆく。あちこちで私語が交わされ、うなずいたり首を振ったり、居並んだ頭がさわさわと動く。津崎校長は、内ポケットから白いものを引っ張り出した。別の書類ではなく、ハンカチだった。それで額をぬぐっている。だいぶ汗をかいているようだ。

ざわめきはおさまらないが、続く質問はないようだ。津崎校長はハンカチをしまい、マイクに顔を寄せる。

「この発見がございまして、さらに屋上に通じるこの階段と、柏木君が発見された裏庭との位置関係から、柏木君が屋上のこの場所から下に落ちたのではないかと、その可能性が出て参りました。どのようにして学校内に入り、屋上へのぼることになったのか、それらについてはわかりませんので、あくまで可能性でございますが」

屋上にのぼって、そこから下に落ちる。わざと無機質な表現を選んでいる。のぼって、飛び降りたのではない。のぼらされて、突き落とされたのでもない。あるいは、担《かつ》ぎ上げられて投げ落とされたのでもない。

誰か何か突っ込むかと思っていたら、最初に質問したあの男性が、今度は座ったまま鋭い声を放った。

「つまりは自殺ってことですね？」

一瞬、場がしんとした。

「ああ、私は二年A組の須藤明彦《すどうあきひこ》の父親です」と、質問者は名乗った。半身を教職員側に、半身を父母たちの側に向けて。

「以前から明彦に、柏木君はクラスメイトになじまない、少し変わったところのあるお子さんだと聞いていました。ずっと学校に来てなかったそうですしね。うちの子は、柏木君が死んだと聞いて、すぐ自殺だろうと思ったそうです。実際のところ、そのとおりなんでしょう？ 遺書はなかったんですか」

無慈悲なほど直截《ちよくさい》に投げかけられたその質問の終わりに、マイクがハウリングを起こしてキーンと鳴った。まるで集まった父母たちの心情を代弁しているかのようだった。これは同時に、津崎校長に対する慈悲でもあった。おかげで校長は、ハウリングの耳障《みみざわ》りな残滓《ざんし》が完全に消えてしまうまで、間を置くことができたからである。

「今までのところ、柏木君の遺書らしきものは見つかっておりません」

ゆっくりと、言葉を嚙《か》むようにして校長がそう答えると、父母たちのあいだにささやきが起こった。すぐ後ろの方からあがった、ホントかしらという呟《つぶや》きを、邦子は確かに聞き取った。

「また、ご両親のお話によると、柏木君は日記をつけていたようなのですが、それも見当たらないようです。ですから最近の柏木君の心情を推し量るための直接的な材料は、残されていないということになると思います」

手があがり、母親の一人が立ち上がって、質問した。「日記がないというのは、本人が処分したということでしょうか」

「わかりません」

「親御《おやご》さんはなんて言ってるんです？」

「ご両親にもわからないそうです」

今度は、明らかに不満を表明する声があがった。ずらりと並んだ頭の波の動きが激しくなる。

マイクを握ったまままだった須藤明彦の父親が、先ほどと同じ明瞭《めいりょう》な口調で続けた。

「検死の結果はどうなんです？　遺体を調べれば、死因がわかるはずだ。校長はご存知なんでしょう？」

津崎校長の広い額に、また汗が浮き始める。

「正式な検視調書というものは、まだ出ておりません」

そして、須藤が口を開きかけるのに先んじて、

「ただ、昨日と本日と、二度に亘《わた》りまして伺《うかが》いました限りでは、柏木君の身体《からだ》には、

高いところから落ちたときにできる特有の傷――打撲傷《だぼくしょう》や骨折ですが、それ以外の外傷は見当たらないという見解を、警察は持っているようでございます」

まどろっこしい表現だ。弁護士みたいだと、邦子は思った。正確を期すると、どうしてもそうなる。いや、守りに入るとそうならざるを得ないと言うべきか。

「そうすると、やっぱり屋上から飛び降りたってことになるんじゃないですか」

須藤の詰問《きつもん》に、校長は目をしばたたきながら応じる。「屋上から落ちて亡《な》くなったということです。自ら飛び降りたのか、事故だったのか、それ以外の事情があったのか、そこまではわからないということです」

「……それ以外の事情ったってねえ」

急にくだけた感じになって、須藤は奥歯が痛んでいるみたいに顔をしかめた。少し笑っている。

「校長先生はえらく慎重ですけども、我々は真相を知りたいだけでしてね。それで誰かを糾弾しようと思ってるわけじゃないんだから、もうちょっと率直にお答えくださいよ」

須藤はそう言うと、校長から父母たちの方に向き直った。

「遠慮のない言い方になるかもしれませんが、さっきも申しましたように、うちの子の話を聞いた限りでは、柏木君というのはけっこう難しい子供さんだったようです。ここに来ているA組のお子さんの父兄の方は、多少なりともご存知なんじゃないですか。そういう子なら、自殺なら自殺で、まあ気の毒なことだけれども、はっきり言っていただいた方が、私はすっきりしますがね。皆さん、そのへんはいかがですか」

邦子の隣で、栗色の髪の女性が気難しい顔でうなずいている。顎《あご》を下げると、首に深いしわが寄る。

「自殺の可能性が高いんでしょ？」

甲高《かんだか》い声で、別の母親が座ったまま質問を放った。

「それは何とも申せません」と、津崎校長は相変わらず慎重居士《こじ》だ。

「親御さんはどうなんです？ 普通、親ならわかるもんでしょ。自分の子が自殺しそうかどうか」

ズケズケと踏み込むような言い方だ。津崎校長に代わって、石川会長が前に出た。校長の手からマイクをもぎとる。

「柏木君のご両親は、お二人とも、まあ当然のことですがたいへんショックを受けておられて、お母さんの方なんか、倒れちゃったそうなんですよ。警察の人も話を聞けないし、葬儀の手配もままならないほどでね。ですから、我々としても突っ込んだ話はできないままなんです。ただ」

と、ここでひときわ声を強くして、

「ご両親が、学校を責めてるとか、誰かのせいだとか、騒いでいるということはありません。それは会長の私が保証します」

「だけど、担任の先生は責任を感じてるんでしょ？ ここに出てこられないほどに。逃げちゃったんでしょ、森内先生」

はっきりしているというより、いっそ意地悪な口調である。さすがの世慣れた会長も、咎《とが》めるように眉を寄せた。

「それはお母さん、そういうおっしゃり方をなさると、森内先生が気の毒ですよ。どういう事情であれ、受け持っていた生徒が死んだということで、自分を責めておられるわけなんだからさ」

「だって、担任としての責任はあるわよ」

失礼、と声をかけてから、邦子のいる列の反対側の端で、長身の男性が立ち上がった。銀縁眼鏡の縁が、水銀灯に光っている。

「私はA組の田島房江《たじまふさえ》の父親です。日ごろは娘とあまり話をしないので、柏木君というクラスメイトのことも、今度のことがあるまで知りませんでした。もっとも娘も、柏木君とは口をきいたことさえないので、彼のことはわからないと言っていますが」

そこに、もう一本のマイクが回ってきた。持ってきたのは、体格のいい三十代の男性である。田島房江の父親にそれを手渡すと、そのまま教師たちの座っている列の端に立った。さっき校長が言っていた、楠山先生だろうか。

「ええ……もう一度申し上げます。私はA組の田島房江の父親です。発言させていただきます」

落ち着いて丁寧《ていねい》な言葉に、邦子はほっとした。こういう場には、こういう声や雰囲気の持ち主が必要なのだ。

「先ほどの須藤君のお父さんのお話にもありましたが、柏木君は、このところ学校に来ていなかったそうですね。うちの娘の話だと、そのこと自体も、クラスのなかではさほど気に留《と》められていなかったようですが。つまり、柏木君には親しい友達がいなかったから。これは事実でしょうか」

津崎校長に、学年主任の高木先生が何かささやきかけた。校長は何度かうなずいてから、マイクに向かう。

「柏木君が、十一月中旬から不登校の状態にあったことは事実でございます。二年A組のなかで、そのことがどのように受け止められていたかということにつきましては、申し訳ありませんが、私にはここで即答はいたしかねます。A組の生徒一人一人に、尋ねてみなくては正確なことは申せません。ただ、不登校の生徒の心情というのはそれぞれに違っており、それによって周囲の対処の仕方も変えなければなりません。たとえば友達が毎朝迎えに行くとか、本人のところに授業のノートを届けるとか、積極的に働きかけた方がいい場合もあります。しかし、少し距離をおいて静観し、あまり騒ぎ立てずにそっとしておいた方が結果がよくなる場合もあります」

「柏木君の場合は、どのケースだと判断されていたのでしょう」

「後者です。柏木君が学校に来なくなってから一ヵ月余りと、日が浅かったこともございますし、柏木君はもともと静かな、どちらかというと寡黙《かもく》な生徒でしたから、いたずらに刺激するよりは、当面は本人が落ち着くのを待ち、ゆっくりと話し合おうという方針をとっておりました」

「そうすると、うちの娘や須藤君の言っているように、柏木君には友達がいなかったというのも事実のようですね。少なくとも、毎朝彼の家に行き、一緒に登校しようと誘ったり、電話をして学校へ出ておいでよと励ましたり、ノートを届けたりするような友達はいなかった、と」

あの——と、細い声と共に手があがった。

田島がそちらにマイクを回す。

「私はC組の一瀬祐子《いちのせゆうこ》の母親です。娘は、一年生のときに、柏木君と同じクラスでした。それであの、図書委員を一緒にやっていまして、まあ、友達というほど仲良しだったとも思いませんが、わりと話をしたりはしていたんです。それであの、祐子は今度のことで悲しんでまして、泣いたりしまして」

「たいへん申し訳ないことです」

津崎校長が頭を下げる。なぜかしら、発言者はもっとペコペコする。

「それであの、えーと、何だったかしら」

あがってしまっている。遠目に見ても、マイクを握る手が震えているのがわかる。

「お嬢さんが柏木君と多少の交流があったということですね」と、田島が助け舟を出した。

「ええ、そうなんです。それでですね、娘は柏木君が学校へ来てないことを知りませんで、あの、二年になってからはクラスが違って、付き合いが遠くなってましたから。それであの、先月の末ぐらいだったと言ってたかしら。街でばったり柏木君に会ったそうなんです。それであの、あの、元気？　とか何とか声をかけたんですけど、無視されちゃったとかで、それであの、うちの子は鈍《にぶ》いわけじゃないんですけど、気が好《い》いっていいますか、それでね、本を借りてたことを思い出したそうなんですよ。ずっと忘れていて、ホントにそそっかしい子なもんですから、それで柏木君の顔を見て突然思い出して、本を返さなくちゃって、学校へ持って行くと言いましたら、柏木君がその、返さなくていい、その本は娘に、うちの娘が持ってていいっていうようなことを言ったそうなんですね」

焦《あせ》る上にどんどん早口で上滑りになるので、聞いている方が混乱しかけた。要は、その折に二人のあいだに、こんな会話があったというのである。

——それじゃ悪いじゃない。明日持っていくよ。

——いいよ。どっちにしろ、オレ学校行ってないから。

——え？　学校に行ってないの？　何で？

——バカらしいから。

頬も額も真っ赤に上気させて、一瀬祐子の母親は一生懸命に続ける。

「柏木君とはそれっきりだったそうなんですけどね。バカらしいからって、吐き捨てるみたいに言われたんで、娘も怖くなっちゃったんだと思うんですけど。何ですか、とりつくしまがないって言うんですか。ホントにあの、怖い顔をしていたそうです」

「ははぁ」と、合いの手を入れたのは石川会長である。「そんなことがあったんですか」

会長としては、「ええ、そうなんです」と、彼女がまだ先を続けるだろうと思ったのでロを挟んだのだろうが、一瀬祐子の母親は、唐突に腰をおろしてしまった。そばにいれば、彼女が息を切らしているのがわかるだろうと、邦子は思った。

拍子抜けしたみたいに、一同は黙った。間の悪さだけが漂《ただよ》っている。

「そうするとやはり、孤独で頑《かたく》なところのあるお子さんだったようですね」

今度もまた、田島房江の父親の落ち着いた声が、場の舵《かじ》を取り直してくれた。

「だから先生方も、あまり刺激しないように見守っていた。それはよくわかりました」

彼は目を上げると、ちょっとためらうように間を置き、それから校長に尋ねた。

「ただ——ですね。娘から聞いた話ですと、柏木君が学校にこなくなったのは、ちょっとした揉《も》め事が起こったからだというんですね。椅子《いす》を振り回して、誰かと喧嘩《けんか》をしたとか。娘は、それが非常に柏木君らしくない行動だったので、とても驚いたと言っていました。その間の事情について、詳しいことを教えてはいただけないでしょうか」

津崎校長は、また高木先生と顔を寄せ合って話している。田島房江の父親は、その場に立ったまま回答を待っている。やがて高木先生が立ち上がると、マイクの前に出た。

「二学年の学年主任の高木でございます。ご質問の件は、わたしもかかわりましたことですので、お答えさせていただきます。少々長くなりますが——」

よろしいですねというように、会場を見回す。津崎校長より、よほど落ち着いていて貫禄《かんろく》がある。絵に描いたようなというか、テレビの学園ドラマに出てきそうなベテラン女性教師そのままだ。こういう先生は、たいていの場合、生徒たちには嫌われるものだ。

きびきびとした口調で、高木先生は続けた。

「ご質問のような揉め事は、確かにありました。十一月十四日の昼休みのことで、場所は二階の理科準備室です。柏木君と同学年の男子生徒三人が口喧嘩をしまして、それがエスカレートしそうだったので、そこにいたA組の生徒たちが驚いて、ちょうど廊下を通りかかったわたしを呼んだのです。誰も怪我《けが》はしませんでしたし、その場は喧嘩を止めただけで、詳しい事情は聞きませんでした。放課後に、四人とも職員室のわたしのところまで来るように申しました」

マイクが控えめにキィンと鳴ったが、高木先生は気にする様子もない。

「職員室に来たのは、柏木君一人だけでした。どういう経緯《いきさつ》で喧嘩になったのか尋ねますと、柏木君が一人で理科室にいたところ、喧嘩相手となった男子生徒たちが入ってきて、準備室に入り込み、標本や実験用の機材を持ち出して悪戯《いたずら》していたので注意したところ、喧嘩になったということでした。彼らが揉めているところに、他のA組の生徒たちが来合わせて、驚いて止めに入ったり、わたしを呼んだりしたので、直接の関係者は柏木君を含めて四人だけだと説明してくれました」

「それは柏木君の話ですね？」と、田島房江の父親が尋ねる。

「そうです。喧嘩相手の三人の言い分につきましては、順にお話しします。

柏木君にしろ誰にしろ、椅子を振り回して暴れたという状況については、わたしは目撃しておりませんが、理科室の机が乱れ、椅子が何脚か倒れておりましたし、他の生徒たちは怯《おび》えていましたから、彼らの喧嘩が単なる口喧嘩ではなかったことは確かだと思います。柏木君は、胸倉をつかまれ突き飛ばされたと話していました。でも怪我はしていないし、どこかが痛むということもないから手当ては必要ない、大丈夫ですと、非常にしっかりした様子でした」

高木先生は、まるで挑むような目つきになって、また会場をぐるりと見渡した。

「喧嘩相手の男子生徒三人は、二年A組の生徒ではございません。つまり彼らは、昼休みのあとの五時限に、理科室で授業を受ける予定があったわけではないのに、準備室に入り込み、勝手に機材をいじっていたということになります。そして、それを注意した柏木君に暴力をふるった。これは正しい行いとは申せません。わたしは柏木君に、彼らを注意したことは立派な行いだったと申しました。この件については、相手の三人組に、先生がきっちりとお説教をして、あなたに謝罪させるからと約束しました。また、このことでまだ何か揉め事が続くようだったら、すぐ先生に教えてくれるようにとも申しました」

よく通る声で話しながら、目を光らせている。あの目つきは何かに挑んでいるのではなく、高木先生は怒っているのだと、邦子は気がついた。十一月十四日の事件について説明しながら、昨日のことのように新鮮に腹を立てているのだ。

「理科準備室に入り込んでいた三人の男子生徒からも、すぐ事情を聞き出しました。経緯を確認しますと、大筋では、彼らも事態が柏木君の話しているとおりであったことを認めました。ただし、彼らは柏木君に喧嘩を売られたと主張しておりました。口汚い言葉で罵《ののし》られ、バカにされたのでカッとなったのだということでした。どういう言葉かと尋ねましたが、具体的なことは話してくれませんでした。非常に興奮しているようでした。

事情はどうあれ、用もないのに理科準備室に勝手に入り込み、機材や標本をいじくりまわしていたのは、彼らの間違いです。わたしはそれを指摘し、また彼らが柏木君の胸倉をつかんで突き飛ばしたことを認めましたので、暴力をふるったことについて、柏木君に謝るよう求めました。明日もう一度、同じ時間に必ず職員室に来るように申し付けまして、帰宅させました」

ふっと息を吐いて、背中を伸ばした。

「翌日、この三人は渋々ながら言いつけを守って職員室に来ましたが、柏木君は登校してきませんでした。それが彼の不登校の始まりになりました」

目がまたぎらりと怒る。この怒りのうちの何分の一かは、どうやら担任の森内先生に向けられているものらしいと、邦子はにらんだ。

「心配でしたのですぐ家庭訪問しましたが、柏木君は自室にこもっていまして、呼んでも出てきてくれませんでしたので、ドア越しに話をいたしました。彼は、自分はもう学校へ行くつもりはないと、たいへんはっきりとした口調で言いました。わたしは、当然のことながら理科室での出来事が原因だろうと思いましたので、事後処理をきちんとしようと考えていること、彼らがあなたに暴力をふるったことは問題であり、彼らはあなたに謝罪するべきだし、必ずそうさせると申しましたが、柏木君は、自分が学校へ行かないのはそのせいではない、だから先生が何をしても、もうどうしようもないと答えました」

いいいいいいいい。もうどうしようもない。普通、中学二年生の少年が使うような言葉ではないような気がする。

「それは正確に柏木君の言葉なんですか？」と、田島房江の父親が訊《き》いた。確かに、高木先生はメモを見ているわけではない。そらで話している。脚色があるかもしれない。

が、先生は毅然《きぜん》として応じた。「はい、彼の言葉のとおりに申し上げております。わたしの言い換えではございません」

「それじゃ柏木君は、なぜ学校へ行かないと言ったんです？　理由は何だと」

高木先生は一瞬だけ目を伏せた。それから答えた。「これも彼が言ったとおりの言葉です。〝もう学校というものとかかわるのが嫌になった。だから行かない〟。そういうことでした」

集まった保護者たちがため息をもらし、顔を見合わせている。邦子は隣の栗色の髪の女性を見た。意外なことに、彼女は薄笑いを浮かべていた。

「柏木君のそういう言い分を、校長先生もご存じだったんですか？」

高木先生が津崎校長を振り返り、校長はうなずくとマイクに向かった。

「存じております。私も同行しておりましたので、その場で耳にいたしました」

田島房江の父親が、マイクに音が入るほどの太い鼻息を吐いた。信じがたいと呆《あき》れているように、邦子には見えた。

「その後もほぼ週に一度の割合で家庭訪問をしておりましたが、柏木君は、我々とはほとんど話をしてくれなくなりました。ただ、こういう状態にある生徒とのコミュニケーションを焦ると、かえってよくない結果になることもあります。ですから私は、気長に家庭訪問を続け、柏木君を見守りながら、彼の気持ちに変化が起こるのを待とうと考えました。もちろん、高木先生とも森内先生とも、そのように話し合っておりました」

「そうすると校長も学年主任も担任も、揃《そろ》ってただうんうんと柏木君の言い分を聞いてやるだけで、叱《しか》らなかったんですね？」

「このようなケースで、生徒を叱責《しっせき》しても効果はありません」

「中学二年の子供が、学校にかかわるのが嫌になったと言っているのに？　その発言は生意気だとか、そんなふうに思うのは軽率だとか、たしなめることも助言することもしなかったんですか」

保護者たちのざわめきが大きくなってゆく。邦子の目には、それを見守り佇《たたず》んでいる津崎校長と高木学年主任が、池の端にいる二人の子供のように見えた。水面に向かって石を投げたら、波紋ができた。それを見ている。それが静まるまで見ている。静まったときにどんな魚が跳ねるか、じっと見ている。

唐突に、最前列の端で、新しい質問者が立ち上がり声を発した。

「そりゃまあ、子供らしい理屈っぽい言いようだけどねぇ」

しゃがれた太い声の男性だった。小太りで小柄なところは津崎校長によく似ているが、密度が違うという感じがする。あちらが豆ダヌキなら、こちらは豆タンクだ。

「結局は先生、その理科室の事件の対応を誤ったってことじゃないんですか。その子は、その三人組にまた殴られるんじゃないかと怖くなっちゃったんだろうよ」

校長も学年主任も答えない。

「そいつらは誰なんです？　さっきから名前を言ってないけどさ。皆さんだって知りたいでしょ？」

応援を求めるというより、煽《あお》るように会場を振り返る。

「もっとも、あたしゃうちの子に聞いてきたからさ、だいたい見当はついてる。先生たちも隠すのはやめなさいよ。あいつらなんでしょ？」

今までと種類の違う喧騒が、会場の足元の方からぞわぞわと立ちのぼり始めた。

「申し訳ありませんが、理科室での出来事が、柏木君の死亡したこととかかわりがあるとは思えませんので、その生徒たちの名前は伏せさせていただきます」

津崎校長の言葉を遮《さえぎ》るように、しゃがれ声の男性はせっかちに手を振り、しかも吹き出した。

「嫌だね、校長先生。かかわりないわけないじゃないの。こりゃイジメだろ？　柏木君は大出《おおいで》君たちがまたぞろ悪さしてるのに注意したから目をつけられて、いじめられたんでしょうよ。だから学校にこなくなったし、思いつめて自殺しちまったんだ。要するに学校の不手際《ふてぎわ》ってことじゃないの、ねえ」

校長が反論しようとして、口を閉じた。会場があまりにも騒がしくなってしまったからだ。賢明だと邦子は思った。誰もが口々に何か言ったり、隣の誰かとしゃべったりしている。うなずいている父母たちも大勢いる。言葉の断片が紙吹雪のように舞い上がり、攪拌《かくはん》されて温度があがる。

オオイデ。今の発言者はそう言った。名前を覚えておこうと邦子はメモをとる。あとで涼子に確かめよう。

「札つきよ」と、隣の栗色《くりいろ》の髪が言った。彼女は邦子のメモを見ていた。注釈してくれているらしい。まだ薄笑いを浮かべている。

「大出君て、二年の問題児。さっきの理科室の話に出てきた男子生徒三人って、大出君とその子分の二人よ。先生には逆らうわ授業は邪魔するわ遅刻は当たり前だわで、そりゃもう大変なんだから」

「そんな生徒がいるんですね」

「今どき、その手の問題児がいない学校なんてないわよね。少なくとも公立校じゃ」

その子の父母はここに来て――いるわけがないか。もしいるなら、我が子の名前を出された瞬間に反論しているだろうから。

ざわつきはおさまらないが、津崎校長はマイクを手に頭を下げて、言った。「柏木君の不登校の状態を改善することができないまま、今回のような不幸な結果を招来しましたことについては、私は校長として責任を痛感しております。おっしゃるとおり、力が足らずに不手際でありました。しかし、柏木君が亡《な》くなったことに、第三者がかかわっているという確証はまったくないのです。他の生徒を巻き込むことはできません。どうぞご理解を願います」

豆タンクを思わせる男性は鼻先で笑い、その表情を会場じゅうに見せつけてから悠々と着席した。彼が席に戻っても、津崎校長はまだ頭を下げたままだった。

騒々しい空気のなか、複数の声が重なって、騒がしく質問を投げた。怒鳴るような声さえ混じっている。

「遺書は本当になかったんですか？」

「隠してるんじゃないでしょうね？」

「学校は、本当は何が原因で死んだのか知ってるんじゃないんですか？」

これはまた強力な勘ぐりだ。校長たちもさすがにうろたえている。

「いや、そんなことは——」

「都合の悪いことは保護者の目に触れないようにして——」

「遺書は見つからなかったのです。警察が調べても——」

「ご両親はどうなんです？　本当のことを言うなって、学校が圧力をかけてるんじゃないの？」

「自殺なら遺書がないのはおかしい！」

どうしようかと邦子は迷った。発言するつもりはなかったのだけれど、こういう混乱を見ているとうずうずしてくる。訊きたいこともあるにはあるし——

と、落ち着いた声が聞こえてきた。田島房江の父親である。

「皆さん、発言は順番にしましょう」

マイクを通して呼びかける。ブラウン運動をする粒子のように無秩序に動いているたくさんの頭、無数の視線。彼はそれを自分のもとに集めようと、すっくと立っている。今までいちばん険《けわ》しい顔だ。誰かが何か不規則発言をしたなら、即座に断ち切ってやるという気迫が感じられた。

ようやく、場が静まり始めた。満足げにそれを見渡し、田島房江の父親は教師たちに向き直った。

「私の質問には答えていただいたと思います。詳しく話していただきました。ただ、ひとつ確認させてください。高木先生」

「はい」と、高木学年主任は緊張した。

「柏木君に暴力をふるったその三人は、その後、彼に謝ったのですか？　電話をかけるとか、自宅を訪ねるなどして」

高木先生はかぶりを振る。「いえ、結局謝罪はしておりません」

「先生たちとは、まあドア越しではあっても話をしていたんですよね。クラスメイトとは、そういうことはなかったのですか」

「ありません。誰も彼を訪ねませんでした」

「先生や、あるいは担任の先生が、クラスの生徒に声をかけて、一緒に柏木君を訪問しようと提案したことは？」

初めて、高木先生は逡巡《しゅんじゅん》した。「生徒たちにそういう形で働きかけたことがあるかどうか、森内先生から聞いておりません」

「わからないんですね」

「はい。確認してみます」

「先生ご自身や、あるいは校長先生は？　生徒たちにそういう働きかけをしてみようと考えたことはなかったんですか」

校長と高木学年主任は視線を合わせず、申し合わせたように下を向いた。それでも校長はすぐ気を取り直したようにマイクに向かったが、それに先んじて、田島房江の父親は、会場の父母たちに呼びかけた。

「先ほど、一年生の時に柏木君と同じクラスだったというお子さんのお母さんが発言をなさいました。他にも、お子さんが柏木君と親しかった、ある程度の友達付き合いがあったという保護者の方はおられませんか」

しいんとした。さっきまでの憤激はどこへやら、少々バツが悪いような空気が流れる。

誰も柏木卓也を心配していなかった。どうしてるのと案じてやることもなかった。

彼の気持ちを斟酌《しんしゃく》し、一緒に学校へ行こうよと誘うこともなかった。どの子も。どの生徒も。

そしてその子らの親たちも。

一分ほど待ってから、田島房江の父親は言った。「そうですか。わかりました。ではマイクをお返しします」

彼が着席すると、何かひとつ山を乗り越えたような雰囲気になった。邦子は安堵《あんど》した。知らず知らずのうちに、糾弾される——というのは言いすぎとしても、受身一方にならざるを得ない学校側に、同情的な気分になってしまっているのかもしれない。

が、安心するのはまだ早かった。

「大出君たちにアリバイはあるんですか？」

女性の声である。掛け値なしに、この場の全員がぎくりとした。これまで父母たちと学校側とのあいだで、たまにボレーを交えながらも慎重にラリーを続けてきたのに、そこへいきなりラケットがぶっ飛んできたという感じだった。

「は……はあ？　それはどういうお訊《たず》ねでしょうか」

津崎校長が、額をてらてらと光らせながら問い返した。質問者は座ったままで、会場の中央あたりにいるらしい。

「ですから、アリバイですよ。柏木君が死んだ夜の。二十四日の夜中なんでしょう。大出君たちがどこで何をしていたか、わかってるんですか」

「ですからそれはどういう――」

「大出君たちが柏木君を学校に呼び出して、突き落としたのかもしれないでしょ。あの子たちなら、鍵《かぎ》を盗んで屋上にあがるくらい、やりかねないですよ。警察は彼らを調べてるんですか？」

津崎校長はハンカチを出さず、手の甲で額をぬぐった。

「申し訳ありませんが、先ほどご説明しましたとおり、柏木君の亡くなったことに、第三者がかかわっているという確証はないのです。ですからそのご質問にはお答えのしようがないとしか――」

「だって疑わしいじゃないですか」

斬《き》りつけるような鋭い声が跳ね上がる。

「ちゃんと犯人が捕まらなかったら、うちの子を安心してこの学校へ通わせることができません。だいたい、こういう集会を開くんだったら、警察の人にも来てもらうべきだわ。捜査状況を教えてもらえないんじゃ、意味がありませんよ」

同意の呟《つぶや》きが湧《わ》く。校長が亀《かめ》のように身を鎧《よろ》って言葉を選んできたのが、この一撃で台無しだ。ミもフタもないとはこのことだ。大出君という生徒の名前も連呼されている。

「柏木君が殺害されたと決まったわけではないのです」高木先生がたまりかねたという顔で前に出た。「それに今のご発言は、大出君に対する誤解を招きかねません。犯人という言葉を、軽々にお使いになるのは控えていただきたいと思います」

さっきの女性の声が何か言ったが、裏返っていて邦子には聞き取れなかった。かばっているとかごまかしているとか――？　彼女の周囲の父母たちだけが、ざわっと騒いだ。

やっと発言者が立ち上がった。両手を泳ぐように動かして、マイクのコードをしゃにむに引っ張る。頭を振りたてる。

「それじゃ申し上げますけどね、うちの子は一年のときに大出俊次に殴られて、階段から蹴落《けお》とされて足の骨を折ったんですよ！　先生たちだって知らないとは言わせませんよ。あのときだって、うちが訴えるって言ったら、ご内聞にご内聞にって泣きついてきたじゃないの。ああいうチンピラみたいな生徒をちゃんと指導しないで放っておくから、とうとう殺人事件が起こっちゃったんじゃない！」

騒然。今度は紙吹雪なんていうきれいなものではない。塵《ちり》や埃《ほこり》が底の底から掻《か》き乱された、父母たちがどよめいた。

「その話は本当なんですか?」

「ちゃんと説明しなさいよ!」

「そんな噂《うわさ》があるなんて聞いてません」

「学校は何を隠してるんです?」

立ち上がってつっかかる父母たちもいる。着席したままの父母たちは及び腰だ。

「ちょっとすみません」

騒乱のなか、会の途中で、マイクを持って入ってきたあの体格のいい教師が進み出た。校長と学年主任のあいだに割り込むようにして、スタンドマイクに近づく。

「私は二年生に社会科を教えている楠山と申します。柏木君のことも、彼と喧嘩《けんか》した三人組のことも知っています。当日は、柏木君が発見された直後から、ずっと現場にいました。遺体も見ています」

津崎校長は彼を止めようとしている。楠山先生はそれを邪魔そうに退け、

「いいじゃないですか。伏せておくことはないですよ」

強く抗弁し、またマイクに向かった。父母たちは彼に惹《ひ》きつけられ、不規則発言が静まっていった。それに自信を得たのか、会場の端から端にまでしっかりと視線を届

かせて、楠山先生は言葉を続けた。

「柏木君の遺体には、暴力を受けたような様子はありませんでした。それは私がこの目で見ました。顔も安らかでした。誰かに突き落とされたということは考えられない。私の頭には、そんな想像がよぎったことさえありません。それに――」

いいんです校長、言わせてください。津崎校長と駆けっこをしているみたいに肘《ひじ》を張る。校長はしおしおと後ずさりをする。

「柏木君のお父さんから、話を聞いています。お母さんは寝込んでしまっていて話せませんが、お父さんははっきりおっしゃっていましたよ。不登校になる以前から、卓也君の精神状態が不安定なことを心配していた、このままだと自殺するんじゃないかと不安だった、と。いいですか。つまり、お父さんは、柏木君の死を自殺だと確信しておられるんです。警察にもそう話していました。私ははっきりと聞きました」

すうっと場が冷えてゆくのを、邦子は感じた。足元のどこかで栓が抜けたみたいだ。

「確かに遺書はありませんが、遺書のない自殺だってあるでしょう。この屋上から飛び降りたのだとしたら、発作的な行為だったのかもしれません」

楠山先生は息を切らしている。鼻息がマイクに入る。

「ですから、大出にしろ誰にしろ、他の生徒が柏木君をいじめていたんだとか、ましてや殺したんだとかいうのは誤解ですし、妄想です！　そういうお考えは捨ててください」

しんとしている。だがそのなかで、ただ一人だけ、まだ栓が抜けていない者がいた。さっきの質問者が、金切り声で叫び返す。

「だけどうちの子はね！」

「それとこれとは別件です！」

楠山先生が切り返したとき、マイクがハウリングを起こした。今度は本格的だった。ああ、もうたくさんだと、機械が抗議の声をあげている。けたたましい金属質の騒音に、邦子は思わず耳を押さえた。

それでも、隣の栗色の髪の女性が短く吐き捨てる言葉は聞き取れた。

「バカみたい」

11

これは本当に現実なのだろうか。それとも夢が——長いあいだ心のなかに隠してきたはずの夢が、とうとう脳の外にまで溢《あふ》れ出て露《あら》わになっただけの幻覚なのだろうか。

自分は目を開いたまま眠り込み、ありもしない世界にひたりきっているのだろうか。

鼻先に漂う新しい線香の香り。まばたきをして、柏木宏之《ひろゆき》は我にかえった。

つい先ほどまで、母方の叔父が隣に座り、宏之を慰《なぐさ》め励ますつもりなのだろう、しきりと何か話しかけていた。叔父はヘヴィスモーカーだから、そのあいだじゅうせかせかと煙草《たばこ》をふかしていた。

この通夜《つや》の光景が夢や幻想であるならば、叔父の姿もそうだったはずだ。しかし宏之の制服のズボンの膝《ひざ》の上には、叔父が落とした煙草の灰があった。手を動かして払い落とすと、それは白っぽいしみになって残った。

叔父さんは確かにここにいたんだ。

――気を落とすなよ。

――親父《おやじ》さんとおふくろさんをしっかり支えてやってくれ。二人には、もうおまえしかいないんだからな。

そうだ、もう柏木家の息子は僕一人だけになった。残ったのは僕だった。卓也ではなかった。

あいつは逝《い》ってしまった。

今夜はあいつの通夜で、明日は葬儀だ。儀式が終われば棺《ひつぎ》は火葬場へと運ばれ、あいつは骨になる。柏木卓也という人間は消えてしまう。

俺の弟。たった一人の弟は死んだ。

「宏之」

呼ばれて顔を上げると、今度は叔母だった。着慣れない和服のせいで歩きにくそうだ。ちょこまかと通路を近づいてくる。

「そろそろ親族の席の方へ移ったら？　もうすぐお通夜が始まるんだから」

宏之は腕時計に目を落とした。午後五時四十五分。デジタルの表示が点滅している。

呼びに来たくせに、叔母は宏之の隣に腰かけた。帯が苦しいのか、ついでにふうと息を吐く。普通は喪服を着ると痩《や》せて見えそうなものだが、叔母は逆だった。着膨《きぶく》れている。

親族の女性たちは、絶えず誰かしらが泣いているので、みんな目が赤い。叔母も例外ではなかった。声も割れている。

「あんた、大丈夫？」

問いかけられて、宏之は目を伏せた。ズボンのしみを見つめた。

どう応じたらいいのだろう？　叔母さんは、大丈夫だと答えてほしいのか。それとも、僕も死にたいと言えばいいのだろうか。

あるいは、僕の方が死ぬべきだったと答えるのが正解なのか。

「いい写真ね」

宏之が黙っていると、叔母は祭壇の方に目を向けて、心持ち顎《あご》を上げ、中央に飾られた卓也の遺影を仰いだ。

「あれ、いつ撮った写真？」

遺影の卓也は笑っていなかった。眩《まぶ》しそうに目を細めている。顔が正面を向いていない。わずかだが右側に肩をよじっている。

不意打ちで撮られた写真のように思えた。割と最近のもののように見えるが、宏之にはわからない。弟とは、夏休み中に、それもお盆のあいだに顔を合わせただけだった。そのときは、写真を撮るような和やかな雰囲気はなかったし、家族で楽しむイベントもありはしなかった。

「卓ちゃん、写真嫌いだったのよね」

叔母は勝手に続けた。

「だけどあれはよく撮れてるわ。あんな表情をすると、お母さんにそっくりよね。目と眉毛《まゆげ》の形とか、顎の格好とかさ」

言われてみればそんな気がする。女の子は父親に、男の子は母親に似るもの。しかし宏之自身の面差しは、両親のどちらにも共通するものがなかった。つまりは卓也とも似ていなかった。

それでも俺たちは、血のつながった兄弟だった。

叔母はそわそわと後ろを振り返った。折りたたみ椅子《いす》がリノリウムの床を滑り、カタリと鳴る。

通夜会場の入口はまだ閉じられている。それでも両開きの硝子《ガラス》の扉越しに、弔問客が集まっているのが見えた。しめやかに挨拶《あいさつ》を交わしたり、黙って硝子ごしに祭壇を眺めたり、ただ所在なげに立っていたり。

大人ばっかりだ。宏之のその思いを察したかのように、叔母がこちらを向き直りながら言った。

「卓ちゃんのお友達は、みんな、明日のお葬式に来てくださるんですって。学校の方でそうはからったみたい。大勢になるでしょうからね」

お友達。宏之は思った。あいつに友達なんかいたのかな？　それがあまりにも自然に浮かんできた疑問だったので、彼は恥じた。卓也が死んで、もう何も反論されず、どんな皮肉な目つきも返される心配がなくなって初めて、一方的に皮肉るなんて、してはいけないことだ。

「さ、席を移りましょ」

叔母は立ち上がりながら、宏之の背に手をあてて促《うなが》した。上着を通して、その掌《てのひら》の熱さが伝わってきた。

「辛《つら》いだろうけど、しっかりしなくちゃ。あんたは長男なんだからね」

宏之は黙々と叔母に従い、すでに親族席の最前列につき、深くうなだれている両親の隣に座った。げっそりと窶《やつ》れてしまった母は、ハンカチを顔に押し当て、声を殺して泣いている。父は眉間《みけん》に皺《しわ》を刻み、両手を拳《こぶし》に握って膝の上に置いている。

猛吹雪《ブリザード》のなかのビバークだ。出し抜けに、宏之の頭にそんな考えが浮かんだ。父と母は、彼らの視界を遮《さえぎ》り、行く手を阻《はば》み、彼らを凍りつかせようとする猛吹雪に巻き込まれた。だから必死で雪中に穴を掘り、二人でそのなかに隠れて身を寄せ合っている。耐え凌《しの》げ。耐え抜け。嵐《あらし》が通り過ぎるまで。

しかし宏之はそこにはいない。彼はその登山パーティに加わっていない。吹雪は彼とは関わりのない、どこか遠いところで吹きすさんでいる。

それでも母の嗚咽《おえつ》は彼の心を掻《か》き乱した。慰めようと口を開きかけたとき、硝子の扉が開いて、弔問客たちが入ってきた。

柏木宏之は、一九七二年の五月に生まれた。柏木則之《のりゆき》・功子《こうこ》夫妻の待望の長子だ。一家はそのころ、則之の勤める自動車部品製造会社の社宅に住んでいた。埼玉県大宮市の郊外にあるその社宅は、道を隔てて向かい側に市立総合病院があるという便利な立地で、宏之もそこの産婦人科で誕生した。急な発熱や腹痛など、幼い子供とその親を絶えず悩ませる小さいが心配な病のたびに、そこの小児科に駆け込んだ。宏之がやがて学校にあがり、地元の少年野球チームに所属すると、擦《す》り傷きり傷打ち身捻挫《ねんざ》、すべての怪我《けが》に処方される薬と手当ては、そこの外科でほどこされるものとなった。

四歳年下の卓也も同じ病院、同じ産婦人科で誕生したが、その後の経緯はだいぶ違う。卓也は赤ん坊のときから病院との縁が切れなかった。風邪《かぜ》を引いたからその治療をすれば腎臓《じんぞう》が弱り、軽い中耳炎にかかったからそれを治せば、投薬のせいで胃痙攣《けいれん》を起こし、解熱剤《げねつ》を飲ませれば嘔吐《おうと》の発作を起こし——あちらを治せばこちらの具合が悪くなる。卓也はまるで、繊細な精密機械のようだった。彼のすべてを円滑に保ち、健康な状態を保たせるためには、手近な総合病院の力では足りないのだと、まもなく両親は判断した。それからは、県内はもとより、小児科の評判がいいと聞けば、都内にも足を伸ばすようになっていった。とりわけ、兄の宏之が少年野球チームに入ったのと同じ歳《とし》、六歳のときに、卓也が明らかな小児ぜんそくの兆候を見せ始めると、両親の煩悶《はんもん》は深まり、病院めぐりの範囲はさらに広くなった。東京を縦断して神奈川まで、さらにはもっと遠くの地方都市の病院でさえ、いい医者がいると聞けばはるばると出かけてゆくようになった。

だから宏之には、そのころの思い出と云《い》えば、留守番をしていたことばかりが残っている。運動会や野球チームの試合でも、両親が揃《そろ》って応援に来てくれたことは――さあ、一度か二度あっただろうか。

必ず顔を見せてくれたのは、父方の祖父母だ。父の実家は、一家の住まう社宅から歩いて行かれる距離にあった。だから、卓也のために、両親が良い医療を求めて遠征するときには、宏之は祖父母に託された。低学年の時の遠足には祖母がついてきてくれたし、弁当が必要なときにも祖母がつくってくれた。夏休みの工作の手伝いは祖父がしてくれた。

実際のところ、宏之は、ほとんど父方の祖父母に育てられたようなものだった。居心地が悪かったことはない。父は一人息子なので、宏之と卓也は、祖父母にとってたった二人だけの孫だった。存分に可愛《かわい》がってもらったし、手をかけてもらった。

だから宏之は、自分で自分を哀れんだことはない。我慢と辛抱は当たり前だった。特別なものではなかった。

「お兄ちゃんなんだからね。辛抱してね」

「弟のためなんだからね、我慢してね」

「宏之、おまえは兄さんだからな」

「兄さんなんだから、我慢できるな?」

そうだ卓也は身体《からだ》が弱いんだもの。僕がしっかりしなくっちゃ。その思いは、宏之の第二の本能にさえなっていた。

そう、柏木家が住まいを東京に移し、彼が弟と、一度だけ、たった一度だけぶつかりあうまでは。

柏木則之が大宮の製造工場から東京本社に転勤になったのは、宏之が十三歳、卓也が九歳のときだ。卓也の小児ぜんそくはまさに盛りで、宏之は、常に家のなかに漂っていた薬の匂《にお》いをよく覚えている。弟が吸入器を口にあて、ぜいぜいとあえぐように呼吸するときの、あの苦しげな音も忘れられない。

大宮市郊外から都内なら充分に通勤圏内だから、それだけで転居を考える必要はなかった。ただ、あいかわらず不安定な健康状態の卓也を抱えた功子は、それまでは社宅から車で五分足らずのところにある職場にいた夫が、卓也の病変を聞いて飛び帰ってくるにも小一時間かかる場所に行ってしまったことを、ひどく不安がった。というより、則之の異動は昇進でもあったので、残業も休日出勤も付き合いも増え、自然、彼がどっぷりと卓也にかかわり、功子と一緒になって動き回る時間と心の余裕を失ってしまったことへの不満が大きかったと言った方がいい。

東京に引っ越したい。家を持とう。そして一家四人でちゃんと暮らすのだ。功子は夫に明るい展望を語り、一方で厳しく要求し、やがてそれは実現することになった。

一家が東京の下町の新築マンションに居を移したのは、則之の昇進からちょうど一年後、宏之が十四歳、卓也が十歳の三月のことである。兄弟は二人とも、宏之が中学二年から三年への、卓也は小学校四年から五年への学年の変わり目に転校を経験することになった。高校進学を控えた宏之にとっては、きわどいタイミングでの転校となった。ずっと所属し、レギュラーとして活躍していた少年野球チームからも離れた。留守番ばかりだった小学校時代を温かく支えてくれた祖父母とも遠くなってしまった。

口には出さなかったけれど、宏之は寂しかった。

新しい住まいを、功子は気に入った。が、欲を言うならば、卓也の主治医がいる病院にもう少し近い、都心に暮らしたいと思っていた。そういう物件は、則之の年収では手が届かなかったのである。

そこで彼女はパートタイムで働き始めた。幸い、卓也の小児ぜんそくも少しずつ軽快してきている。主治医の話では、小学校を終えるころには治るだろうという。実際、学校を休むこともめっきり減った。

それでもまだまだ病弱な卓也に油断はならないし、今までは学校だけで精一杯で、塾や習い事に通えなかった卓也のために、これからは、医療費ではなく教育費をかけてやらなくてはならない。収入が増えるのは、たとえわずかなものであっても嬉《うれ》しかった。

彼女は勤勉に、熱心に働いた。

しかし、三ヵ月と経《た》たないうちに、卓也が家で倒れ、救急車で運ばれることになった。ぜんそくの発作ではなかった。風呂《ふろ》場で突然昏倒《こんとう》し、意識が失《な》くなってしまったのだ。

さまざまな検査をしたのに、原因は結局わからず、半月ほどの入院で、卓也は退院した。しかし、この事件で柏木家の生活は根底から変わってしまった。

今までは敵が見えていた。卓也のぜんそく。あるいは小児時代特有の病弱。しかし、今度の敵は正体がわからない。功子があれほど信頼していた主治医でさえ、このくらいの年齢の子供が突然昏倒し、しかもその原因が医学的な検査で判明しないなど、常識的に考えられないと首をひねっている。

　功子は心底震えあがってしまったのだ。何かが卓也の健康を冒している。何かが卓也の命を内側から狙《ねら》っている。小児ぜんそくをどうやら乗り越え、わたしがちょっと目を離している隙《すき》に——わたしの油断につけこんで、何か途方もなく手ごわく、しぶとく、悪いものが、卓也に憑《つ》いてしまったのだ。現に、身体的な異常は発見できないと言われて病院を追い出されたのに、その後も卓也は何度も体調を崩したり、急にふらついて倒れるなどの症状を繰り返し発現しているではないか。

　功子はパートタイムをやめた。都心への転居は諦《あきら》めざるを得なかったが、大宮を離れるときに手放したマイカーを買い直した。これなら、夜中だろうと早朝だろうと、卓也の具合が悪くなったら、いつでも病院へ連れていくことができる。まだまだ馴染《なじ》みの薄い東京の下町を、功子は信用していなかった。救急車を呼んで、地元のよく知らない病院へ連れ込まれるなんて、とんでもないことだとも思っていた。

　卓也を苦しませている症状は、あるいは転校によるストレスから来ているのかもしれないと考えた功子は、教師にも熱心に相談し、勧められて教育相談所にも足を運んだ。しかし、どこでも心に届く助言をもらうことはできなかった。担任教師は、確かに卓也が学校を休みがちで、そのために友達との交流が限られていることを案じていた。でも、彼は成績も優秀で素行も良く、クラスメイトとも楽しそうに付き合っているという。だから問題があるとは思えないという。つまりは表面的なことばかりを見て、卓也が内心深く抱え込んでいるに違いないストレスや寂しさや不安を、察してくれるだけの心がないのだ。

教育相談所だって似たようなものだった。おまけに、お母さんの心配のし過ぎがかえって良くないのだと、まるで見当違いのことを言ったりする。子離れですって？　卓也が健康な子供なら、時期がきたら喜んで離れよう。子供は巣立つものだ。しかし、卓也は健康に問題を抱えているのだ。どうして親が目を離すことなどできよう。それは見捨てるのと同じことではないか。

頭がいい。気立てもいい。何ひとつ欠けるところのないこの子から、不当にも取り上げられようとしている健康を、わたしは死守しなくてはならない――

その決意のありようを、柏木宏之はつぶさに見てきた。ずっと見守ってきた。

短い間だったが、パートタイムで働いているとき、母はずいぶんと明るかった。社宅の気苦労から解放され、マイホームを持ったという喜びも大きかったろう。宏之は、母親のそういう心の動きを、充分に読み取り推察することができるほどに成長していたのだ。

母さんは、初めて余裕を持ったんだ。宏之はそう思っていた。初めて、心配事ばかりだった暮らしから一歩退いて、明るい方向へ顔を向けられるようになったんだ。

だからあのころ、高校受験を間近に、生まれて初めて試験という形で明らかに〝選別〟される場に立たされた彼のために、母が親身になってくれるのも嬉しかった。それが母の自然な姿で、〝無理〟になっていないことが嬉しかった。学年始めの三者面談にも来てくれたし、彼が友達と学校見学に行けば、その報告を聞いてくれる。成績のいい教科を喜び、足らないところは笑いながら励ましてくれる。そんな、他の子供なら当たり前に享受《きょうじゅ》していることが、ようやく自分にも与えられたことが嬉しかった。

それを母と分かち合えることが嬉しかった。

無言の辛抱、お兄ちゃんの我慢は、報《むく》われはしなかったけれど、もう終わったのだ。

だがそれも、卓也が入院するまでの話だった。

母がパートタイムをやめ、またぞろ卓也専門の看護婦のようになってしまうと、すべては元どおりになってしまった。

元どおり。元の木阿弥《もくあみ》だ。

しかし、今やもう一人の宏之も目覚めた。闇雲《やみくも》に父母の愛を求める子供ではなく、大人としての分別を少しずつ備え始めた、冷静な第二の宏之が。

彼は問いかける。これまで、おまえは不当な忍耐を強いられてはこなかったか？

たとえ病弱なのだとしても、卓也のふるまいは、家族の一員として正しいか？

卓也に振り回される父と母は、おまえに対してあまりにも無関心に過ぎるのではないのか？

さらに一段と声をひそめて、しかしはっきりと聞き取れるように、彼は囁《ささや》く。

卓也は本当に病気なのか？

あれは彼の武器ではないのか？

何のための武器？

両親の愛情と関心を惹《ひ》きつけるための。

柏木家でいちばん〝価値ある子供〟であるための。

その囁きの恐ろしさに、宏之は心の耳をふさぎ、目を閉じた。

何にどう抗《あらが》ったところで、過ぎてしまった子供時代を取り返すことはできない。卓也を責めるなんて筋違いだ。あいつだって悲しくて苦しくて――闘ってるんだから。

何と？　何と闘ってる？

決まってるじゃないか、病気とだよ。弱い身体とだよ。そのせいで削られてきた友達との時間や、学校での活動。失ったものは、卓也の方がはるかに大きいのだ。その喪失感と、あいつはずっと闘ってるんだ。

そう信じてきた。自分に言い聞かせてきた。

だけど、だけど一度だけ――そう、たった一度だけだ。それが揺らいだ。根元から揺らいで、すべてをひっくり返してしまったのだ。

あの年の秋の日だった。中学三年の二学期も半ばを過ぎ、十一月になっていた。

進路相談も大詰めで、志望校を絞る時期が来ていた。第一志望、第二志望、滑り止め。明日はそのための三者面談が予定されている。転校生ということで、互いに気心が知れずにいた担任教師とも、今ではかなり腹を割って話せるようになってきた。宏之は、現在の彼の成績ではちょっと届かないかもしれないハイレベルの高校を狙っていた。これから頑張って、必ず合格してみせると意気込んでいた。担任も、その意気込みは理解してくれている。だから、君の場合は第二志望校が重要になってくる――

「母さん、面談は明日だよ、忘れてない?」

帰宅すると、宏之はすぐ母に声をかけた。母は台所にいて、ダイニングテーブルに向かい、重そうな本を広げていた。ちらりと見ると、「家庭の医学」であるようだ。

宏之の胸に暗い予兆がさした。

「何だよ? また卓也の具合が悪い?」

返事を聞かなくても、顔を上げた母の表情を見れば、それが図星であるとわかった。

「今日、昼過ぎに早退してきたの。急にめまいがして、気持ちが悪くなったんだって」

「病院は？」

「外来は午前中で閉まっちゃうから。それに、寝てれば治るって本人は言うのよ」

母は卓也の部屋のドアの方へ視線を投げた。きっちりと閉まっている。

「熱は？」

「微熱があるのよ」

「風邪じゃないの？」

宏之はどさりと鞄《かばん》をおろし、椅子《いす》を引いて、母の斜向かいに座った。

「あんまりあわてない方がいいよ」

「でも、めまいなんて怖いじゃないの。六月に救急車で運ばれたときと同じよ」

母は心配を通り越し、ほとんど怯《おび》えているようだった。あの六月の出来事は、未《いま》だに消えない悪夢なのだ。

「明日、また大学病院へ連れていこうと思って。もう一度、脳波とか心電図とか、きっちり検査してもらった方がいいわよね？」

明日。宏之はすぐには返事ができなかった。彼の顔色の変化に、さすがに母は気がついた。

「そうか、あんたの進路相談よね」

宏之はテーブルの上に載せられた「家庭の医学」に目を落とした。脳の各部の名称を説明した図解が載っている。

「先生にお願いして、日を替えてもらえないかしらね。あんたの方は、絶対に明日でないとまずいってわけじゃないもの」

宏之の心のなかで、きゅっと縮まっていたものが身じろぎした。ほんの一瞬だったが、取り返せない一瞬だ。あんたの方。その言葉が悪かったのかもしれない。まずいってわけじゃない。その言葉のせいかもしれない。

いつもいつもいつも、いつもそうだ。俺は名前さえ呼ばれない。あんたの方。どの方角だよ？

彼は立ち上がり、無造作に鞄を持ち上げた。

「いいよ。俺の方はいつもそうだもんな。全然まずくないよ」

もちろん、棘《とげ》のある言い方だった。母に棘が刺さるよう、充分に狙いをつけて口に出したのだから。

「宏之——」

宏之はとっとと自室へと向かった。廊下の先まで、母の声が追いかけてきた。「ごめんね。ムクれないでよ。仕方がないでしょ?」

母の声もまた計算されていて、ただ謝るだけではなく、充分に彼を責める意図がこめられていた。

不愉快だった。たまらなかった。どこかへ行きたくて、何かを壊したくて、大きな声を出したくてウズウズした。机に向かっても、参考書やノートを開いても、何も目に入らなかったし考えられなかった。

顔でも洗おう。どのくらい経ったのかわからないが、とにかくそう思って部屋を出て、洗面所へ行った。

引き戸を開けると、パジャマ姿の卓也がいた。洗面台の前の鏡に、青白い顔を映している。兄に気づいて、こちらを向いた。

スリッパも靴下も履《は》かず、痩《や》せた足の甲の肌の白さが浮き立っている。パジャマはだぶだぶだ。肩が落ちている。

「具合、悪いんだって?」

引き戸の前に立ちふさがる形になって、宏之は尋ねた。

「母さん心配してたぞ。病院でちゃんと診《み》てもらえよ。早く治さないと、小学校だって出席日数が足りなきゃ留年だぞ」

弟は何も答えない。もう一度鏡をのぞきこみ、目じりの何が気になるのか指先でちょっとこすって、無言のまま兄の脇《わき》をすり抜けようとする。

大人なら、魔がさしたというのだろう。言うべきでない言葉が、抑えている思いが、バネ仕掛けの玩具《おもちゃ》みたいにポンと飛び出す。自分でも何がそれを動かしたのかわからない。はずみだ。本当にはずみだとしか思えない。

宏之は言った。自分の声を自分で聞き流してしまうような、さりげない口調で。同じ口調で「兄さんも心配だ」と言うことだってできた。それならどんなによかったろう。

だけど癪《しゃく》だったのだ。むしゃくしゃしていた。だから心のバネがはじけて——

「おまえ、本当は病気なんかじゃないんじゃないの？　学校が嫌なんで、仮病つかってんじゃないのかよ」

狭い洗面所の戸口で、二人はほとんど並んでいた。卓也の身長は、宏之の肩に届かない。引き戸に片手をかけたままぴたりと動きを止め、首だけよじってこちらを振り仰ぐ。

その目のぞっとするような冷ややかさに、宏之はひるんだ。

「な、何だよ」

押し返すように言い返した。卓也はまだじっと兄を見ている。

「なんて顔するんだよ。そんな負けん気があるんなら、早退なんかしてくるな」

卓也は無言だ。宏之は膝《ひざ》が震えるのを感じた。喧嘩だ。俺はチビの弟と喧嘩しようとしている。それだけは絶対しちゃいけないって決めて、守ってきたのに。一度もしたことなかったのに。だってこいつは身体《からだ》が弱いんだから。俺が守ってやらなくちゃいけない小さい弟なんだから。

だけどこの目は何だ？　これが、小さい弟が兄を見る目か？

「おまえが病気だ病気だって騒ぐから、俺は大迷惑なんだ」

言わずもがなに言わずもがなを重ねただけではない。この言葉は、宏之自身を惨《みじ》めにした。なぜなら言い訳だったから。弁明だったからだ。

卓也の目元がわずかに緩んだ。

そして彼は、うっすらと笑った。

宏之の心の一部が動いた。慎重に積み上げて、けっして崩れないように保ってきたものが傾いた。

「何だよその顔は」

声が跳ねあがる。一歩前に出る。弟を壁際《かべぎわ》に追い詰める。

「何で笑うんだ? 何がおかしいんだよ」

卓也の笑みが広がる。喜んでいるのだ。嘲《あざわら》っているのだ。怒る兄を。自分の望むとおりの反応を返している兄を。

こいつはわかっててやってる。承知しててやってる。ホントに病弱なんかじゃない。こいつはただ俺たちを振り回したいだけなんだ。

道が開けるのではなく、しっかりとささえてきた壁が崩壊し、差し込む光の洞察に、宏之の頭に血がのぼった。

そのあとの短い時間、何があったのか覚えていない。弟に向かって声を張り上げ、拳《こぶし》を振り上げ、卓也が悲鳴をあげた。映像としては、そんなものが残っている。だけどすべてに実感がない。卓也を殴った感触もない。

あるのは母の叫び声だ。彼を卓也から引き離そうと、叩《たた》いたり引っ張ったり、あとでよく見たら、彼の頬には母の爪痕《つめあと》が残っていた。

「何てことするの、あんた兄さんでしょう!」

泣きながら怒鳴る母の声だ。表情が壊れている。声も壊れている。宏之も、母も。

だけどそのあいだも、卓也はけっして壊れなかった。兄に殴られ、頬を腫《は》らし、洗面所の床にうずくまり、くちびるを切って血を流し、それでも彼はどこも傷ついていなかった。

母に助けを求め、怯え、泣き出し、悲しむ顔の一枚下には、あの薄笑いがあった。兄を見つめる目には、あの冷酷さがあった。

じたばたしたって無駄だよ。僕の勝ちだよ。兄さんの負けだよ。

いいいいい。

宏之は悟った。とっくに気づいていてよかったはずの真実。彼が「まさか」と退け、目をそむけ、そうすることでその増長に手を貸してきてしまった醜いもの。

いいいいい。

これがこいつの本性だ。


読経《どきよう》の流れるなか、弔問客たちが次々と焼香してゆく。

うなだれたままの両親の隣で、柏木宏之は弟の遺影を見つめている。

生まれて初めて弟をなじった。弟を殴った。あたりまえの兄弟喧嘩《げんか》さえ封じられてきた間柄だったのに、彼は禁を破った。

あの晩、帰宅した父に、彼は殴られた。

「弱いものに暴力をふるうのは、卑怯者《ひきょうもの》のすることだ」

躾《しつけ》として叩かれるのではなく、制裁として殴られるのは、宏之にとっても初めてのことだった。

あのころすでに、彼の体格も力も、父にひけをとらないものになっていた。だから、殴り返そうと思えば簡単にできた。父を殴り倒すことだってできたかもしれない。

でも、しなかった。

怖かったからだ。

殴り、暴れ、声高に自分の言い分を主張したところで無駄だ。そんなことをしたら、ますます深く罠《わな》にはまってしまうだけだ。

自分を抑えることには慣れている。宏之はただ、拳骨《げんこつ》の後に続く父の正論――華奢《きゃしゃ》で、病弱で、力弱く、彼より四歳も年下の、小学生の弟を殴ったことを責める父の説教を、心を閉じて聞いていた。

「ちゃんと父さんの目を見て話を聞け！」

張り手が飛んできて、目の前がちらちらした。涙が出そうになったけれど、懸命にこらえた。涙を呑《の》みこむことには長《た》けている。たくさんの経験を積んだから。

ただただ、怖くてたまらなかった。叱《しか》られ、説教されているあいだじゅう、怯えていた。自分の置かれた立場を、いやおうなしに初めて直視してみれば、それはとんでもない崖《がけ》っぷちだったのだ。

手遅れになる前に気づいてよかったとも思った。この恐怖は希望と安堵《あんど》が生む恐怖だ。外出して、帰宅して、点《つ》けっぱなしの石油ストーブと、そのすぐそばで揺れているカーテンを見て、おののきながら胸を撫《な》でおろす。それと同じだ。ああ、良かった。二度とこんなことはするまい。充分に注意しようと心に決める——

宏之は、顕微鏡をのぞく生化学者さながらに、自分の家族を観察し始めた。それは彼に、さまざまな事実を教えた。洞察を与えた。

卓也を中心に回る家族。卓也が核になっている家族。卓也への心配と配慮抜きでは、宏之のことはおろか、自分たちの人生や生活についてさえ考えることができなくなっている父と母。

そういうシステムを作りあげてきた卓也。

俺はこの家を出なくてはならない。ほどなく、宏之はそういう結論にたどり着いた。静かに、穏やかに、誰にも気配を悟られないように、計画を立てて。

その後も卓也の健康は優れず、両親の心配が途切れることはなかったから、それは難しいことではなかった。

志望校だけは、少し変えなくてはならなかった。「大宮の祖父母の家から通学できる」という、新たな条件が加わったから。

それでも、彼がその志望校に合格し、これからは祖父母の家から通学する、じいちゃんばあちゃんには了解してもらっていると宣言するまで、両親はまったくそのことに気づかなかった。

祖父母も両親も、同じ言葉で説得した。曰《いわ》く、

「卓也のことは、まだまだ心配が多いだろ。父さん母さんもストレスがたまる。だけど俺も、まだまだ子供だからさ。自分のことで手一杯だ。なんかでムシャクシャして、また卓也にあたるようなこともあるかもしれない。あいつのこと殴っちゃったりして、俺ホントにとんでもないことをした。もう、それはイヤなんだ。すごい恥ずかしいことだからさ。それに、じいちゃんばあちゃんも、二人っきりじゃ心細いだろ？　俺が大宮に帰って一緒に住めば、いろいろ都合がいいじゃんか。家族なんだから、どんな形で暮らしたって、心配ないはずだよ」

滑らかな理屈だ。説得力もある。だが、表向きの口上だと百も承知していながらも、宏之は、これだけは言うことができなかった。

「離れて住んでたって、心がつながってりゃ大丈夫だよ」

この家には、少なくともこの両親には、宏之のつながる心などない。彼が呑気《のんき》に知らん顔をしているうちに、その心の回路は、卓也に占領されてしまったのだから。

この上は、自分を守ることの方が大切だ。俺が守らなくて、誰が柏木宏之の人生を守ってくれるのだ？

今はまだいい。子供時代に兄弟で両親の愛情を奪い合うなんて、可愛《かわい》いもんじゃないか。大人への入口に立っている宏之には、過去に味わった痛みこそ消せなくても、今さらそんなものを巡ってどうこうしようという意志はない。クールで無関心な親。結構、結構。それなら上手《うま》く付き合っていかれる。

でも、卓也という要素が入ると、話はまったく別になってしまう。この先、どんな局面で、弟があの計算ずくの薄笑いを浮かべ、宏之の人生に割り込んでくるかわかったものではない。

早い話が経済問題だ。これまでにも母は、卓也のためにどれくらいの金を使ってきたろう。医療費は、保険があるからたかが知れている。しかし民間療法や健康食品はその対象外だから、生《なま》で金がかかるのだ。

本来、宏之のために費やされるべき正当な出費が、卓也の健康を守るためという大義名分のもとに削られてゆく。いや、それでも金ならかまわない。自分にかかる経費ぐらい、アルバイトして何とでもしよう。

両親が、卓也にかかりっきりで宏之を放っておいてくれるなら、全然かまわないのだ。問題は、このままで行くと、父と母が早晩、宏之自身の人生も、卓也を芯《しん》にして回るべきだと考えかねないということだ。

——お兄ちゃんなんだから。

——弟の面倒をみてやれ。

——卓也を守ってやらなくちゃね。

——卓也は身体が弱いんだ。おまえは健康に恵まれている。おまえは卓也のためにしてやれることがたくさんある。

冗談じゃねえよ。

それでも、まったく心が揺れなかったわけではない。

「あたしだって、あんたにはずっと申し訳ないと思ってきたのよ。ほったらかしにして、寂しい思いばっかりさせてきたでしょう。だからせめて、一緒に住んでいてほしいのよ。一緒にご飯を食べたいし、毎日顔を見たいのよ。なんで一人だけ大宮へ帰るなんて言い出すの？」

母にそう泣かれたときには、心が涙でいっぱいになった。母さんは俺の母さんでもあって、いつもいつもそれを忘れているわけじゃないんだ。

しかし、どんな涙も懇願も、家から離れようという決心をひるがえすことはなかった。それは卓也のおかげだった。

彼も泣いたからだ。泣いてこう言ったからだ。

「お兄ちゃんがいなくなったら寂しいよ。僕のせい？　僕が病気ばっかりしてるから、その病気がうつるとイヤだから、お兄ちゃんは出ていっちゃうの？」

両親はそれを聞いてさらに泣いた。宏之は泣かなかった。できるだけ優しく、ひたすら弟を慰めた。そんなことはないよ。どうしてそんなことがあるもんか。ただ兄ちゃんも高校へ行くといろいろタイヘンだしさ、母さんには、おまえの面倒をしっかりみてもらった方がいい。俺たちは歳《とし》がちょっと離れてるからな。

べとべとからみつく蔦《つた》をはらっているような気分だった。

「卓也がこんなに寂しがってるのに、それでもあんたは弟を置いていくの？」

母はそんなことも言った。

「父さんが出張だの何だのでいないときには、おまえがいてくれた方が、母さんも卓也も心強いとは思わないか？　おまえはもう、半分以上大人なんだ。二人を守ってやってくれないのか？」

父はそんなことも言った。

二人とも、もうがんじがらめだ。だけど俺は抜け出す。これ以上、犠牲になってはいられない。未来を危険にさらすことはできない。それが宏之の決心だった。

そして抜け出した。幸い、大宮の祖父母は大した病気もせずずっと元気で、彼との生活を楽しみ、また彼の生活を支えてくれた。

東京の家のことは、一日だって頭に浮かばなかったことはない。だが、帰りたいと思うこともなかった。

一年、二年と過ぎるうちに、世の中にはああいう家族もあるのだと、冷《さ》めた心で思うようにもなった。きっかけはとても正当な理由で、ある序列、ある優先順位がついてしまい、やがてそれが当たり前になってしまい、家のなかのどこかの部分について、致命的に無関心になってしまいながらも、結束していると思い込んでいる――

そして時々、ちらりと考えた。

卓也だっていつまでも子供じゃない。あいつはどうなるんだろう？　母さんの次に、父さんの次に、あいつが独り占めしたいものが出てきたら、どうするつもりなのだろう？

それともあれは子供時代特有の現象であって、実はとっくに、あいつのあんな性向なんか消えて失《な》くなっているのか。

そうだといいな……とも思っていた。いつかそれを確かめたいと。

それなのに、卓也は死んだ。

何のための死だったのだろう。宏之は、遺影を見つめて問いかける。空《むな》しいと知りつつ問いかけずにはいられない。

卓也、なぜ死んだ。

おまえの考えを教えてくれ。

結果なら、すでに出ている。父さんも母さんも、おまえが自殺したと思っている。健康の不安を抱え、その結果学校にうまく適応できず、両親に心配をかけてばかりいる自分に絶望して死を選んだと。

父さんも母さんも、これで永遠におまえのものだ。

おまえが求めていたのはそれか？

それともおまえは、父さん母さんの知らないうちに成長し、父さん母さんの知らないものを求め始めていたのか？　それが挫折《ざせつ》し、そこで葛藤《かっとう》が生まれ、だからおまえは死を選んだのか。それとも死に追いやられたのか。

俺はおまえの考えていたことを知りたい。おまえの望んでいたことを知りたい。

なぜ死んだんだ、卓也。

頬に誰かの視線を感じて、宏之は遺影から目を離した。無防備に目を転じたので、焼香台の前に立っていた弔問客と、まともに視線がぶつかってしまった。

五十がらみの、小柄で丸顔の男性だった。喪装のブラックスーツが身体《からだ》にフィットしていない。肩のところにしわが浮いている。それ以前に、人の好《よ》さそうな、優しげな目鼻の感じが、通夜《つや》という場そのものに合っていない感じがする。

さっきの視線の主も、この人だったらしい。しげしげと宏之を見つめている。目が驚いている。

卓也の学校の先生かな？　だとしたら、訝《いぶか》るのも当然だ。柏木卓也に兄がいるなんて、ほとんど誰も知らないだろうから。

五十がらみの男性は、悼《いた》みを込めてすっと視線を落とすと、深く礼をしてから後ろに下がっていった。

宏之は首を下げ、足元を見た。自分のことを、弔問客たちの多くが、あの男性と同じように訝っているはずだと気づいたのだ。柏木君のご両親の隣にいるあの制服姿の学生は誰？　兄さんかしら。だけど兄弟の話なんか聞いたことがない。従兄《いとこ》なのかしら。

読経《どきょう》の流れるなか、かわるがわる焼香する弔問客たちに、父と母は機械的に頭を下げている。時折、父が口元を動かし、「ありがとう」と声を出さずに言ったり、うなずきを返したりすることもある。会社の同僚や部下たちが来たのだろう。母は身を二つに折り、頭を上げ下げするのが精一杯で、誰の顔も見ようとしない。

小一時間の通夜が終わりに近づいたとき、濃紺の学生服を着た少年が一人、焼香台の前に立った。

それまでにも、親子連れが二組ほど焼香してくれていた。城東三中の生徒たちは明日来るというのだから、あれはたぶん、卓也の小学校時代の友達なのだろう。中学は私立とか、別のところに行き、付き合いが絶えた。でも訃報《ふほう》を聞いて来てくれた。そんなところだろうと思った。

だがその少年は、親とおぼしき大人と一緒ではなかった。一人きりだった。

最初は、それが珍しく思えただけなのに、見るともなく彼の様子を見ているうちに、宏之は妙な違和感のようなものを感じ始めた。

おぼつかない手つきで焼香を終えても、少年はなかなか立ち去らないのだ。卓也の遺影を仰いでいる。一心に仰いでいる。

問いかけている。そう思った。この少年には、卓也に何か訊《き》きたいことがあるのだ。

俺と同じだ。この子のこの表情は、きっと、さっきまでの俺のそれとそっくりのはずだ。

なぜ死んだ、卓也。

そう尋ねている。そうに決まっている。卓也の友達の心に浮かぶ疑問なら、それ以外にはないはずだ。

でも——

中肉中背というよりは、ちょっと痩《や》せ気味だ。滑らかな顎《あご》の輪郭と、すっきり通った鼻筋。女の子みたいにきれいな顔だ。クセのないさらさらした髪が、天井からの照明を映して輪っかの形に光っている。

髪があんなふうに光を映すのを、〝天使の輪〟と呼ぶのだ。幼子の髪はみんなそうだ。傷《いた》んでいない、美しい髪の証拠。

少年は遺影から視線を移すと、祭壇の前の親族席で、並んで肩を落としている両親の方を見た。

その口元が、今にも動きそうになって——また引き結ばれてしまった。形だけでも大人びたお悔やみの言葉を投げかけようとして、照れくさくなってやめたのか。

それだけだろうか。

何を言いたい？　宏之は、ほとんど焦燥に近いほどの性急な疑問を感じた。おい、何を言いかけたんだよ、今。

卓也の遺影の前で、あんな顔をする友達がいるなんて。

宏之の視線に、ようやく少年は気づいた。目があった。驚きの色をたたえている。でも、あの五十がらみの男性のような驚きとは違う。明らかに、この子は宏之が誰であるかを知っているように思えた。そのうえで、彼がそこにいることに吃驚《びっくり》して——いる？

息が止まるような一瞬の見詰め合いの後、両親にではなく、宏之に向かって、少年は深々と頭を下げた。そしてくるりと背を向け、焼香台を離れていった。

宏之は彼の後姿を目で追いかけた。華奢《きゃしゃ》な背中は、すぐに、手狭な会場に溢《あふ》れる弔問客たちのなかに紛れてしまった。

あれは誰だろう？

「宏之」

小さいが鋭い叱責《しっせき》が、父の声で聞こえた。

「そわそわするんじゃない」

咎《とが》められてやっと、宏之は自分が腰を浮かせかけていたことに気づいた。あわてて座り直し、片手で顔をつるりと拭《ぬぐ》った。端《はた》からは、それは高校三年生の青年の仕草ではなく、世慣れて疲れた中年男のそれのように見えたかもしれない。

それも無理はなかった。宏之は疲れていた。実際の年齢よりも、彼ははるかに老成している。そうすることによって自分を鎧《よろ》ってきた。

宏之はひとつ息を吐いて、また足元を見つめた。考えすぎるな。卓也にだって、心底悼んでくれる友達がいなかったわけはないだろ。さっきの子は悲しんでいたんだ。それだけだ。友達としての悲しみが深いから、学校の指導で団体で弔問に来るのではなく、今夜の通夜に訪れてくれた。そして、何で一人ぼっちで死んだんだと、卓也に問いかけていたんだ。

もう答えは――もらえないのに。

いや、本当にもらえないのかな?

卓也の死は終わりじゃない。始まったばかりなんだ。何の脈絡もなく、そんな考えが浮かんだ。宏之は小さく身震いした。

12

幸いなことに、告別式の日は朝からよく晴れた。冷え込みは厳しかったが、風も穏《おだ》やかだ。藤野涼子はほっとした。雨や霙《みぞれ》に打たれて出かけるのは嫌だった。焼香の順番を待つあいだ、濡《ぬ》れた靴下のじっとりした感触を我慢しているのも嫌だった。木枯らしに身を縮めるのも嫌だった。

けれども、この期《ご》に及んで、まだそんなことばかり優先して考えている自分には嫌気がさした。

学校からは、生徒たちはできるだけ通夜ではなく、告別式に参列するようにという指導があったけれども、さすがに、一度登校してから揃《そろ》って行けとか、斎場ではクラス別に並び、名簿順に呼ばれるまで体育座りをして待てというような命令は出されなかった。だから生徒たちはおおむね、友人同士で集って来た。母親と二人で来た者もいるし、そういう母子が数組集まってグループで来た者もいる。見慣れた同級生の顔でも、それが本人の母親と並んでいると、いつもと違って見える。クラスという単位を離れ、家族という単位でくくられると、あたしたち子供は顔立ちさえ変わってしまうのだろうかと涼子は思った。

他校の制服を着た中学生を、涼子は二、三人見つけた。柏木卓也の小学校時代の同級生で、私立中に進んだ者たちだろう。彼らは親と一緒に来ていたが、会場ですぐに互いを見つけあい、斎場の隅に固まって、小声で盛んに話をしている。

「柏木君、転校生だったんだってね」

涼子のすぐ脇《わき》で、古野章子が言った。流れる線香の煙を目で追って、ちょっと仰向《あおむ》いている。形のいい鼻がくっきり見える。

「小学校で？」

「うん。五年生の新学年から来たんだって。それまでは埼玉にいたらしいよ」

「知らなかった」

二人はすでに焼香を終え、柏木家の告別式会場からロビーの方に出ていた。城東三中の生徒たちは、ほとんどが同じようにロビーで溜《た》まっていたが、涼子と章子はその団体からもさらに少し距離をとっていた。

明日一緒に行こうと、声をかけたのは章子が先だった。涼子の方からも、彼女を誘おうと思っていたから、ちょうどよかった。どちらも親は参列できなかったので、二人で行くことに話をまとめたところに、入れ違いで倉田まり子から電話がかかってき

て、

「涼ちゃん、どこで待ち合わせる？」と訊く。まり子は、最初から涼子と一緒に行くつもりでいたのだった。それがまり子の思考回路だ。

まり子はたいていの場合優しくて心地よい友達だけれど、ときどき面倒なお荷物になる。そんな言い方をしてはいけないと、涼子の内なる良心は主張するけれど、そう感じてしまうのだから仕方がないと開き直る本音の声は大きい。

「それじゃアキコも一緒だから、三人で行こうね」

涼子の返事に、案の定、まり子は渋った。

「えー？　演劇部の古野さん？」

「そうよ」

「いいけど……うん。いいよ」

まり子は古野章子が苦手なのだ。古野さん、キツいこと言うンだもの。美人だからかな。成績もいいし……。演劇なんかやって、将来は女優になろうっていう子だから、ちょっと変わってるよね？

それはまり子の思い込みに過ぎない。古野章子は女優になんかなりたがっていない。彼女が目指しているのは劇作家だ。確かに歯に衣《きぬ》着せずにものを言うときもあるけれど、けっして意地悪ではない。

そんな次第だったから、道々、まり子は沈んでいた。態度からも話し方からも、涼ちゃんと二人で来たかったのにと拗《す》ねているのが見え見えだ。章子の方は、当然気づいているだろうに、気にする様子もなかった。

どうして今日は、ことのほかまり子が鬱陶《うっとう》しく感じられるのだろう。実際に葬儀に来る以前から、きっとそう感じるという確信があった。涼子は自問して、すぐに答えを見つけた。まり子が善良さを丸出しに、線香の匂《にお》いをかいではベソをかき、柏木卓也の遺影を見ては涙をこぼし、挙句《あげく》には涼子と抱き合って泣こうとする——絶対にそうするに決まっているのが不愉快だったのだ。

涼子はそんなことをしたくなかったから。

そんなことをする気になれないと、わかっているから。

だけど、そういう冷たく乾いた自分を後ろめたく思う気持ちもまだまだ強く、自分で自分を持て余しているから。

だから、同じように乾いた目をしている古野章子のそばにいると、少しだけ肩の荷が軽くなるような気がする。柏木卓也の死んだ日に、通知簿を受け取りながらのぞきこんだ高木先生の目のなかに、涼子に対する理解を読み取ったときと同じように。

たぶん、あの朝、大雪の積もった登校路で顔を合わせ、二人で同時に「三中の生徒の誰かが死んだ」という凶報を受け止めたときから、涼子と章子のあいだには、それまでの「気の合う仲良し」以上の繋《つな》がりができたのだ。めったにない、あっては辛《つら》いああいう局面でこそ、見えるものがある。涼子と章子は、互いのなかにそれを見出《みいだ》しあった。

そんな二人にくっついていることが、よほど気詰まりだったのだろう。ほっとしたことに、斎場に着くと、まり子は早々に離れていった。まり子が共振して泣き合うことのできる友達が来ていたし、なにより、向坂行夫の顔が見えたからだろう。

だから今、涼子は古野章子と二人、柏木卓也の遺影が、トランプのカードほどの大きさにしか見えない場所にまで退いて、人ごみを避けながらも人ごみのなかに沈殿し、言葉にできないしなくてもいい感情を共有しているのだった。

「涼ちゃん、お葬式って初めて？」

清潔だが冷たい雰囲気のする白い柱にもたれて、章子が尋ねた。

「うん、初めて」

幸い、父方も母方も祖父母は健在だし、近い親族に不幸があったこともない。

「あたしはこれで三度目」

「それ、けっこう多くない？」

「みたいね。父さんの方のお祖父《じい》ちゃんと、あと従兄《いとこ》。五つ年上で、一昨年《おととし》の夏、バイクの事故で死んだの」

「どっちも悲しかったでしょう」

章子はすぐには返事をせずに、形のいい鼻をつまむような仕草をしてみせた。

「お祖父ちゃんのときは悲しかった。従兄のときはフクザツだったな。嫌いだったから」

ちょっと怒ったみたいな口ぶりになる。

「イヤな奴《やつ》だったんだ」

「死んだとき、大学生？」

「学校なんか、ロクすっぽ行ってなかったけどね」

深夜の街路で、スピードを出しすぎて運転を誤り、電柱に激突したのだそうだ。悪いことに、彼は一人ではなかった。タンデムシートにガールフレンドを乗せていた。

「彼女も死んじゃったの。だから伯父《おじ》さんも伯母《おば》さんも、お葬式のあいだじゅうぺこぺこしてたって感じ。うちのバカ息子が、他所様《よそさま》の大事なお嬢さんを死なせてしまって申し訳ありません。でも、だからといってバカ息子の弔《とむら》いもしないわけにはいかないので、なおさらすみませんって」

　自ら命を落とすのと同時に、過失によるものだとしても、殺人者になってしまった我が子、か。

「バカ息子だったの？」

　そんなストレートな質問も、章子にだったら安心して投げかけることができる。

「絵に描いたような」

　答えて、章子はちらりと笑った。その澄んだ瞳《ひとみ》は、周囲の様子をちゃんと観察している。だから笑いはナノセカンドのうちに消えた。

「うちのお母さんもその従兄のこと嫌いで、親戚《しんせき》の集まりとかあると、あたしに近づけないようにすごく気をつけてた」

「嫌らしいヤツだったの？」

「めちゃ嫌らしかった」

　章子は涼子に顔を向けた。色白で、髪も瞳も色素が薄く、きれいな栗色《くりいろ》だ。まり子の思い込みは間違っているが、観察は正しい。古野章子はとても現代的な美人である。

「二時間ドラマとかにさ、金持ちのぼんぼんで、どうしようもないドラ息子とか出てくるじゃない？　現実に、こんなバカがいるかよって思うような。まさにあれ」

演じていたんだと、章子は言った。

「金持ちの大学生になった以上は、ああいう生き方がモデルだって思ってたみたい。そう考えないことには理解できないくらい、そのまんまって感じだったの」

「そういう従兄は、いずれは美人の従妹《いとこ》に手を出そうとする？」

涼子の論評に、章子は真面目《まじめ》にうなずく。

「お母さんは警戒してた。あたしも」

章子は、彼に写真を撮られたことがあるそうだ。夏、ノースリーブのワンピースを着ているとき。

「投稿雑誌に出したらしいのね。少女もののマニアに受けるんだってさ」

「それ、見たの？　雑誌」

「従兄が死んだあと、部屋にあったんだって。伯母さんが見つけて、うちに謝りに来た」

従兄の母親はあわてたろう。亡《な》き息子を偲《しの》ぼうと思って部屋を片付けていたら、とんでもないものが出てきた。また平謝りだ。

「あたしね、お祖父ちゃんのときは別格だけど、従兄のお葬式より、今日の方がずっと悲しいような気がする」

章子は人の形を借りた烏《からす》の群れのような会葬者の頭越しに、柏木卓也の遺影に目をやっている。涼子はゆっくりとまばたきをした。遺影はまばたきを返さない。写真は動かない。だったら写真と死者は同じかな——などと、おかしなことを思った。

「悲しいし、寂しい」と、章子は続ける。

考えてみれば、涼子と二人で凶報を聞いたということに意味を見出す以外には、章子が進んで柏木卓也の葬儀に来る理由はないのだ。いや、ないと思い込んでいた。

でも、そうでもなさそうだ。涼子は友達の言葉を待った。

「柏木君、一年のときに、うちの教室公演を観《み》て、感想を言ってくれたことがあるんだ」

一年坊主《ぼうず》だから、章子はもちろん裏方だ。それを言うなら二年の今だって、彼女のオリジナル脚本が演じられたことはない。章子が熱心に戯曲の習作を書いていることを知っているのは、涼子自身を含めて二、三人だろう。ただ、一年生のときは、まがりなりにも演出を担当している現在よりも、ずっと後ろに引っ込んでいた。引っ込められていた。中学校の学年ヒエラルキーというのは——ＯＢやＯＧの存在も含めて——実は、下手な会社のそれよりも厳格なのだ。

城東三中で演劇をするのは、演劇部だけに限らない。文化祭では一、二学年の全クラスが何かしらの演目を決めて体育館で順番に演じる。そこでは演劇部のためだけの時間枠をとってはもらえない。演劇部は何の特別扱いも受けていない。

ただ、上半期に一度、下半期に一度、土曜日の午後に教室を使って公演することが認められている。それが教室公演だ。涼子も、一年生の下半期公演と、今年の上半期公演を観に行った。観客はけっこう大勢いる。立ち見も出るくらいだ。先生たちも混じっている。今年の公演では、涼子は客席で養護の尾崎先生の隣に座った。


「それ、あたしも観た公演かな?」

涼子の問いに、章子はかぶりを振った。

「涼ちゃんは観てない。一年の夏休み前の公演だったから。何か大会があって、これなかったんじゃない?」

涼子は記憶をたどった。剣道部の練習試合の応援に行ったんじゃなかったかな。

「どっちにしろ、あれは観なくてよかったよ、涼ちゃん」

つまんなかったものと、章子はきっぱり言った。

「チェーホフの『ワーニャ伯父さん』という戯曲をやったの。長いお芝居だから、あたしたちじゃ通しでやることはできない。だから後半の部分だけ、四十分くらいのダイジェスト版をつくったわけ。それじゃお客さんには筋がわからないから、前半は演出家でそのダイジェスト版の脚本を書いた二年生の先輩が、前説でしゃべったのよ。テレビのバラエティ番組でやるみたいに。みたいに——っていっても、あたしは見たことないからちゃんと知らないけど、アシスタント・ディレクターが番組の内容を説明するんでしょ？　そういうふうに」

その前説も、ダイジェスト版の芝居も、すべて関西弁でやったのだそうだ。それが肝なのだと演出家兼脚本家は言った。

「言葉が変わることによって芝居のテーマが変わるみたいなことを、延々しゃべってた。もともとそれは、その先輩の意見じゃなくて、大学で演劇やってるOBの意見なんだけどね。傀儡《かいらい》ってわけね」

章子はするりと難しい言葉を使い、語気を強めて吐き出した。

「ものすごく無意味だった」

当日の教室公演を、一年生の章子は舞台の袖《そで》——要するに廊下だ——で見ていた。稽古《けいこ》のあいだからそう思っていたが、実際に公演してみると、ますますくだらないということがわかってうんざりしたという。

「どうして関西弁なの？　言葉が変わればテーマも変わるってどういうことよ？　どんなに理屈を並べたって無駄なの。関西のお笑いタレントの真似《まね》をしてるだけなんだもん。こんなの芝居じゃないって思った。でも、先輩たちにはそれでよかったのね。中学生でチェーホフ。おお、凄《すご》い！　本格的だと思わせておいて、関西弁で笑いをとる。今風だねえ、近頃の子供は油断がなりませんな。なかなかどうして立派なものだって、大人はみんな思うはずだってさ。貧しい計算よ。また先生たちが、ホントにそのとおりの反応を返すもんだから」

呆《あき》れ返るほど不毛な時間だったが、古野章子は賢いので、それを誰にも言わなかった。おなかの底にしまっていた。

そして公演が終わり、教室を片付ける段になって、廊下で柏木卓也に声をかけられた。

「クラスも違ったし、彼のこと知らなかった。名札を見て名前がわかったの」

——観てたよ。くだらないな。

いきなりそう切り出したそうだ。

——演劇部で、はっきり〝何くだらねえことをやってんだよ〟って顔してたのは、古野さんだけだな。くだらないってわかってるのに、何で黙ってるんだ？

さすがに章子も驚いてしまい、二の句が接《つ》げなかったそうだ。

「あたしは世渡り上手だから」と、自嘲《じちよう》的にニッと涼子に笑いかけて、

「あたし、先輩たちの公演をくだらないなんて思ってないよって答えた。そしたら柏木君ニヤニヤしてさ」

——嘘《うそ》つくなよ。ま、いいけどさ。

「それより、何であたしの顔なんか見てたのって訊《き》いたの。ちょっと薄気味悪かったから」

——芝居より、古野さんの顔見てる方が面白かった。

「芝居に興味があるなら、演劇部に入ればいいのにって言ったら、あんなバカな連中に混じる気はないって」

だけど、人に混じらなかったら芝居はできないよと、章子は答えた。すると柏木卓也は首をすくめ、ぷいと離れて行ってしまったそうだ。

「すごく気になった」

章子は思いつめたみたいな目つきになる。

「痛いとこ突かれたって気がした。くだらないと思うなら、どうしてそう言わない？一年生だから、先輩の言うことには黙って従うしかないんだ、そういう我慢も必要だ。だけど、くだらないものはくだらないんだよ」

涼子は、章子のこれまで知らなかった一面を見ていた。このエピソードを語る章子は、ただの中学二年生には見えなかった。大人びているということではない。自身のなかで、真剣に向き合わねばならない何かを見つけてしまった者の顔だ。そこに大人と子供の線引きはない。涼子にはまだその何かが見つからない。でも、章子が見つけているということだけは、はっきりわかる。

「柏木君、章子が演出するようになってからも、観に来たの？」

「今年の夏に」と、章子は短く答えた。「そのときには声をかけてくれなかった。あたし、探したんだけど、終わるとすぐどっかへ消えちゃってた」

何か言ってほしかったんだけどな……と、遺影を遠く見る。

「もういっぺん、演劇部に入らないかって誘おうかとも思ったの。でも結局は誘わなかった。柏木君のこと思い出すのは、公演の時だけだった。勝手だよね」

だけど、彼が死んで寂しいよと章子は言う。

「もっと話、したかったな」

また「くだらないな」と言われただろう。二年生になり、部の中核となって芝居を動かせるようになったとしても、三年生やＯＢ・ＯＧたちの意見に逆らえないことに変わりはない。顧問の先生の指導もある。章子は依然、不自由だ。

柏木卓也は、きっとそれを指摘しただろう。何やってんだよ。古野さんはわかってるんだろ。だったらなんで先輩の意見なんか聞くんだよ。

でもそれは、中学生なりの世渡りなのだ。だから章子は我慢をしている。章子が我慢していることを知っている涼子も、だからそのことで彼女を咎《とが》めたりしない。

でも柏木卓也は言ったのだ。「くだらないな」と。

「ヘンな話しちゃった。ごめんね」

「ううん、ヘンじゃない。聞かせてくれて嬉《うれ》しかった」

柏木君のこと、ちょっとわかったような気がする——と言いかけて、やめた。それもまた、月並みでくだらない物言いだ。柏木卓也のことがわかったわけじゃない。わかったのは章子のことだ。

「これ、誰にも話したことなかったんだ」章子は言って、少しだけはにかんだ。

読経《どきょう》も終わりにさしかかった。親族の焼香が始まる。たむろしながらも、集中力が切れてだらけていた会葬者たち、とりわけ三中の生徒たちが、祭壇の方へ注意を向け直す。

「みんなの方へ行こうか」

涼子は章子を促《うなが》した。章子はうんと応じて、涼子と肩を並べた。

「柏木君、演劇が好きだったんだと思うよ」と、ぽつりと言った。「チェーホフ、読んでたんじゃないかな」

柏木卓也は母親似だ。喪服の母親の胸に抱かれた遺影。写真になってしまった子と、それを抱く母。相似形というくらいに、面差しに共通するものがある。子が死ぬと、母の一部も死ぬ。その事実がそのまま形になっている景色だ。母親はずっとすすり泣いている。

喪主の挨拶《あいさつ》として、マイクを持ったのは彼の父親だった。色が抜けてしまったように褪《あ》せた額と頬に、深いしわを刻んでいる。

父親の隣には、真新しい位牌《いはい》を抱いて、制服姿の青年が立っている。高校生だろう。

「ねえねえ」隣でまり子が涼子をつつく。

「あれ、柏木君のお兄さんだね?」

「そうだろうね」

「顔が似てるもの。知らなかった。兄弟がいたんだね」

クラスメイトたちは、みんなそのことに新鮮な驚きを覚えているようだった。どこからかふってわいたように現れたお兄さん。これまでは影さえ見えなかったのに。

「三中の出身じゃないんだろうなあ。先生たちも知らないんだもの。知ってたら、ちょっとぐらい話に出てたはずだよね？」

私立かなぁと、まり子は目を丸くして見つめている。涙ぐんでは涙を拭《ふ》き、しゃべり、また涙ぐむということを繰り返していたのだろう、目じりと鼻の頭が赤い。

「柏木君、越境だったよね」

まり子の横にいる向坂行夫が言った。いつもと同じように、茫洋《ぼうよう》とした表情だった。

「ホント？」涼子は彼を振り返った。

「うん。住所で割り振るなら、本当は二中へ行くはずだったんだ。だけど二中の学区域って広いからさ、柏木君の家から通うには、三中の方が近かったんだ。彼、小学校のとき身体《からだ》が弱かったんだって。それで、通学距離が短い方がいいからって、特別に申請して三中に入ったんだよ」

初耳だ。

「向坂君、よく知ってるね」

「一年のときに、柏木君と同じクラスだったヤツに聞いたんだ」

すると柏木卓也の兄は、二中出身なのだろう。

「死んでから、いろんなことがわかるね」と、まり子が呟《つぶや》いた。

胸が詰まるのか、なかなか話し出せずにいた柏木卓也の父親が、斎場の係員に励まされて、ようやく声を発した。

「本日は、年末のご多忙の折に、卓也のために、これほど大勢の皆様にお集まりいただきまして、まことにありがとうございました」

声が割れている。

会葬者一同は、申し合わせたように頭を垂れた。

「卓也の死は、私ども残された家族にとりましてあまりにも重く、未《ま》だこれが現実であると、受け止めかねているところがあります。こんなことになる前に、どこかで道を変えてやることができなかったものかと、今は後悔ばかりが胸を刺します」

声が傷《いた》んでいる。痛みが声になっている。それでも父親は、気丈に会葬者たちへの礼を述べ、城東三中の生徒たちが会葬してくれたことを、心から感謝していると続けた。

どこかで道を変えてやることはできなかったか――涼子は考えた。柏木卓也の道。彼がどこを歩いているのか、ほとんどの人間が知らなかった。彼の地図は彼だけのものだった。親兄弟でさえ、そこに描かれたものを知らなかったのか。

苦しそうに絶句して、父親は顔をくしゃくしゃに歪《ゆが》め、痛みを振り切るように続ける。

「ご存知のとおり、十一月の半ばごろから、卓也は登校しておりませんでした。なぜそういうことになったのか、原因は何なのか、どうすれば息子の気持ちを理解してやることができるのか。私どもも努力はしたつもりです。城東三中の先生方にも、ご助力を願いました。担任の森内先生を始め、精一杯のことをしていただいたと思っております」

では柏木卓也の両親は、学校を恨んではいないというのか。

声には出せない驚きが、さざめきになって会葬者たちのあいだを伝わってゆく。女子生徒たちがひとかたまりになっているところから、泣き声が漏れた。見ると、その中心に森内先生がいた。ハンカチを顔にあてて泣き濡《ぬ》れている。なんだ、来ていたのか。

精一杯のことをしていただいた——その言葉でほっとしたのかなと、涼子は意地悪く考えた。柏木卓也の両親がそういう気持ちでいると、わかっていたから来られたのか。責められる心配はないと知っていたから。

そんなことばかりを思う藤野涼子は何者なのだ？　なんて底意地が悪いんだろう。

「卓也は、物事を深く考える子供でした」

うつむいて、マイクにすがりながら父親は語る。

「どうかすると、考えすぎるほどでした。幼いときから病弱だったことが、あの子を、一人で自分の内側に深く沈みこむ性格にしたのかもしれません。それは悪いことではないと思いますが、辛《つら》いことでした。もっと気楽にしていいよ、人生はそのままでも楽しいものだと、親として、何度となく話したつもりです。しかし、それは届きませんでした。あの子は純粋すぎたのかもしれません」

——くだらないな。

古野章子にそう話しかけた。関西弁でいじられたいいいチェーホフを観るより、それに憤慨する章子の顔を見ている方が面白いと言ってのけた中学一年生。

「クリスマス・イヴの夜、卓也がどうして学校へ行ったのか。屋上へのぼったのか。今となってはわかりません。あのとき卓也が何を考え、その結果どんな結論に達して死を選ぶことにしたのか、それもわかりません。時間を戻し、卓也の口からそれを聞き出すことができるのならば、私は引き換えに自分の命を差し出してもいいくらいです」

今度こそ、会葬者たちのあいだから、こらえかねたようなざわめきが起こった。女子生徒たちの泣き声が高くなる。

柏木卓也は自ら死を選んだ。あれは自殺だったのだ。両親がそう認めている。

――どうも自殺らしいよ。

保護者集会ではそういう風向きだったことを、涼子は母から聞かされた。結局、仕事を脇《わき》に置いて出かけてくれたのだ。

――検死の結果が出ないと確定できないようだけど、噂《うわさ》にあるような虐《いじ》めとかではないみたいだったって。ご両親がそう言ってるらしいのよ。

同じことは、やはり父母が集会に出たクラスメイトたちからも聞いていた。でも、葬儀の場での喪主挨拶という形で、これほどきっぱりと宣言されるとは思っていなかった。

「卓也は私どもに、何も書き残してくれませんでした。すべて自分ひとりで背負って、旅立ってしまいました。私どもに心配をかけたくないという、あの子なりの思いやりだったのかもしれません」

優しい子でした――呻《うめ》くように言って、父親は泣き出した。母親も泣き崩れる。傍《かたわ》らで、ただ兄だけが、叩《たた》いたら砕けそうなほどに固い顔をして立っている。

「短い人生でしたが、卓也の生きた十四年間は、意味のあるものでした。あの子は、私たち家族にとってかけがえのない存在でした。卓也の死で空いた穴は、けっして埋められないでしょう」

城東三中の皆さん——と、呼びかけながら父親は顔を上げる。

「お願いがあります。どうか、卓也のことを忘れないでやってください。皆さんはこれからたくさんのことを学び、大人になっていきます。時には辛いこともあるでしょう。壁にぶつかることもあるでしょう。でもそのときには、あまりにも早くこの世を去ってしまった卓也のことを思い出してやってください。そして、生きていることは素晴らしいと、噛《か》みしめてほしいのです。どんなに悩み、苦しんでも、生きていることは素晴らしいのです。命は大切なものなのです。それが卓也の遺言です。あの子も今、天の上で、きっとそう確信していることと思います。あるいは、それを確信するために、あえて卓也は死の領域に踏み込んでいったのかもしれません」

どうぞお願いいたします。ありがとうございました。結びの言葉は嗚咽《おえつ》に紛れて、ほとんど聞き取ることができなかった。


自殺だったんだ——

「こんなこと言っちゃいけないけど」

まだ鼻をぐじゅぐじゅさせながら、まり子が言う。

「ちょっとほっとしたって言ったら——いけないよね？」

いけないよと、涼子はつっけんどんに応じそうになって、言葉を呑《の》み込んだ。

ほっとしてるよ。みんなほっとしてるよ。学校には、クラスメイトには、責任がなかったってわかって安心してるよ。ご両親がそう認めてくれたから、無罪放免て感じだよ。

だけど、そうやって安心するのなら、泣くのは偽善だ。ほっとしたって言いながら、なんであんたは泣けるのよ？

涼子とまり子、向坂行夫、そして野田健一の四人で歩いていた。ライブラ・ロードを通り抜けてゆく。屋根つきのモールのなかは空気も暖かく、歳末の賑《にぎ》わいと溢《あふ》れる色彩が、葬儀の重苦しさを洗い落としてくれるようだ。

古野章子とは、モールの入口で別れた。章子は最後まで泣かなかったけれど、会葬者の誰よりも厳粛に柏木卓也を見送っていた。少なくとも涼子はそう思う。

「あたし、この冬休みに、『ワーニャ伯父さん』を読み直す。チェーホフの、ほかの作品も読んでみる」

別れ際《ぎわ》、約束するみたいに章子は言った。涼子の手を握って言った。涼子の手が柏木卓也の手であるかのように、しっかりと握りしめて。

それは勘違いだ。あたしは柏木君じゃない。いや、そうだろうか？　ここでも章子は正しいのではないか。

今の藤野涼子には、柏木卓也が乗り移っているのではないか？

そうだ。彼ならきっと、まり子の振る舞いに苛立《いらだ》つ。もちろん、まり子だけじゃない。まり子に代表される偽善だ。気分だけの悲しみだ。彼はそれを軽蔑《けいべつ》するだろう。ほとんど知らず、興味もなかった級友が、ただ死んだというだけで突然神聖なものになる。突然、皆の心を集める。皆が共通の罪悪感を背負う。そして、その罪悪感が具体的な責めとなってのしかかってくるものではないことを知らされると、泣きながら安堵《あんど》するのだ。

そんな心の有り様を、柏木卓也は、きっとこう評して言い捨てたろう。

――くだらないな。

そして、乾いた瞳《ひとみ》のまま出棺を見送り、でも「チェーホフを読む」と誓う古野章子には、にやっと笑ってこう言うのだ。

――古野さんの顔見てる方が面白い。

なぜかしら今、涼子は柏木卓也が怖い。とてもとても怖い。

早くあたしから離れて。そう願う。でも、簡単には彼が離れていかないことも知っている。そう、正確に言うならば、柏木卓也は涼子に憑《つ》いたのではなく、もともとあった涼子のある一面を掘り出したのだ。

死によって。

「あ、涼ちゃん」

まり子に袖《そで》を引かれ、涼子は現実に返った。

モールのなかのコンビニの前に、大出たちがたむろしているのである。大出、橋田、井口のお馴染《なじ》み三人組。

涼子の友達のなかには、大出俊次はハンサムだという子がいる。背も高いしさぁ。中学や高校ぐらいなら、ちょっと悪いくらいの方がカッコいいじゃない？

私服姿の彼ら三人は、生真面目《きまじめ》に制服を着込んだ涼子たちより大人に見えた。それがひどく癪《しゃく》にさわる。自分が弱く感じられる。

三人組は、薄笑いを浮かべながらこっちを見ている。涼子は無表情を作り、彼らの前を通過する。

「よう」

大出が呼びかけてきた。

「おまえらも葬式に行ってきたのかよ」

まり子はぴったりと涼子に寄り添う。野田健一はあからさまにビビっている。

向坂行夫が答えた。「うん、そうだよ」

「さっき三浦たちが通ったんだ」と、井口が言う。腰巾着《こしぎんちゃく》は、親分の言葉の足らないところを補うのだ。

「親が泣いて大変だったんだってな」

「そりゃそうだよ」人のいい行夫は、ちょっとムキになる。

「バカだよな。何で泣くんだよ。勝手に死んだんだろ？　いいじゃんか。本人が好きでやったことなんだからさ」

そうだそうだというように、橋田と井口がゲラゲラ笑う。橋田は長身だがガリガリで、井口はかなり太めである。期せずして、大出の引き立て役になっている。

「親の気持ちはそういうもんじゃないよ」

小さな声ながら、行夫はまだ言い返す。野田健一の頰は引き攣《つ》っている。臆病者《おくびょうもの》。

しゃがみこんでいた大出俊次は、およそ中学生らしくないおっさんのような大儀さで立ち上がると、気取った手つきで髪を撫《な》でつけた。茶色に染めている。彼の手首に、ごつい金色の鎖の腕時計が光っていることに、涼子は気づいた。

大出の家は羽振りがいい。二年ほど前から始まった好景気で、大出集成材の業績は良好だ。近所の噂になるくらいだから、相当なものなのだろう。住宅建設ラッシュで、濡《ぬ》れ手に粟《あわ》だということだ。この好景気はまだまだ続くと、涼子の父は言っている。経済のことなど話題に出したことのない父でも、気になるほどの好況なのだ。しかも、急角度の右肩あがりで、これからが本番だと。ならば、大出集成材の前途は洋々だ。だから、中坊の倅《せがれ》に高価な腕時計を買ってやれる。大出が着ている混色編みのセーターも、確かブランドもののはずだ。通信販売のカタログで見たことがある。一枚十数万円するだろう。

大出がカッコいいという女の子たちは、彼の家が金持ちであることも視野に入れているのかもしれない。

「ま、オレらは濡れ衣《ぎぬ》が晴れてスッとした」

大出は涼子に向かって言っている。

「藤野の親父《おやじ》さんに逮捕されるかもしれないなんて、心配しなくてよくなったしな」

涼子は何ひとつ反応を返さず、彼らの前を通過した。

——くだらねえな。

心のなかで、吐き捨てた。それは自分の声でなく、柏木卓也の声とだぶって聞こえた。

13

古い年から新しい年へとひとまたぎ。〝新年〟という言葉には魔法がある。古い年に、何かしら暗い出来事があればなおのこと、年が変わればすべてがリセットされるような気持ちになる。目の前に広がるのは、一点の染《し》みもないまっさらのシーツのような時間の平原だ。

柏木卓也の死と彼を送る儀式が、古い年の内に終わったのは、彼の両親を含むごくひと握りの人びとを除く、大方の関係者にとって幸いなことだった。時間的にはけっして遠い出来事ではないものも、ひとたび〝新年〟が到来して、もろもろを整理して片付けてしまうと、それはすべて去年の属性のものとなる。それ自体のラベルは新しくても、それのしまいこまれる引き出しのラベルは、去年の一月一日に貼《は》られたもので、端っこの方など早くも日に焼けて黄ばんでさえいる。終わった、済んだ、最《も》早《はや》開ける必要のない引き出しだ。少なくとも、そう、あと十年は経過して、その中身が〝思い出〟という形に発酵しきるまでは。

城東第三中学校は平穏な新年を迎えた。

藤野涼子は忙しい冬休みを過ごしていた。

宿題はさほど多くなかったけれど、家事の手伝いもある。この冬、母の邦子は去年の今頃の倍ほどにも忙しく――それはたった一件の依頼人のせいらしいのだけれど――疲れていることが多いので心配だった。財産分与をめぐって揉《も》めているというこの依頼人一家ときたら、元日早々から母に電話してきた。長い休みのときは、事務所にかかってきた電話が自宅に転送されるようセットしておくので、連絡がとれてしまうのだ。それにしたって図々《ずうずう》しいじゃないか。普通は遠慮するものだろう。放っておけばいいのに、お母さんもまた相手をしてあげるんだから。

多忙なのは父の剛《たけし》も同様だった。元日は何とか家にいられたが、二日からはもう、涼子が朝起きたときには父はいない――というお馴染みのパターンが始まっていた。

父親が今どんな事件を扱っているのか、涼子が確実に知ることはない。教えてもらえないからだ。だから新聞の社会面をながめて見当をつける。それでも、最近はなかなか難しい。〝普通の〟凶悪事件が減る様子のない一方で、景気が右肩上がりになってからこちら、とりわけ地価が暴騰《ぼうとう》し始めてからは、地上げがらみの暴力沙汰《ざた》や放火、殺人や傷害事件がひきもきらないからだ。

そういえば、驚いたことにこの町でも人殺しがあった。正真正銘の殺人事件だ。一月五日のことだった。

その日、涼子は朝から駅前の映画館に行って、一回目の上映で、封切りの正月作品を観《み》た。古野章子と、彼女の母親が一緒だった。「あたしは付き添いよ」と言っていた章子のお母さんが、実はいちばん手放しで映画を楽しんでいたようだ。

保護者同伴なので安心して映画を観ることができたし（混み合う館内で、並んで座る涼子と章子を舐《な》めるように見ている中年男を、章子のお母さんは、はったと音がしそうなほど強い視線で睨《にら》みつけて追い払った）、豪華なランチをご馳走《ちそう》してもらえた。ほくほく気分で、駅前ターミナルでバスを待っていたとき、シルバーグレイのセダンが、屋根の横っちょにぽっちりとパトライトをくっつけて、サイレンの音をけたたましく引きずりながら、交差点を駆け抜けてゆくのに出くわした。

とっさに、涼子は言った。「あれ、機捜《きそう》の車だ」

「キソウって何？」と、章子が訊《き》いた。

「機動捜査隊。大きな事件が起こったとき、初動捜査をする人たち」

章子の母は感心した。「リョウちゃん、ぱっと車を見るだけでわかるの？」

「ナンバープレートが違うんです」

「さすがに蛙《かえる》の子は蛙ねえ」

章子が不安そうに涼子の腕をつかんだ。

「ってことは、何かあったんだね。あたしたちの町の方に走ってってたじゃない？」

三人は顔を見合わせた。涼子は二人の顔に、（また三中かしら）と書いてあるのを見て取った。

その事件の詳細は、意外なことに、夕方帰宅した母が持ち帰ってきた。スーパーで、「放送局」とあだ名される有名な奥さんに捕まったらしい。

「嫌な話だけどね」

並んで夕食の支度をしながら、テレビに見入っている妹たちの耳には入らないように、邦子は声を潜めた。

「涼子は知ってる？　千田四丁目に、東京ベーカリーの工場があるでしょ」

「直販店のあるところね？　知ってるよ。アップルペストリーが美味《おい》しいんだ」

「あの並びに、煙草屋《たばこや》さんがあるでしょう。お菓子なんかもちょっと置いてある」

その店の主婦が、息子の嫁を殺したのだという。

「ええ？　だって、通りがけにちらっと見かけたことがあるけど、あの煙草屋のおばさん、もうかなりの歳《とし》だよ。あんなお年寄りに人殺しなんかできる？」

だって」

「七十歳くらいよ。亡《な》くなったお嫁さんが四十ちょっとかな。包丁で首を切られたん

嫁を殺した主婦はそのまま家を飛び出し、店を開け放しにしたまましばらく行方《ゆくえ》がわからなかったのだが、間もなく近所をうろついているところを知り合いに見つかり、説得されて交番へ出頭したそうだ。

「いったいどうしちゃったんだろ？」

「土地をね」大根を切りながら、邦子は苦い顔をした。「売る売らないで、倅さん夫婦と揉めてたんだって」

煙草屋の家は古い二階家だった。せいぜい二十坪ほどの、小さな家だったと思う。

「二十はないわね。十六、七坪ってところよ」邦子は専門家の顔をした。「だけど、今なら売れば大変な金額になる。お嫁さんはそれで、新築のマンションに移りたかったらしいの。不動産屋からも話が来てたのね。あそこは商業地区でしょ。今は、条件のいい土地だったら、狭くたって買い漁《あさ》ってるからね、業者は」

煙草屋のおばさんは寡婦《かふ》で、家も土地もおばさんの名義であったそうだ。店もおばさん一人で切り回していた。倅はサラリーマンだ。

「倅さんとお嫁さんは、お母さんももう歳なんだから商売なんかやめて、エレベータ

ーのある広くてきれいなマンションに移ろうって勧めてたらしいんだけどね。煙草屋のおばさんは、そんな話に乗ったら、財産だけ盗《と》られて自分は追い出されると思ったらしいの」

その挙句《あげく》の刃傷沙汰《にんじょうざた》だったらしい。当日、朝っぱらからおばさんとお嫁さんが大声で言い合う声を、近所の人たちは耳にしていた。倅は仕事始めで出勤しており、留守だった。

「あの土地、どれくらいで売れるの？」

邦子は包丁を止め、ちょっと考えた。

「坪五百万……もっといくかな。六百はいくかもしれないね」

「そんなに？　あんなちっぽけな家が？」

「家じゃない、土地よ。もちろん、異常な話よ。今みたいに地価が上がる前は、せいぜい百万かそこらだったんだからね」

上がってるうちに売りたいという倅夫婦の気持ちがわからないでもないと、邦子は言う。

「このままバカ景気が続いたら、固定資産税だって大変だろうし。そんななかでおばさんがぽっくり逝《い》っちゃったら、相続税をごっそり持っていかれちゃうし」

でもねえ……と、千六本に切った大根を鍋《なべ》のなかに落とし込みながら、邦子は顔をしかめた。

「煙草屋のおばさんにとっては、そういう損得勘定の問題じゃなかったんでしょうね。お金じゃないのよ。亡《な》くなった旦那《だんな》さんと、大事にしてきたお店なんだろうから。どんなにちっぽけでもね」

ご飯の前だからいい加減にしておくけどと前置きして、さらに声を小さくし、

「亡くなったお嫁さんの首、皮一枚でつながってただけだって。ぶらぶらしていたらしいよ」

それほどに憎かったんだ。お金欲しさに、自分からお店を、家を、歴史を取り上げようとするお嫁さんが。

「なんで土地、こんなに上がってるんだろ」

涼子の呟《つぶや》きに、母はかぶりを振る。

「何でだろうね。一応、その業界の端くれにいるお母さんにも、実はよくわかんないわ。みんな夢を見てるんじゃないの？　本来つくはずのない値がついてるんだから」

「じゃ、お母さんはこんな景気がいつまでも続くわけないと思ってるの？」

「うん。何にでも終わりはあるもんね」

「それは素人《しろうと》っぽいっていうか、ブンガク的な観測ね。不動産鑑定士とは思えない」

「スミマセン」邦子は笑って、それからちょっと真顔になった。「政府が金融引き締めにかかれば、こんなのすぐ終わるわよ。問題は、いつそれが起こるかってことね」

「そのときには、パンパンにふくらんでた景気がぱちん！」と、涼子は手を打った。

「つぶれちゃうことがあるかもしれない？」

「そのとおり。業界じゃ、この景気が泡みたいなものだってことは常識よ。実体がないって。それに、そろそろ下降が始まってるって言っている人もいる。学者さんたちなんか、冷静だからね」

ぱちん！　とした暁《あかつき》には、今度はどうなるんだろう？　あのとき土地を、家を売っていれば大儲《おおもう》けができたのに、あんたが止めたからみすみす大金をふいにしちまったじゃないか——と、今度は、失意の嫁が姑《しゅうとめ》を殺す事件が起こったりするんだろうか。

「うちは大丈夫？」

「何を言い出すの？」

「そういえば、この半年ぐらいかな、よく電話がかかってくるし、流しの不動産屋のセールスマンが来るなぁって思ったの。うちみたいなモロ住宅って家にさ、〝ご売却の予定はありませんか〟とか、〝不動産投資のお勧めです〟とか」

「ヘンな心配するより先に、サラダを作ってよ」と、邦子は涼子をつっついた。「お母さんは、お父さんに逮捕されるようなバカな真似《まね》はしません。たとえこの土地が一億円で売れるとしたってね」

野田健一にとっては、表向きは静かながらも、実は気苦労の多い冬休みだった。母の具合が、またぞろ、よくなかったからである。

元日からして母は寝正月だったし、三日には、救急車を呼ぶ騒ぎもあった。夜中に母が、胸が苦しい、息ができないと訴えたからである。このときは父が在宅していたので、健一が一人でうろたえることがなかったのだけは幸いだった。

さらに幸いなことに、母の症状は病院に担《かつ》ぎ込まれると間もなく鎮《しず》まった。心臓発作ではなく、いわゆる過呼吸だったそうだ。

救急外来の医師から話を聞き、空がすっかり白むころになって帰宅するタクシーのなかで、父の健夫《たけお》は、珍しく——本当に珍しく健一の肩を抱き、背中を撫《な》でながら、彼を労《ねぎら》ってくれた。

「母さんのことで心配かけてすまないな」

健一はびっくりして、その労いを心にしみこませるよりも萎縮《いしゅく》してしまった。

「い、いいよ、そんなこと」

父から身を引いて、タクシーのドアにへばりつくような格好になってしまった。それでも父は腕をおろさず、寂しそうに目をしばたたかせた。

「父さんは夜勤があるし、どうしても家のことには目が届かないだろ。おまえにしわ寄せがいってるんだろうな」

何て答えろというのだ。うん、そうだよ。でも平気だよというのが優等生の返答だ。そうだよ、僕はもううんざりだよ、父さん。そんな言葉が返ってくると覚悟した上での質問ではないのだから。

「母さんの……ありゃ気の病だな。本当に命にかかわる疾病《しっぺい》を抱えているわけじゃないんだよ」

わかってるんじゃないか。だったら何とかしろよ。シッペイなんて厳しい言葉を使って、自分の情けなさを水割りにしようたって無駄だよ。

「このあいだ、ちょっと話してみたんだが」

健夫はぼんやりと、運転手の座る前の座席の背面に目をやりながら呟いた。

「母さんには、三中の事件がショックだったようだ。父さんが思っていた以上にきつかったようだよ」

「事件って――柏木の自殺？」

「うん」

「あれは僕には関係ないよ」健一はわざと声を強めた。「そりゃ確かに運が悪かったよ。僕が柏木を見つけちゃったんだからさ。だけどそれだけのことだってば」

タクシーががくんと揺れ、シートの背に伸ばしたままだった健夫の腕が、するりと落ちた。健一はそろりそろりとドアから離れ、元のように背もたれに落ち着いた。

「母さんはそうは思ってないようだ。おまえの心に傷が残ったんじゃないかと心配している。それに――」

父が何と続けようとしているのか、おぼろげに察しはついたけれど、それでも健一は敢《あ》えて問いかけた。「それに？」

言いにくそうに、父の言葉は間延びした。

「そのことが悪い影響になって残って、挙句に、おまえも自殺するようなことになるんじゃないかって、な」

何も恥ずかしいことじゃないのに、なぜか健一は耳が熱くなった。「僕は自殺したりしない」

どうしてだろう。顔まで熱い。そうだ、そんなふうに気を回す母さんが恥ずかしいんだ。

「僕はもう赤ん坊じゃないんだ。自分で考えて、自分のことぐらいちゃんとできる」

思いがけないほど素早く、そしてきっぱりと、健夫は健一に同意した。「そうだな。父さんもそう思う」

健一は父親の横顔を見た。こんなふうに間近に見るなんて久しぶりだ。だいたいそんなものだろう。親の顔なんて毎日見ている。あらためて観察する必要なんかない。でも、今はその〝必要〟を感じた。慎重に見て取らないと、見誤りそうな何かが父親の表情のなかにあったのだ。

「おまえはしっかりした子だ」と、健夫は続けた。「父さんは感心してる。ちゃんと言ったことはなかったけどな、いつもそう思っていた」

だから相談があるんだ、と切り出した。

「実は、おまえの意見を聞かせてほしいことがあるんだよ」

高崎の伯父さんから話がきてな、という。母の兄で、高崎市内でけっこう手広く不動産業をしている人だ。

「伯父さんが今度、北軽井沢でペンションをやるそうなんだ。もちろん伯父さん自身でやるわけじゃなくて、他に経営者を立てるわけなんだけど——」

健一はピンときた。父の言わんとすることが、ありありと見えた。

「まさか父さん、ペンション経営をしようっていうの？」

図星だったらしい。父ははにかむような笑い方をした。

「まずいかね？」

「まずいよ！」健一は声を大きくした。「会社やめてさ、そんな今まで何の経験もないことをやろうとするなんて」

「まったく経験がないわけじゃないんだよ。父さん、大学時代に食堂でアルバイトしてたことがあるから。厨房《ちゅうぼう》にだって入ってたんだぞ」

それだって、食堂のアルバイトとペンション経営とでは次元が違う。

「母さんには、生活環境を変えることが必要なんじゃないかと思うんだ」

北軽井沢へ行けば、空気がいい、水もいい、煩《わずら》わしい人間関係からも解放される。もちろん母さんに働かせようというわけじゃない。母さんは自然のなかでゆっくりすればいい。父さんはペンションの主人として働くし、おまえは学校へ通う。転校することになるけれど、今踏み切れば、中学三年の新学期には間に合うだろう、それなら高校受験にも障《さわ》りはない——楽しそうに言い並べる父の顔を、健一は呆《あき》れ返ってながめていた。

「父さん、それが本当に好《い》い話だと思ってるの？　マジで？　信じられないよ」

なおも言い募ろうとする父を、健一は、激しくかぶりを振って制した。

「そんなところへ移ったって、母さんがよくなるとは思えない。かえって悪くなる！」

さすがに、父はひるんだ。

「どうしてだ？」

「父さんは知らないんだよ」健一は怒りで頬が震えるのを感じた。「母さんは今、けっして、煩わしい人間関係なんかに囲まれてるわけじゃない。そんなの全然違うよ。近所付き合いだってしてないし、ＰＴＡの集まりにも出ない。ずっと家に閉じこもっているだけだ。現に僕が——柏木のことでちょっとショックを受けたときだって、母さん、保護者集会にも行こうとしなかったんだ。ただ家のなかでおろおろするだけでさ」

自分のなかでは筋道立った考えがまとまっているのに、それが上手《うま》く、順序よく言葉になって出ていかない。健一は焦《じ》れた。

「そうやって閉じこもっている今でもあんなふうなのに、ペンション経営なんかやって、お客さんはとっかえひっかえ来るし、知らない人には囲まれるしってことになったら、どうなると思う？　頭冷やして考えてみてよ」

「だから母さんは働く必要はない――」

「働く働かない、手伝う手伝わないの問題じゃないんだ。客商売なんかすれば、今よりもずっと、仕事と家の距離が縮まるじゃないか。それが問題なんだよ。僕、この前テレビで観《み》たけど、ペンションの経営者って、ほとんど自分の時間なんかないみたいだった。起きてるあいだじゅう働いてる。お客さんの相手をしてる。父さんがそんなふうにしているあいだ、母さんは独りでぼうっとして窓から山を見てるの？　父さんと、父さんと一緒に働いている人たちが忙しくしているのを横目に、ぽつんと離れて？　それが転地療養かな？」

　健一がテレビで観た例は、脱サラした夫婦のペンション経営奮戦記というものだった。夫婦は共に三十代前半で、共働きだったのだけれど、さほど多くはない退職金と、銀行からの借り入れ金を元に、清里でペンションを始めたのだ。幸い、そのペンションはあたって客も多いけれど、その分、夫も妻も仕事に追いまくられていた。平均睡眠時間は四時間ぐらいで、休日もない。

　それでも、彼らにとってはペンション経営が夢だったから、いいのだ。二人とも顔を輝かせていた。少なくともテレビ画面のなかでは。やりがいがある、生きがいがあると、口をそろえて言っていた。

だが、野田家の場合は事情が根本から違っている。健一の母は、客商売なんて死んでも嫌だろう。やりたくないというレベルではない。関わることさえ御免《ごめん》だというレベルだ。それはつまり、一家の柱である野田健夫にも、そんな商売替えなどしてほしくはないということだ。

「母さんには話したの？」健一は鋭くたたみかけた。「相談したの？　どうなの？」

「いや、まだ話していない。先におまえの意見を聞こうと思って……」

ルームミラー越しに、タクシーの運転手がちらりとこちらを覗《うかが》った。健一はそれに気づいた。目が合ったのだ。

（坊ちゃんも大変だねえ）

そんな目の色だった。また、頬が熱くなった。なんという恥だろう。

「話しちゃ駄目だよ。父さんが、そうすることが母さんのためだっていうふうに切り出したら、母さんはハイハイって賛成するに決まってるんだから。本当はどんなに嫌でも、父さんの機嫌を損ねるのが怖いから、何でも丸呑《まるの》みにしちゃう。それでいざ実行してみると、全然ＯＫじゃなくてゴタゴタするんだ。それがわからないの？　母さんはそういう人なんだよ」

イライラと早口になっているし、感情が高ぶっているしで、自分でも、説得力のある意見だとは思えなかった。でも、健一にはそれが真実だった。唯一《ゆいいつ》無二の、明らかな真実だった。父の描くバラ色の未来が、ぐずぐずと煮崩れるように駄目になってゆく様が、目に見えるようだ。僕に見えるものが、どうして父さんには見えないんだろう?

「だいいち、資金はどうするの? 高崎の伯父さんは商売人じゃないか。親切心だけでそんな話を持ってくるわけないよ。お金が要るんだろ?」

父はもごもごと口ごもった。「共同経営者になるわけだから、そりゃ資金は要るよ。だけど大丈夫なんだ。父さんの退職金と、あの家を売れば結構な金になるだろうから」

家を売る! 健一は目が回りそうになった。しかし父は涼しい顔だ。

「家を売った金だけで、七、八千万円にはなるよ。あそこは角地だし」

健一は聞いていなかった。そんな皮算用など、たとえ正しくても耳を貸すつもりはない。

「それでもしもペンションが上手くいかなかったら? どうするの? 破産しちゃったら?」

「上手くいくさ。上手くいくんだ」

野田健夫は、九九のできない子供に繰り返し教え込んででもいるかのように、辛抱強い口調になっている。それがなおさら健一を苛立《いらだ》たせていることには気づかずに。

「父さんも、伯父さんからよくよく話を聞いた上で納得したんだ。北軽井沢は、別荘地として脚光を浴びているところなんだ。建築ブームだし、観光客も集まってきている。これからますます伸びるだろうよ。そんなことは、子供のおまえより、伯父さんや父さんの方がよくわかっている」

それに――と、ようやく背筋を伸ばすと、

「万にひとつ上手くいかなかったとしても、おまえが心配することはない。父さんは技術職だし、再就職先はいくらだってある。この好景気だからな。どこも人手不足なんだ。新聞で読むだろう？　父さんみたいな専門職じゃなくたって、新卒の大学生だって、十も十五も内定先が決まって困ってるくらいだ。大丈夫だよ。そんなに大きな博打《ばくち》じゃない」

健一は、眩暈《めまい》と寒気と共に悟った。これは相談なんかじゃない。おまえの意見なんて、実はどうでもいいんだ。父さんはもう決めているんだから。

だったら僕も最終兵器を出さなきゃ。

「どうしても父さんがペンションをやるっていうのなら」

脅かすように、自分の決心を確実に伝えることができるように、できるだけ太い声を出せるよう、健一は腹式呼吸をした。それでも声が震えた。

「母さんと二人で行ってよ。僕は東京に残るからね」

「おまえ一人で――」

「一人で大丈夫。友達のところに下宿させてもらったっていいんだ」

向坂行夫の顔が目に浮かんだ。あいつならあてにできる。一瞬のうちに、脳裏に映像が浮かんだほどだ。向坂家に住まい、あのやかましく賑《にぎ》やかな小父《おじ》さん小母《おば》さんに送り出されて、登校する自分。まあちゃんの宿題をみてやる自分。行夫と枕《まくら》を並べて寝る自分。

悪くない。それどころかバラ色にさえ見える。僕は自由になれる。

しかし、野田健夫はうんとは言わないのだ。

「そんなことできるわけがないだろう。親の責任放棄だ。心配だよ」

困ったことに、父は本気で案じているのだ。見当違いの優しさだ。焦燥と落胆と怒りで、健一は目の前が暗くなるのを感じた。

責任放棄というのなら、今だってそうじゃないか。

「心配なんか要らない。一人で東京へ残る方が、僕はいいもの。知らない土地へ連れて行かれて、ますます様子のおかしくなった母さんの世話を押しつけられるより、ずっと楽ができるからね！」

会話のキャッチボールが途切れて、二人とも黙り込んだ。健一の投げつけた球は、父の頭上を飛び越えて、フェンスの向こうまで飛んでいってしまった。父は悲しそうにそれを見送っている。

家が見えてきた。野田家が。我が家が。まるでそれで力を得たかのように、いずまいを正して父は言った。「今の言葉は、いくらなんでも言い過ぎだ。おまえはお母さんを軽んじているんだな。まるでお荷物みたいな扱いだ。失礼だとは思わないか？」

ごめんなさい——と言えなかった。どうしても言えなかった。だって真実だったから。家のなかで、家族に対して真実を口にすることができなかったなら——しかも「おまえの意見を聞きたい」と持ちかけられたその場でさえ——いったい、僕はどうすればいいんだよ？

タクシーを降りて、父が料金を払っている間、健一は車に背を向けていた。もし、もう一度運転手と目があって、そこに慰めるような色を見つけたら、泣き出してしまいそうだったからだ。

僕の家。モルタル塗りと、洒落《しゃれ》たこけら板風の外壁材を取り合わせた外装。小粋《こいき》な角度で傾いた屋根。古びた焼き物の瓦《かわら》なんかじゃなく、色彩豊かなニュー瓦ってヤツだ。築八年。七千万円か八千万円だって。でも、ローンがまだ残っているはずだ。それとも父さんは、住宅ローンの分を清算しても、手元にそれだけ残ると計算しているのだろうか。

この一、二年、都内の地価はどこでもうなぎのぼりだ。自分の身に引きつけて考えてみたことはなかったけれど、新聞でもニュースでも雑誌でも、景気のいい土地長者の話が頻繁に取り上げられている。父さんが、皮算用をするのもわからないではない。売りに出せば、すぐに買い手がつくって。

と、そのとき、たぶん両親が思っているよりは遥《はる》かに現実的な機能を備えている健一の頭は、ある仮説をはじき出した。

振り返って、父親に問いかけた。

「父さん、もしかして、高崎の伯父さんがこの家を買い取るって言ってるんじゃないの? 父さんが買い手を探す手間が省けるからさ」

父は、その質問の真意がどこにあるのかと探るような顔をして、それからゆっくりとうなずいた。

「相場で、即金で買い取ってくれるそうだ」

ああ、駄目だ。健一は絶望した。退路なし。このお人よしで優しい野田健夫という人は、商売人の伯父さんが、二重底三重底で自分の益になることを企《たくら》んでいるのではないかと、穿《うが》って見ることさえできないのだ。

「伯父さんは東京進出を狙《ねら》ってるんだね」

それだけ言って、父よりも先に家に入った。

14

この部屋をどうしたらいいのだろう。

柏木功子《こうこ》は、卓也の部屋の中央に座り込んでいた。毎日毎日、長い午後を、何時間もこうして過ごす。彼の死以来、それが彼女の新しい習慣となった。

納骨まではまだ日にちがあるので、卓也の骨はリビングに安置してある。功子は毎日話しかけている。だが反面、卓也の心や魂は、やっぱりこの部屋にこそ残っているような気がするのだ。あの子が吸っていた空気、あの子が生きていた現実が、手付かずで保存されているのはこの部屋しかない。

床はフローリングだが、広さはちょうど六畳分ある。南側に腰高窓があり、東側に寄せたベッドの頭上には、三十センチ四方の明り取り窓が開いている。大宮から東京に住まいを移すとき、このマンションを選んだのは、卓也がこの明り取り窓を気に入ったからだ。他にも好物件はあったし、条件面ではここよりも優れた新築マンションもあったけれど、卓也が、「この部屋、僕の部屋だ。僕の部屋にしたい！」と叫んだ瞬間に、功子のなかでは結論が出ていた。

当時卓也は十歳だったが、病弱なせいで六、七歳に見えた。両親に心配ばかりかけていることを、子供ながらも申し訳なく思っていたのだろう。けっしてワガママを言う子供ではなかった。おねだりもしないいし、食べ物の好き嫌いもなかった。いくつかの食材にアレルギーがあることがわかり、功子が献立の工夫に苦労しているのを知ると、

「ごめんね、もうちょっと大きくなったら、何でも食べられるようになるからね」と、泣きべそ顔で囁《ささや》いたことがある。そのときは、功子の方が切なくなって、卓也を抱きかかえ泣き出してしまった。

そんな卓也が、この部屋だけは手放しで欲しがったのだ。どうしてここに決めずにいられたろう。

「この小さい窓の下にベッドを置けば、具合が悪くて寝てるときでも、空が見えるよね？　お日さまもあたるよね？　だからここがいいんだ」

卓也の希望どおりの場所に、ベッドを置いた。反対側の壁に机と書棚。クロゼットが大きいので箪笥《たんす》の類《たぐい》は必要なかった。それでも空きスペースはなかった。卓也は読書家で、本がどんどん増えたからだ。引っ越してきたとき買った書棚は間もなく満杯になり、功子はすぐに、ユニット式の、いくらでもパーツを足して増設することのできるタイプのものに買い換えてやった。

しかし今では、片側の壁面を一杯に、天井まで埋めているそのユニット書棚に、本が溢《あふ》れている。隙間《すきま》なくきっちりと詰め込まれている。一冊といえども、逆さまになったり、倒れていたりしない。本のサイズはさまざまで、内容もとりどりだが、卓也には卓也なりの分類法があったのだろう。その分類法は正しかったのだろう。雑然とした感じはまったくなかった。図書館の書架のように整然としている。

家具のあいだに四角く空いた、わずかな床。柔らかなラグを敷いてある。功子はそこに座っていた。卓也もよくここにこうして、ベッドにもたれて本を読んでいたものだ。窓際《まどぎわ》の一角には、彼専用の二十インチのテレビが据えてあり、ビデオもLDの再生機も繋《つな》いである。コンパクトで高性能のオーディオ機器も揃《そろ》っている。だがこの一年ほどは、卓也はあまりテレビを観ず、音楽を聴くこともなかったようだ。もっぱら本ばかり読んでいた。

もちろん、勉強もよくしていた。成績は良かった。それでいて、いっぱいいっぱいに頑張って好成績をとっているというのではなく、余裕があるようにも見えた。本気を出せばもっと走れる。そんな自信が感じられた。でも、今はまだその時じゃないから並み足でいいんだ。この子は自分で調整しているのだと、功子は理解していた。

――それくらい、賢い子だった。

賢すぎたのかもしれない。だからこの世にいるのが辛《つら》くなったのかもしれない。どうして、その辛さを言葉にして口に出してくれなかったのか。どうして聞かせてくれなかったのか。あの子の心にうずまいていた思念は、肉声では伝えられないものだったのか。十四歳の少年の声では伝えきれないものだったのか。

だから、あの子はしきりと文章を書いていたのだろうか。

日記もつけていた。小学生のころからだ。中学に入ってからも、不登校になってからも、ずっとつけていたはずだ。だが日記帳はどこにも残されていなかった。あの子が自分で処分したのだろうか。それとも、功子が思うよりずっと前から、日記という形で自分の思いを書き留めることはやめていたのだろうか。

その代わりに、あれを——

ドアにノックの音がした。

功子はぎくりとして膝立《ひざだ》ちになった。卓也が帰ってきたのだ。母さん、僕の部屋で何してるの？　勝手に入らないでよ。

また怒られてしまう。

「母さん」

ドアを開けて、宏之が顔をのぞかせた。目を瞠《みは》っている。

「ここにいたんだ」

宏之は、廊下と卓也の部屋の境目のところに立っていた。白い靴下を履いた爪先《つまさき》が、ドア敷居の縁にかかっている。

「宏之」功子は、気の抜けたような声を出した。耳の奥には、まだ幻の卓也の声が残っている。

「どうしたの？」

「どうもしないよ」宏之は心配そうな顔をしている。「母さんこそ大丈夫か？」

「何か用？」

「うん、別に」

曖昧《あいまい》な返事をして、宏之は逃げるように目をそらした。白いレースのカーテン越しに冬の陽《ひ》が差し込む窓の方へと顔を向ける。

「ただちょっと……卓也の部屋を見たいと思って。俺、明日にはもう帰るから」

大宮の祖父母の家に戻るのだ。

「長いこと、あいつとロクに話もしてなかった。だからさ」

入っちゃいけない？　と、小声で訊《き》いた。

「入っていいかな」ではない。「入らせてもらうよ」でもない。その言い方が、一瞬、功子には妙に癇《かん》に障《さわ》った。どうしてわたしの機嫌をとるようなことを言うの。おっかなびっくり、不発弾を扱うみたいに。

だが、急速にこみあがってきた苛立《いらだ》ちは、泡がはじけるようにすぐ消えた。どんな感情であれ、今の功子のなかでは長続きしない。あるのは悲しみ――それも、胸を刺す生々しい悲痛ではなく、倦怠感《けんたいかん》にも似た鈍重な悲しみだけだ。それが他のすべての感情を呑《の》み込み、同化してしまう。

無言のまま、功子はラグの上で少し脇《わき》に退《の》いて座り直し、宏之を促した。それでも宏之は、踏み込んではこなかった。戸口に突っ立ったまま室内を見回している。

功子は声に出して言った。「お入りなさいよ。卓也がどんな生活をしていたのか見てやって」

宏之は功子の顔に視線を移すと、何か読み取ろうとするかのようにちょっと目を凝らし、それからゆっくりと、慎重に前に出てきた。まるで、うっかり踏みつけたら、床に嚙《か》みつかれるとでも思っているかのように。

おかしな子だ。弟の部屋なのに。何が怖いっていうのよ。

――兄さんのくせに。

功子はどんよりと考えた。悲嘆と疲労の海に首まで浸《つ》かっている。何をするにも、その油のように重たい波をかきわけねばならない。手足が上手《うま》く動かない。頭も働かない。溺《おぼ》れてしまえばずっと楽だ。じっと動かずにいて、自然に溺れてしまいたい。でも、もう少しで波の下に頭が沈んでしまうというときになると、きまって身近にいる誰かがこうして声をかけてきて、近寄ってきて、功子はそれに返事をするために、水をかいて波間に顔を出すことになってしまうのだ。どうして放っておいてくれないのだろう？

「たくさん本があるね」

宏之は見てのとおりのことを言った。書架に近づき、立ち並ぶ本の背表紙に指で触れている。

「これ、全部読んでたのかな。けっこう難しい本も混じってるよ」

功子はうつむいて、指先でラグの毛足を撫《な》でつけていた。だが、宏之が書架から本を抜き出そうとしたので、鋭く呼びかけた。

「本をいじらないで。そのままにしておきなさい」

宏之は、火傷《やけど》したみたいに手を引っ込めた。功子を見おろしながら、またぞろ慎重に足を踏み替え、卓也の書架から——そして功子からも数歩離れた。窓際に寄る。

二人とも黙り込む。功子の耳に、宏之の呼吸音が聞こえた。吸って吐いて。吸って吐いて。健康な男子。心臓の鼓動まで聞こえてきそうだ。

「少し空気を入れ替えようよ」

唐突に、妙に明るい口調でそう言うと、宏之はクレセント錠を外してサッシ窓を開けた。

「ずっと閉めっきりだったんだろ」

レースのカーテンがふわりとふくらみ、一月の冷気が流れ込んできた。遮《さえぎ》るもののなくなった生の陽射《ひざ》しが、ラグの上に四角く差しかける。

「そんなことないわよ。毎日お掃除してるんだから」

抑揚のない口調で、功子は言った。

「そう。ごめんよ。だけど俺は外の空気を吸いたいんだ」

宏之は功子に背中を向け、窓枠に両手をついた。だったら外へ行けばいいじゃないの。母さんを一人にしておいて。卓也と二人にしておいて。

今、気がついた。宏之の肩の格好、あの首の傾《かし》げ方は、夫にそっくりだ。後姿が生き写しだ。

この子はわたしには似てない。わたしに似ていたのは卓也だ。

「卓也は何を考えてたんだろうね」背を向けたまま、宏之が呟く。「どうして死んだりしたんだろう。俺にはさっぱり見当もつかない。だから、まだ実感がわかないよ」

この子は何を言ってるんだろう。わたしに訊いてるの？　卓也の自殺の原因に、母さんは心当たりがないのかと？

みんなが同じことを功子に訊いた。学校の先生たちも、駆けつけてきた親戚《しんせき》の連中も。兆候はありませんでしたか。お母さん、何か気づきませんでしたか。卓也ちゃんが何か匂《にお》わせるようなことはなかったの？　死にたいって、口にするようなことはなかったの？

そうやって功子を責めるのだ。

何も言わないのは夫だけだ。夫は自分も功子と同じ落ち度を抱える「共犯者」だと思っているからだ。

わたしたちは二人して、あのクリスマス・イヴの夜、卓也がこっそり家を出て行ったことに気づかなかった。十一時半ぐらいだったろうか。この部屋の前で卓也に声をかけた。「おやすみ」と。返事はなかった。もう眠っているのだろうと思って、そっとしておいた。そうだ、ドアをノックしたり、開けようとしたりしなかったのだ。

それさえしていれば、卓也の姿が見えないことに気づいたはずなのに。

凍りついていた卓也の遺体を調べて、警察はそれでも、死亡推定時刻はあの夜の午前零時から午前二時までのあいだだろうと教えてくれた。もっと詳しく調べてくれと功子は頼んだ。午前零時から午前二時のあいだ？　そんな大ざっぱな推定では足りない。あの子の足が学校の屋上から離れたのは、午前何時何分何秒だったのか突き止めてほしい。あの子が雪の夜の底へと落下していくのに、何秒かかったのか教えてほしい。正確にそのどの時点であの子の息が絶えてしまったのか教えてほしい、と。

すると夫が言ったのだ。そんな事実に意味はない。私もおまえも、そのときその場にいなかったのだから。

卓也が三中の屋上から飛び降りたとき、その身体《からだ》が宙を飛んでいたとき、その亡骸《なきがら》の上に雪が降りかかっていたとき。

わたしたち夫婦は何をしていたろう?

寝ていたのだ。太平楽に眠っていたのだ。

朝起きたら、また卓也の顔を見られると思い込んで。

宏之が音もなくサッシ窓を閉めた。窓ガラスに額を押しつけるようにして、そのまま寄りかかっている。

「昨夜《ゆうべ》、父さんとじっくり話したんだ」

功子の耳には、それらの言葉がただの音声に聞こえた。トウサントジックリハナシタ。蜂《はち》がブンブンいうのと同じ。

「父さんには、何か予感みたいなものがあったって言ってた」

苦しそうにため息をつくと、宏之は振り返った。功子はうなだれたままだったから、長男の爪先しか見えなかった。

「あいつが学校に行かなくなったの、去年の十一月からだろ? そのころから、父さん、嫌な感じを持ってたんだって。何かこう……卓也が抜け殻になっちゃったみたいな。話をしていても上の空だし、目の前にいても、中身は他所《よそ》にあるみたいな。母さん、聞いてる？　俺の話、聞こえてる？」

　功子はラグを撫で続けた。

「父さんの従兄《いとこ》に、若いころ自殺した人がいたんだってね。俺、初めて聞いたけど」

　功子はそんな話など知らない。いや、聞いていたろうか。卓也が不登校になったころ？　夫がひどく辛《つら》そうな顔をして、思い出話をしたことがあったのじゃないか。

「父さんが高校生で、その従兄は大学二年だったって。家の近所の公園で、車の排気ガスをホースで車内に引っ張って、死んだんだってさ。父さん、従兄が死ぬ二、三日前に、参考書を借りるとかの用事があって、顔を合わせたんだって。そのときは従兄が自殺するなんて思いもしなかったけど、やっぱりヘンな感じを受けたんだって。あ、こいつ空っぽだって。ヘンだなって思ったから、印象に残った。そしたら、その後すぐに従兄が自殺したって聞いて、驚いたけど納得もしたって」

　卓也の様子が、そのときの従兄とよく似ていたと、夫が話してはいなかったかしら。

「父さんの従兄は、いわゆる五月病ってやつだったらしい。二浪して、すごく努力して目指す大学に入ったばっかりなのに、思ったように勉強ができないって、悩んでたようだからって。遺書はなかったから、やっぱり推測するしかなかったそうだけど」

　卓也も遺書は残さなかった。

「だから父さん、すごく怖かったらしい。母さんとも、卓也から目を離さないようにって話し合ったんだってね」

そんな話し合いなどしたかしら。いつのこと？　夫がわたしにそんなことを言ったかしら。思い出せない。

いつだってわたしは卓也を見ていた。何も言われなくたってそうしていた。あの子がもっとずっと小さいころから。

「父さん、俺に電話しようと思ったって言ってたよ」

宏之は窓から離れ、功子のすぐそばに来てしゃがみこんだ。彼の靴下が卓也のラグを踏んでいる。卓也の好んで座っていたラグを踏みつけている。功子はその爪先を見つめた。ラグを撫でる手はそのままに。

「俺に報《しら》せたってどうなるものでもないけど、家族が集まって何かできないかってことでさ。父さん、会社辞めて家にいようかとまで思ったんだって」

だけどさ――と、ふうっと息を吐き出しながら、宏之はラグの上に腰をおろした。功子はそっと顔を上げ、彼を見た。膝を抱え、小さくなって座っている。顔色が青黒い。

「様子を見ているうちに、少しずつだけど、卓也のその――空っぽな感じが薄まってゆくような気がしたんだって。十二月の半ばごろには、もうほとんど元の卓也に戻ってたって。つまりその、不登校になる前の卓也にってことだよ」

だから安心して、会社も辞めなかったし、結局俺に電話することもなかったんだってさ。宏之の声はだんだん小さくなり、語尾はほとんど聞きとれなかった。

「それなのに、あいつ、出し抜けに死んじまった」

ダシヌケニシンジマッタ。ただの音だ。意味などない。功子はラグの毛足を撫でつけ続ける。優しく、優しく。

「いったい何がどうしてこんなことになったのか、誰にもわからない。卓也が何を考えていたのか、もう知りようがない」

宏之は黙った。静かになると、また彼の呼吸音が聞こえてきた。

「こんなこと言ったって空《むな》しいかもしれないけど、母さん、元気出してよ」

ぎくしゃくと角ばった口調になって、宏之が言った。

「父さんにも言ったんだ。卓也がなぜ死んだのか、理由とか原因とか、いろいろ考えちゃうだろ。俺だって考えるんだから、父さん母さんはそればっか考えちゃうだろうよ。ああすればよかったのか、こうすれば止められたのかとかさ。だけど、だからって、父さん母さんが自分たちを責めて、それで命を削っちゃったら、卓也はけっして喜ばないと思う。あいつは不可解なところの多い奴《やつ》だったけど、少なくとも、父さん母さんがあいつのこと大切に思ってたってことはわかってたはずだ。父さん母さんが自分を責めることを、あいつが喜ぶとは思えない」

功子はラグを撫でる手を止めた。そして顔を起こした。真正面から宏之の目を見た。本当にこの子は夫に似ている。目鼻立ちもそっくりじゃないか。

「あんたはそんなこと心配しなくていいわ」

その言葉を受けて、宏之もまともに功子を見つめた。

表情はずっと同じだ。この部屋に入ってきたときと変わらない。心配と懸念《けねん》とかすかな怯《おび》え。しかし今、宏之のなかで何かが傷ついたような音がした。それが功子には聞こえた。彼の話しかける声は意味のない音にしか聞こえないのに、彼の心の一角が壊れる音は、ちゃんと聞き取ることができた。

「心配しなくていいの、俺は」

功子の言葉を受けて、口元を震わせながら問い返してきた。

「どうして心配しなくていいの、俺は」

「あんたには――」

目の焦点が合わない。心も散漫になるばかりだ。卓也の顔が脳裏に浮かぶ。どうしてここに宏之がいるのだろう。わたしはここで何をしているのだろう。

「あんたには関わりのないことよ」と、功子は言った。

宏之が息を呑《の》むのがわかった。

これでいいのか。この言葉でよかったろうか。わたしは本当にこう言いたかったのだろうか。もっとふさわしい言葉を探していたのじゃなかった？

ああ、だけど悲痛の重い波をかぶりながら泳ぎ続けるのはあまりに辛い。

「そうか。そうなのか」

宏之が吐き捨てる。その声も遠い。

「父さんは」

かすかに震える声で、宏之は言った。

「会社を辞めて、退職金でキャンピングカーを買って、卓也と二人で日本中を旅して回ろうと思ってたんだってさ」

功子はそんな計画など聞いていない。どうしてわたしを除《の》け者《もの》にするの？

「あいつ、幸せな奴だったよね、母さん。そう思わない？」

宏之は拳《こぶし》を握って立ち上がった。その拍子に、また何かが彼の内側でカラカラと壊れた。乾燥してひび割れ、かろうじて外見だけを保っていたものが、とうとう限界に達して粉みじんになる。塵《ちり》になる。

「あいつのために、父さんは自分の人生を変えようとしてた。そこまで大事にされてたんだ。幸せだよ」

座り込んだままの功子の脇《わき》に仁王立ちして、宏之は声を振り絞る。功子はやっと、彼の震える声に涙が混じっていることに気づいた。

「そんで母さんときたら、どうして卓也が死んじゃったんだろうって、そればっかり考えてる。どうして宏之じゃないんだろう。どうしても死ななくちゃならないなら、何で宏之が死ななかったんだろう。あの子なら死んだってかまわなかったのにって、そう思ってる。だろ？　図星だろ？」

功子は長男の顔を仰いだ。離れているあいだに、ずいぶんと背が伸びた。うんと見上げないと目と目が合わない。

「宏之――」

何か言おうとして、続かない。

「もうよそう、こんな話。意味ないや。俺がバカだった」

宏之はラグを踏んで横切り、功子の脇をすり抜けて部屋を出て行った。功子の内側の焦点の定まらない精神が、長男を追いかけようとしている。手を伸ばし、彼の内側でカラカラと壊れる何かを抱き留めたいと思っている。

だが身体が動かない。空っぽ。それは功子のことだ。抜け殻なのはわたしだ。粉みじんなのはわたしの心だ。だから宏之を抱きしめることができない。もう身体が残っていないから。心を入れる器が壊れてしまったから。

泣きながら逃げるように出てゆくもう一人のわたしの子を、ただ呆然《ぼうぜん》と見送るだけ。いつの間にか、船はこんなにも遠く、あの子の岸から離れていた。

宏之は、この部屋の空気を封印しようとするかのように慎重に、ぴっちりと音もたてずにドアを閉めた。

一瞬、ドアの向こうで沈黙した。それから、足音をたてて廊下を駆けていってしまった。功子は一人、取り残された。

一人ぼっち？

卓也と二人ではなく——

功子はまたラグの毛足を撫《な》で始めた。

15

新しい年が明けて、一月六日は、昼過ぎからまた小雪がちらついた。

曇ってはいるが、空の向こう側は薄明るい。去年のクリスマス・イヴのような大雪にはなるまい。傘をさす人も少ない。淡く軽い雪は、道行く女性たちの髪を飾り、子供たちの掌《てのひら》で受け止められて、ちょっとのあいだだけ親しげに現世に留まり、すぐ消えてゆく。

城東第三中学校から西に四区画ほど離れた場所にある児童公園の入口で、一人の少女がこの雪を仰いでいた。明るい栗色《くりいろ》のダッフルコートの襟元から、白いタートルネックのセーターがのぞいている。ようやく肩にかかるほどの長さの髪は、二つに分けて束ねられていた。少女の髪が硬いせいだろう、二つのおさげは、木彫りの人形の少女のそれのように、愛嬌《あいきょう》のある角度で耳の後ろから飛び出していた。

冷え込みがきつい。少女は運動靴の爪先《つまさき》を動かし、ポケットのなかに隠した両手を動かして、コートごしに身体《からだ》をさすった。

少女の赤黒い鼻の頭に、雪の欠片《かけら》が落ちてとまる。

待ち合わせは午後一時だった。もう五分過ぎている。公園には誰もいない。冬場はいつも空《す》いているが、この天気だとかえって子供が集まるのではないかと心配していたので、少しばかりほっとした。でも、ぐずぐずしていては、それだけ人目に立ちやすくなる。

——誰かに見られたらマズイよね？

——なるたけ見られない方がいいに決まってるよ。

——だけどさ、ゼッタイ誰にも見られないなんてことは無理でしょ。

——ポストに入れるところだけ見られなきゃいいんじゃないの。

少女の立っている公園の入口の、目と鼻の先にバス停留所がある。東京駅八重洲口《やえすぐち》行きの都営バスが停《と》まる、石川三丁目のバス停だ。

終点まで乗って、東京駅の近くでポストを見つける。そして投函《とうかん》する。切手はもう貼《は》ってあるから問題ない。簡単なことなのに、いよいよとなって、どうして時間どおりに来られないんだろう。そんなふうだから、グズだとかノロマだとか言われるんじゃないか。

心のなかで口にした言葉が、自分の内側で反響する。グズ、ノロマ。

そしてもうひとつ。ブス。

探さなくたって、いつもそこにある言葉。口にしなくたって、いつもいつもわんわんと反響している言葉。

少女は足元に視線を落とした。北風が吹きつけ、顔に雪がふりかかる。肩越しに手をやってダッフルコートのフードを持ち上げ、すっぽりとかぶった。

冬は嫌いだ。外の気温が下がると、顔じゅうにぶつぶつとできたニキビが、くっきりと赤く目立ってしまう。空気が乾燥するので、ニキビに覆《おお》われていない部分はカラカラになり、白く皮がむけてくる。ニキビ治療用の薬を、ニキビができていないところにまで塗ってしまうから肌が荒れるのだと、お母さんは言う。だけど、あたしの顔のなかで、今ニキビができていない部分は、これからニキビができる部分なのだ。だから、薬を塗らずにはいられないのだ。

「ジュリちゃん、ごめん、ごめん」

大声で呼びかけられ、少女はびくりとして顔をあげた。おばさんくさい綿入れコートを着込んだ浅井《あさい》松子《まつこ》が、ばたばたと道を渡って駆けて来る。

「バス、行っちゃった？」

息を切らしながら、松子はジュリの腕をつかんだ。自分の内側に引っ込んでいたジュリの心は、その力で乱暴に現実に引き戻される。

「まだだよ」

「ああ、よかった」

松子は大げさに喜んで、真っ白な太い息を吐いた。忙《せわ》しげに手を動かしてコートをはたき、雪を払い落とす。

「このお天気だから、遅れてるのかな」

ジュリ——三宅樹理《みやけじゅり》は、舞い踊る細かな雪の向こうを透かし見た。お正月飾りをつけた乗用車が一台、右から左へと通り過ぎる。正月明けの最初の日曜日、通行量は少ない。みんな帰省やレジャーからは帰ってきているし、会社が本格的に動き出すのは明日からだ。

学校も、明日が始業式だ。またぞろ、うんざりするような毎日が始まる。

そうだよ。そのとおりだ。だけどあたしたちは、それを少しでも変えようと思って、こうして立ち上がったんじゃないか。

「あ、バスが見える」

とぼけたような明るい声で、松子が言った。樹理と違って彼女は目がいい。

「一六〇円だよね」と言って、幼稚園の子供みたいに、財布から小銭を出して勘定を始める。樹理はひどくイライラした。

松子といるときは、いつもこうだ。間が抜けていて鈍重で、間の悪いときに大きな声で笑ったり、つまらないことを面白がったりする松子が、樹理は嫌いだった。本当は大嫌いだった。

だけどいつも一緒にいる。

バスは空いていた。真ん中へんの座席に、二、三人の大人がぱらぱらと座っているだけだ。樹理はまっすぐにいちばん奥のシートへと向かった。松子もついてきて、隣にどすんと腰をおろした。

「座れてよかったね」

なんでこんなに陽気なんだろう。不思議というよりは呆《あき》れる思いで、樹理は松子の横顔を見た。何のために東京駅まで行くのか、目的を忘れているんじゃないか。まるで、二人で映画でも観《み》に行くみたいだ。

「樹理ちゃん、持ってきたよね？」

樹理の心の声が聞こえたかのように——この頭の鈍い友達に、そんなことなどあるわけがないが——松子は声を潜《ひそ》めて訊《き》いてきた。樹理はまた苛《いら》ついた。持ってきてないわけがないじゃないか。

「ちゃんと持ってるよ」

「どどどこ？　見せて」

「ここじゃ見せらんないよ」

怒りを顔に出して、樹理は松子を睨《にら》みつけた。松子は気にする様子もなく、あ、そうだよねなどとまた笑う。

バカじゃないか、こいつ。いや、バカなのは最初からわかってたんだ。こんな奴《やつ》を誘ったあたしがバカだったんだ。

一人でやればよかった。バスに揺られながら、樹理は後悔を嚙《か》みしめた。不安に負けて、松子に打ち明けたのは間違いだった。

目を動かし、そっと隣の松子を盗み見る。両手を膝《ひざ》に、おとなしく座っている。綿入れコートのせいで、着ぶくれていっそう太って見える。でも肌はきれいだ。ニキビどころかしみひとつない。髪もやわらかくてやや赤味がかっており、クセがない。だからシンプルなショートカットなのに、髪型だけならけっこうお洒落《しゃれ》な感じに見える。

樹理はそれが羨《うらや》ましかった。夢に見るほど羨んでいた。

究極の選択として、考えてみたことがある。眠れないまま、ベッドのなかで考えて、ますます眠れなくなったことが何度もある。

もしも――このしつこいニキビが治るなら、頑固な真っ黒の直毛がやわらかな茶色の髪になるのなら、それと引き換えに、ぶくぶくと太ってもいいか？

　つまりは、松子と代わってもいいと思うか？　あまりにも太っているので、ティーンエイジャー向きの衣類を着ることができず、買い物はいつもミセス向きのお店で、時にはお母さんのお下がりも着る（なぜならお母さんも同じように太っているから）。だからいつもババくさくて垢抜《あかぬ》けない格好ばっかりしている松子。体育の時間に着替えると、丸首の白い運動着ごしに、三段腹の形がはっきりわかる松子。走ると腿《もも》の肉まで揺れる松子。制服は特注（という噂《うわさ》）で、それでも盛り上がる贅肉《ぜいにく》に、プリーツスカートの襞《ひだ》がいつでもだらしなく開いてしまっている松子。顎《あご》の肉がだぶついているので、首がないように見える松子。

　それでも、この醜いニキビが治るなら。高い美容院へ行って高価なカットをほどこしてもらっても、絶対にヘアスタイル・ブックのモデルのようにはならず、美容師が背中を向けて失笑しているのがわかる――このどうしようもない髪の質が変わるなら。あたしは松子になってもいい。松子になってからダイエットして痩《や》せればいいんだもん。松子が太っているのは、何の努力もしないからなんだ。「体質なんだよ」なんていうのは言い訳だ。

「樹理ちゃん」

松子が樹理の顔をのぞきこんでいる。

「目が赤いよ」

あたし、いつの間にか涙ぐんでいた。樹理は気づいて、あわてて手で目をこすった。

「ダメだよ樹理ちゃん、コンタクトレンズしてるんでしょ？　そんなふうにしたら、目に傷がついちゃうよ」

お節介《せっかい》の松子が心配する。樹理は黙って窓の方へと目をそらした。しばらく黙って、そっとしておいてほしい。だけど松子には通用しない。ぽってりした手が、樹理の手を探って握り締めた。

「あたし、ずっと樹理ちゃんと一緒だから。大丈夫だよ、心配しないで。樹理ちゃんは正しいことをしようとしてるんだもの。怖がることなんかないよ」

正しいこと。松子の汗ばんだ手に手をあずけたまま、樹理は頭のなかで声に出して考えた。そうだ、これは正しい行為だ。間違っていることを正そうとしているんだもの。その考えを、頭のなかの歯で噛んで、頭のなかの胃袋に呑《の》み込んだ。消化しろ、消化しろ。ここまで来て、土壇場《どたんば》でやめるなんてこと、できっこないんだから。

終点まで乗っていったのは、日本橋から乗り込んだ母娘《おやこ》連れの二人だけだった。髙島屋の紙袋をたくさん提げた母娘連れが先に降り、樹理と松子はそのあとに続いた。

いつの間にか、小雪はやんでいた。東京駅八重洲口のがらんとしたバスターミナルには、強い北風が渦を巻いていた。

「ほら、ポストがある！」

松子がバスターミナルの外れの一角を指差した。歩道とターミナルの境目に、四角い郵便ポストがこちらに背を向けて立っている。

だけどそのポストは、横断歩道のすぐ近くにあって、今も信号が変わると、大勢の人たちが駅に向かって道を渡ってくる。

「もっと人がいない場所のポストを探そう」

そう言って、樹理は先に立って歩き出した。松子はあわてて追いかけてくる。

「どうして？」

「誰かに見られるの、嫌だもの」

「ここなら大丈夫じゃない？」

地元の郵便局の消印がついてはまずいと言ったのは樹理である。それならバスに乗って東京駅の方まで行こうと言い出したのは松子だ。松子は、ただ消印さえ違えばいいと思っている。いや、理屈としてはそれでいいのだが、気持ちは違うということがわからないのだ。神経が鈍いんだ。

「寒いねえ」

北風を顔にまともに受け、ほっぺたを赤くして松子は呟《つぶや》く。そんなにぶ厚い脂肪を着ていてもまだ寒いのかと、毒づきそうになるのを樹理は我慢した。

東京駅前から銀座方向へ、あてもないままにただ歩いた。銀座に近づくにつれて、街は明るく活気づき、色合いも華やかになってゆく。デパートが多いからだ。さっきバスで通り過ぎたときも、まだ閉まっているオフィスビルの列のなかで、日本橋髙島屋の周囲だけが、お祭りのように浮き立って見えた。

カップル。家族連れ。若い女性たちのグループ。みんな楽しそう。幸せそう。

そして、みんなきれいだ。

あたしみたいなニキビ面《づら》なんて、一人もいやしない。

松子みたいなデブも、一人もいない。

すれ違う人たちが、場違いな女子中学生の二人組を、珍しそうに振り返る。そのように、樹理には見える。彼らは自分たちの幸せなひとときを味わうことに夢中で、樹理と松子のことなど気にかけてはいない。視界に入ってさえいないだろう。だが樹理には、彼ら彼女らの、心の声が聞こえてくる。

樹理と同じくらいの歳《とし》の女の子と、母親の組み合わせがすぐ前を横切った。母親のコートの袖《そで》と、樹理のコートの袖が触れ合った。相手は気づかなかった。娘とさかんにおしゃべりしている。が、娘の方は気がついた。そして樹理を見た。その目の奥に、驚きと、ある表情がぱっと浮かんで消えた。

樹理は屈辱でお腹《なか》の底が焦《こ》げそうだった。

驚く？　それはまだいい。許せないのは、その後に、ほうき星の尾のように、同情と安堵《あんど》の色がくっついていることだ。

なぁに、あの子のひどいニキビ。かわいそうに。あたしはあんな顔じゃなくてよかった。

「樹理ちゃん、どこまで行くの？」松子が樹理の袖を引っ張った。「さっきもポストがあったよ。通り過ぎちゃったけど……」

下ばかり向いて歩いていたので、見落としてしまったらしい。

「あたしのこと、呼ばないで」

短く鋭く、樹理は命令した。

「へ？」

「あたしの名前を呼ばないでって言ったのよ！」

松子は手を引っ込め、わけがわからないながらも、「うん、ごめんね」と言った。さすがにしおれてしまったようだ。

ポストはあった。どこにでもあった。道端に、ビルの前に。だけど、そこにもここにも人がいた。通行量も、銀座の中心部に近づくほどに多くなっていくようだ。

樹理は唐突に立ち止まると、くるりと回れ右をした。樹理の後ろから、しおしおとついてきていた松子と、あやうくまともにぶつかりそうになった。

「どうしたの？」

「戻る」

「どこへ？」

「バスターミナルに戻る」

さっきのポストに入れるのかと尋ねるから、そうよと答えてやった。松子が「なぁんだ」とか言うかと思ったが、予想に反して黙ってついてくる。樹理の不機嫌をどう扱っていいか、困っているみたいだった。

樹理は泣きたかった。大声で泣き出したかった。きっとまた目が赤くなっているはずだ。

こんなふうにして歩いていると、嫌でも思い出してしまう。

――うわ、こいつの顔、見てみろよ。

下卑《げび》た笑い声が耳に蘇《よみがえ》る。

――きったねえ。おまえ、悪い病気でも持ってんじゃねぇの？

三人で罵《ののし》ったり冷やかしたりしながら、樹理につきまとう。学校からの帰り道、樹理は一人だった。すれ違う大人たちはいたけれど、みんな知らん顔をしていた。

樹理はくちびるを結び、奥歯を噛んで、下を向いて歩き続けた。そうすれば何も聞こえない。こんな連中、相手にすることない。無視すればいいんだ。

そしたら、いきなり背中を蹴《け》られた。

樹理はつんのめり、アスファルトの路上に顔から倒れた。三人は歓声をあげ、倒れた樹理に近づいて、誰かが今度は樹理の肩を蹴った。起き上がろうとしていた樹理はまた倒れた。くちびるが切れた。

「シカトしてんじゃねえよ、このブス！」

樹理は顔を上げて、声の主を睨みつけた。大出俊次は溢《あふ》れんばかりのニヤニヤ笑いを浮かべて上機嫌だった。

「ブスは死ね！」

罵声《ばせい》と共に、通学鞄《かばん》が樹理の頭の横を打った。樹理自身の鞄だった。

「バイキン！　こっち見ンじゃねえ、キモチ悪いだろ」

大出俊次が通学靴の足を持ち上げて、正面から樹理の顔を蹴ろうとした。とっさに樹理は横に避《よ》けて、両手をついた。後ろから制服の襟をつかまれ、仰向《あおむ》けに引き倒された。井口か、橋田か、どっちだったろう。

「見るなって言ってんだろ、オラ！」

大出俊次の靴底が、目の前にあった。

樹理は顔を踏みつけられた。鼻の骨がゴリリと鳴った。痛みと恐怖に気が遠くなりかけた。わっと囃《はや》したてる声が、高いところから容赦《ようしゃ》なく降り注いでくる。

銀座の街を歩きながら、三宅樹理は立ち止まり、かっと目を見開いた。現実の視界が戻り、回想は消えた。今もリアルで血を流し続けている回想。樹理に憑《とりつ》いてしまった記憶。

それを消せるのは怒りだけだ。

「樹理ちゃん」

また呼びかけてきて、叱《しか》られると気づいたのか、松子が一歩後ろに下がった。

樹理は歩き出した。何も言わず、何も説明せずに。

結局、最初に見つけたバスターミナルのポストの前に戻ってきた。投函口《とうかんぐち》には黄色い表示カードが貼《は》ってある。年賀状のやりとりされる期間には、お馴染《なじ》みの表示だ。右が一般の郵便物、左が年賀状です。

「みんな速達にしたんだね？」

三通の封筒の表を見て、松子が訊《き》いた。樹理はそのように準備したのだ。切手だけでもけっこうなお小遣いの散財になってしまった。

「どっちの口に入れたらいいのかなぁ」

右には「一般の郵便物」とあるだけだ。この時期、速達を出すときは、窓口に行かないといけないのだったろうか。

「右でいいよ」

そう応じて、樹理は三通をいっぺんにポストに投げ込んだ。

ぱさりと、乾いた音がした。

思い直すひまも、ためらう瞬間もなかった。やってしまえば一秒で終わった。

松子が、樹理に代わってため息をついた。

「よかったね、樹理ちゃん」

その瞬間、憤怒《ふんぬ》の叫びが、樹理の心の底からこみあがってきた。北風の唸《うな》りにも似て、それは凶暴に樹理を揺さぶった。十四歳の少女の華奢《きゃしゃ》な身体《からだ》は、怒りのエネルギーに満ちて今にも爆発しそうだった。

よくない、よくない！　何ひとつよくなんかないんだ！　どうしてあんたにはそれがわからないの？

ホントなら、あたしはこんなことから離れていたかった。こんな気持ちを知りたくもなかった。

無理やり知らされたのだ。無理やりこう仕向けられたのだ。

その怒りを、樹理はもう一人では扱うことができなくなっていった。近頃では、常に心のなかで猛《たけ》っている怒りのせいで、身体のコントロールまで失いかけている。だからこの封書を作り、それにすべてを封じて託したはずなのに、どうして封書がポストの底に消えても、怒りが残っているのだろう。

芯《しん》のない、疲れ果てた、しぼりカスみたいな声で、樹理は言った。「うん、帰ろう」

「参考書はあったの？」

尋ねられて、樹理はとっさには意味がわからず、夕食の皿から顔を上げて、テーブルの向い側に座る母を見た。母はちょうどご飯をひと口ほおばったところで、箸《はし》の先を口のなかに入れたまま、ぽかんと樹理を見返した。

「行ったんでしょ、ブックセンターまで」

そうだ、昼間出かけるとき、母に行き先を問われて、松子と一緒に八重洲ブックセンターへ参考書を買いに行くと嘘《うそ》をついたのだった。近所の本屋には、欲しいのがないので。

「うん、行ってきた。だけど買わなかった」

「なかったの？」

「たくさんありすぎて、選べなかった」

母は口のなかのものを噛《か》みながら、器用に笑った。「あらまあ」

「お金、ママに預けておこうか」

「いいわよ。どうせまた必要になるんでしょ」

樹理は食欲がなかった。

母娘二人の食卓は静かで、テーブルの上にぶら下がっているペンダントライトの黄色い光に照らされ、脂《あぶら》っこいお菜《かず》がテラテラと光っている。ニキビができるから、炒《いた》め物や揚げ物はお菜にしないでと、樹理があれだけ頼んでいるのに、母はメニューを変えようとしない。育ち盛りの子供には動物性脂肪が必要だという理屈だ。樹理がサラダが食べたいと言うと、サラダは身体を冷やすから、あんまり頻繁《ひんぱん》に食べてはダメだと退《しりぞ》ける。野菜の繊維質と栄養分を効率的に摂《と》るには、サラダより温野菜の方がはるかにいいのだと主張する。そしてまた炒め物、揚げ物、炒め物だ。温野菜なら蒸しもの料理だっていいはずなのに、手間がかかるから嫌だと作ってくれない。要するに、簡単に作れて、自分が好きなお菜がいいというだけの話じゃないか。

肌の状態を改善するには、食生活から変えた方がいいと、いろいろな美容の本に書いてある。お医者さんが書いた、ちゃんとした本だ。樹理がそれを例にあげて説得にかかると、食生活を変えるなら、まずお菓子を食べるのをやめなさいと、問題点をすり替えにかかる。皮膚科の専門のお医者さんにかかりたいと訴えると、思春期のニキビは病気じゃない、清潔にして、なるべく素顔を空気にさらしておけば、自然に治ると言い返す。ニキビのひとつやふたつ、誰にだってあるでしょう。

「全然できない子だっているよ。あたしみたいにひどいのは、学年に一人もいないよ」

「それはあなたが、ヘンに気にして売薬を買ってきて、塗りたくるからよ。かえってこじらせちゃってるの。売薬は信用できないの。薬をやめなさい。そしたら治るんだから」

この議論の終わりはいつもこうだ。ママもパパも、ママとパパの兄弟たちも、誰もあんたのようなひどいニキビ顔じゃなかった。うちの人間はそういう体質じゃない。だから、樹理だってそのはずだ。気に病まなければすぐに治る。樹理は神経質すぎる。それが肌によくないのだ——一方的にそう断罪されて、おしまいだ。

「結局はストレスなのよ。何だってそう。もっと大らかに、ほがらかな心を持ってごらん。そうすれば、物事は全部いい方に変わっていくんだから」

樹理だって、大らかでほがらかな心を持ちたいと思っている。どんなに強くそう願っているか、母にはわからない。だけどそのためには、まず肌をきれいにして、自信を持ちたいのだ。真《ま》っ直《す》ぐに人の顔を見て、自分も真っ直ぐに人に顔を見られるようにしたい。ママの言ってることは順番が違うのに、どうしてわかってくれないの？

のろのろと箸を動かし、野菜炒めのなかから豚のバラ肉を取り除きながら、樹理は訊いた。「パパ、今日はどこへ行ってるの？」

「横浜よ。新作が、もうすぐ仕上がるって言ってたわ」

「帰り、遅くなるの」

「でしょうね」母は食事を続けながらちらりと時計を仰いだ。「夕飯は要らないって言ってたから。会の皆さんと、行きつけのワイン・バーに寄るんですって」

樹理の父親は日曜画家である。本業はサラリーマンなのだから、定義としては絶対にそうだ。だが本人は、自分は「画家」だと認識している。それで生計を立てていなくても、創作する姿勢がプロの芸術家と同じなのだから、ただ趣味だけで描き散らしている日曜画家とは違うのだ、と。

樹理は一度、父親のあまりにひとりよがりの芸術論に腹が立って、言い返したことがあった。だってお父さんが入ってる「二光会《にこうかい》」は、趣味で絵を描いてる人たちの集まりじゃない。うちに遊びに来るメンバーの人たちは、誰も自分のことプロだなんて言ってないよ。だいいち、創作する姿勢がどうのこうの言ったって、お金を出してパパの絵を買いたい、うちの居間に飾りたいという人がいなかったら、それはプロとは呼べないんじゃないの、と。すると父は顔色を変えて怒った。

「生意気なことを言うんじゃない。世界的に有名な画家だって、生前には絵が売れなくて、みんな貧乏暮らしをしていたんだ。ゴッホの生涯を知ってるのか？　生きているうちに絵が売れなかったのだから、ゴッホは芸術家じゃないと、おまえは言うのか？」

へ理屈だと、樹理は思った。ママと同じ、論理のすり替えだ。あたしはパパのことを話しているのに、どうしてゴッホを引き合いに出すんだろう。

一方で父は、樹理が好きなポップアートを頭からバカにして、デッサンのひとつもちゃんと描けないこんな輩《やから》が、壁のいたずら描きみたいなもので大金を稼ぐから美術界が駄目になってしまったのだと言う。本物の画家が窒息させられているのだと言う。

確かにそういう一面はあるのだろう。高く評価されているポップアートのなかでさえ、中学生の樹理にも、こんなの人をバカにしているとしか思えないという作品があるのだから。だが、それで窒息させられている画家がいるとしても、そのなかに樹理の父親が入っていないこともよくわかる。

父は若いころから絵を描いていた。一度だけ、東京芸大を受験したこともある。受験した、だ。受かったわけではない。だから普通の大学の経済学部に行き、卒業すると大きな家電会社に就職した。今もそこに勤めている。

年収もそこそこあるので、父は年に一度は家族を海外旅行に連れてゆく。母と樹理にとってはただの観光旅行だが、父には違う。あくまでも絵を描くため、創作のための旅なのだ。だからどこへ行くのでも画材を持って行く。空港のカウンターで手荷物を預けるとき、気取った笑みを浮かべながら、大事な画材が入っているのでよろしくと、訊かれもしないのにわざとらしく説明する。カウンターの女性職員がにっこりして、まあ絵をお描きになるのですかとか、画家さんなのですかなんて反応してくれたらもうタイヘンだ。そっくり返って、どこそこの展覧会で入選しただの、今度の旅ではどこどこの景色を描くだの、ベラベラしゃべり出して止まらない。相手が仕事だから調子を合わせてくれているのもわからない。

旅行の時だけではない。外食とか買い物の折とかでも、隙《すき》あらば父はそれをやる。樹理は恥ずかしくて、できるだけ父と離れている。最近の話ではない。小学校の四、五年生からそうだった。そのくらいの歳《とし》になれば、子供だって、困惑や迷惑を隠した愛想笑いと、好意や尊敬を宿した本物の笑顔の区別ぐらいつくからだ。

そんな樹理の心情も知らず、父がそうした勝手な自己宣伝に、樹理を巻き込むことがある。

「うちの娘です。ジュリというんですよ。私がつけた名前です。世界のどこへ行っても、違和感なくファーストネームで呼んでもらえるようにと思いましてね」

そういうとき樹理は、その場で死んでしまいたくなる。

幼いときはまだ良かった。どこから見ても日本人そのもの、のっぺり顔の女の子が「ジュリ」という名だ――という恥ならば、まだ忍ぶことができた。だが、小学校の六年生の二学期ごろから、顔にぽつぽつとニキビの花が咲き始め、中学に入ったらまさに満開になってしまって、それからは堪《こら》えようがなくなった。

二年生になってすぐに、樹理は両親に、改名したいと言ったことがある。

城東三中では毎年クラス替えがある。新学年の最初のホームルームでは、みんな一分間の自己紹介をするのが決まりだ。樹理は名前だけ名乗って、何の自己PRもせずにすぐ腰をおろした。それでもみんなが——二年になって初めて樹理の顔を見たクラスメイトたちだけでなく、一年のときから樹理を知っていた連中も、クスクス笑っているのが聞こえた。声に出さなくたって、ちゃんと聞こえる。

——あのキッタナイ顔で樹理だってさ。

だからせめて、名前だけでもかえたいと思ったのだ。でも父も母も、まともに受け取ってはくれなかった。父に至っては、「カタカナにしたいのか」と問い返す始末だ。

その晩、樹理はコンビニで買ってきた剃刀《かみそり》の替え刃を手に、風呂《ふろ》に入った。死のうと思ったのだ。だが、いざ剃刀を構え、自分の手首を見つめていると、どうしても踏み切ることができず、そのうちおいおい泣き出してしまった。

樹理の手首の内側の肌は美しい。きめ細かくて、真っ白で。十四歳の少女の肌だ。

それなのにどうして、顔だけがこんなふうになってしまうの？　いいえ、最近では顔だけじゃない、首筋にも背中にもニキビができて、繰り返しできては潰《つぶ》れ、醜い痕《あと》が残って、それが消えないうちにまた新しいのができる。

まるで呪《のろ》われているみたいだ。

死のうと思ったのは、そのときが初めてではない。中学にあがってすぐ、あいつら――大出と、井口と橋田の三人組に、初めて遭遇したときもそう思った。走って家に逃げ帰り、ママは買い物に出かけていて、一人ぼっち、洗面所で鏡に顔を映してみたら、あまりのニキビのひどさに地腫《じば》れしているように見える頰の上に、大出の靴底の跡がくっきりと残っていた。あのときも死のうと思って、顔を洗って、着替えて靴を履き、近くの公団住宅まで歩いていった。高いところから飛び降りようと思ったのだ。一時間ほど、外階段のてっぺんの踊り場に立っていた。泣いたり泣き止《や》んだりを繰り返し、そして、あたしが死んでもあいつらは笑い転げるだけだと思って、涙を拭《ふ》いて階段を下りた。家に帰っても、ママは何にも気づかなかった。靴跡はごしごし洗い流してしまっていたから。

ニキビを治そう。きっとできるはずだ。それから樹理は熱心に図書館や書店に通い、美容の本はもちろん、時にはかなり高度な医学の専門書まで読《よ》み漁《あさ》り始めた。おこづかいはできるだけ節約した。専門医にかかるには、お金が要るからだ。そのせいで、同級生たちからは完全に孤立してしまった。学校にいる時間を短くするために、部活動には参加していないし、友達付き合いも悪いからだ。でも、そんなの気にならなかった。もともと樹理には友達が少なかった。男の子たちは、最初《はな》から樹理を相手にしない。女の子たちは、表向きはニコニコしていても、陰では悪口を言っている。気味悪がっている。三宅さんのそばに寄るとニキビ菌が感染《うつ》ると言っている。一緒にプールに入りたくないと言われていたことも、あたし、ちゃんと知っているんだ。

大出たちには、その後も何度となくからまれた。あるときなど、忘れ物を取りに戻った教室に、あいつらがたむろしていて、つかまってしまった。

「あ、こいつまだ死んでなかったのかよ」

その汚い顔を洗ってやると、無理やり男子トイレに引っ張っていかれた。便器に顔を突っ込まれ、さんざん踏んだり蹴《け》ったりされた。樹理をいたぶりながら、大出は親しげに、

「ジュリちゃぁ〜ん」と、猫なで声で呼びかけてきた。「いい名前だな、ジュリちゃあ〜ん」

何をされても樹理が反応せず、抗《あらが》ったり悲鳴をあげたりしないので、三人はやがて飽きたのか、今日はこのへんでカンベンしてやると、樹理を男子トイレの床に押し倒して去った。樹理は何とか起き上がり、こそこそと廊下に出て、逃げるように学校を離れようとした。それなのに通用門のところで、社会科の楠山《くすやま》先生に出くわしてしまった。樹理は青ざめ、制服も乱れ、尋常な様子ではなかったはずだ。でも楠山先生は、

樹理の顔を見て一瞬ぎょっとしたように身を引いたものの、どうしたのかと声をかけてくれはしなかった。すっと顔を背《そむ》けて——そう、まるで汚いものを見てしまったかのように——「下校時間を過ぎてるぞ」と言い捨てて、さっさと通り過ぎていってしまった。

そのときは、死のうとは思わなかった。負けちゃダメだと、自分で自分に言い聞かせていた。ニキビを治すんだ。絶対に治すんだ。治れば、世界が変わる。ニキビができ始める前の、小学校の五年生までの樹理は、内気ではあったけれど、おとなしくて優しくて、友達の多い女の子だった。そのころは、樹理という名前にも違和感だってなかった。友達はみんな、「ジュリちゃん」と親しげに呼んでくれたのだ。きれいな名だと、羨《うらや》ましがってくれる子だっていたんだ。

取り戻せる。あのころを。頑張ればきっと。きっと。きっと。きっと。

でも現実はどうだ？　どれほど本を読んで知識を集めても、それだけでは何の用もなさない。ママは料理のメニューを変えてくれないし、食事療法について説明しても聞き流されてしまう。薬用化粧品を買ってもくれない。専門のお医者さんに連れていってと泣いて頼んでも、そんな必要はないと突っぱねられるだけ。

「そんなこと考えてる暇があるなら、勉強しなさい」

樹理は必死で父にも訴えかけた。母よりは話を聞いてくれそうな感じがするときもあった。でもパパはこう言ったのだ。

「思春期のニキビぐらいで、そんなに悩みなさんな。樹理、おまえは可愛《かわい》いよ。もっと自分に自信を持ちなさい」

樹理は絶望した。これ以上の酷《むご》い言葉があるだろうか？

パパ、パパはあんなに絵を描くくせに、芸術を語るくせに、美しいものと醜いものの見分けさえつかないの？

あたしは醜い、醜い、醜いのよ！　あんたの娘は、同級生たちに「ニキビお化け」と嘲《あざわら》われているのよ！

パパには見えないのだ。樹理の顔も姿も見えていないのだ。

見ようとしないのだ。やがて世界的に著名な画家になると、何年、何十年言い続けているの、パパ？　パパの「やがて」はいつのことなの？　それと同じだ。あたしが可愛いだって？　それは真実《ほんとう》じゃない。パパは真実を見ようとしてない。私はやがて世界的な画家になる身で、私の娘は愛らしく美しい。パパが見ているのは、パパの願望だけだ。願望は、どれほど濃く煮詰めたって真実にはならないということが、全然わかっていないのだ。

うらん――わかっているから、逃げているのかもしれない。どっちだって、樹理には同じだ。どっちに行っても出口がないってことに変わりはないんだから。

自分で出口を開けない限り。

このままでは、じわじわと殺されてしまう。

だからあたしは――あたしは――

「樹理、全然食べてないじゃないの」

皿の上のものを箸《はし》で突《つつ》きまわしているだけで、樹理は食事をしていなかった。母の顔が怒っている。

「お天気がよかったから、薄着で出かけたんだ。そしたら風邪を引いちゃったみたい。ちょっと頭が痛いの」

樹理は口から出まかせを言った。何でもいい、パパもママも、一応筋が通っているように聞こえる事柄ならば、丸呑《まるの》みにしてくれるんだから。

現に母は、テーブルごしに手を伸ばし、樹理の額に触って言った。「アラ本当だ、熱があるみたい」

嘘《うそ》ばっかり。熱なんかあるもんか。なんていい加減な人なんだろう。

「もう寝る。ご馳走《ちそう》さまでした」

樹理がテーブルから離れるのを、母はまったく止めなかった。ご馳走さまと、ちゃんと挨拶《あいさつ》したからだろう。うちでは躾《しつけ》が厳しいんですよ、家のなかでも礼儀を欠かしません。家庭訪問に来た森内先生に、自慢たらたら言っていたっけ。

モリウチ！　階段をあがって自室へ向かいながら、樹理はぞっとして身震いした。進級するとき、あの人と楠山先生だけは担任になりませんようにとお祈りしたのに、神様は聞き届けてくださらなかった。神様は、樹理のことなんか知ったこっちゃないのだ。

モリウチ！　心のなかでは美人を鼻にかけているくせに、顔では「わたしはそんなゴーマンな人間ではございませんことよ」と取り澄ましている。ホームルームであの女が、「美も個人の能力のひとつだ」と言ってのけたときのことを、樹理はけっして忘れまい。冗談まじりの言い方だったけれど、そのときモリウチは、間違いようのない蔑《さげす》むような視線で樹理を見たのだ。樹理は気づいた。樹理が気づいたことを、モリウチも気づいていた。気づかせるように、わざとこっちを見たんだ。そして笑った。お気の毒さま、というように。

そしてもう一人、その場でのモリウチと樹理の視線のやりとりに気づいていた同級生がいた。藤野涼子だ。

涼子は、明るく笑うモリウチを、今にも射殺しそうなほどの鋭い目で見据えていた。樹理が彼女の方を見ると、しばらくしてやっと視線を感じたらしく、こちらを向いた。とたんに、涼子の視線がやわらいだ。そしてそっと、気をつかってでもいるみたいに目をそらした。

それ以来、樹理は藤野涼子を憎んでいる。

前々から好きではなかった。でも、あのこと以来、はっきりと憎むようになった。ホントはあんただってモリウチと同類のくせして、正義漢面《づら》してんじゃないよ。あたしの気持ちなんか、千年経《た》ったってあんたにわかるはずないのに、わかるわってな顔してるんじゃないよ。

美人で、優等生で、スポーツができて、友達が多くて、何の苦労も悩みもない。何から何まで優遇されていて、自分でもそれを承知してるくせに、わたしも普通の人間よ、わたしもただの十四歳の女の子よって。

偽善者め。今に見てなさいよ。

自室に入り、机に向かって引き出しを開ける。ママが勝手に引き出しのなかを調べるので、樹理はいろいろ工夫をして、ちょっと見ただけではわからないように、引き出しを二重底にしてある。雑記帳や雑誌の切抜きを退《ど》けると、二重底の下から、薄べったい樹脂製の透明ファイルを取り出した。

自然に、笑みが浮かんできた。

最初は、年賀状を作るときにママが使っているワープロを借りようかと思ったのだけれど、あれはプリンターが熱転写式なので、インクリボンに印字した文字が残ってしまう。樹理がワープロを使えば、ママは絶対、何を印刷したのか調べるはずだから、これはまずい。

結局、古典的な手法ながら、物差しを使って金釘《かなくぎ》文字を書いた。時間がかかって大変だったけれど、満足のゆくものが出来あがった。

誰もこれを、樹理の書いた字だとは思うまい。コピーも、わざわざバスに乗って隣駅の前のコンビニまで行ってとってきた。同じものが三通必要だったからだ。

今日、東京駅八重洲口前のポストから投函《とうかん》した、あの三通の速達。

残った原本をどうしよう。気持ちとしてはとっておきたいけれど、危険かな。この二重底だって、カンペキに安全なわけじゃない。破って捨てるのはもっと危ない。ゴミ箱をあけたとき、ママが不審に思うだろう。紙片を繋《つな》ぎ合わせて読もうとさえするかもしれない。全文は読めなくても、一行だけでも読み取られてしまったらまずいことになる。

ママが寝てしまってから、パパの灰皿でこっそり燃やす？　それとも、粉々に千切ってトイレに流そうか。でも、詰まったら困る。

もう少し――今夜ひと晩くらいはとっておこうか。

明日は始業式だ。樹理の送った速達は、それまでに届くだろうか。それとも、騒ぎが始まるのは、夕方以降になるだろうか。

実行してしまえばこんなに簡単なことだったのだから、浅井松子なんかに話すんじゃなかった。今さらのように、樹理は後悔を嚙《か》みしめた。でも最初のうちは不安で、自分の話に――これからやろうとしていることに説得力があるかどうか、どうしても誰かに話して反応を見たいと思ってしまったのだ。そんな相手は、松子しか思いつかなかった。

話を聞いて、松子は驚き、怯《おび》えて、うろたえた。そんな大事なこと、樹理ちゃん、一人で心にしまっていて、辛《つら》かったでしょうと涙ぐんだ。バカだ。

もしもあたしがきれいになって、自信を取り戻したならば、そのときも松子と友達付き合いを続けていたならば、あたしたち二人は、藤野涼子と倉田まり子みたいな組み合わせに見えることだろう。涼子は女子生徒たちみんなに、藤野さん、何で倉田さんなんかと仲良くするんだろうと不思議がられている。倉田さんが藤野さんを頼ってるから、振り切ることができないんだろうね。藤野さん、優しいから。

バカ言っちゃいけない。涼子はちゃんと承知しているのだ。倉田まり子と仲良くしていれば、気取りのない、ゴーマンではない、心優しい優等生だという仮面を、いちばん効率的に作りあげることができるとわかっているのだ。

あたしもそうなるのかな。それとも、藤野涼子よりずっと正直に、松子から離れていくのかな。

もしもあたしがきれいに——なれたら。

いつか。

必ず——そうなるんだ。

だけど今は、とりあえず、身の安全を守ることが先決だ。もう二度と背中を蹴られたり、男子トイレの便器に顔を突っ込まれたりしなくていいように、公団住宅の外階段で、手すりに手をかけて、落下してゆく自分を想像しながら一時間も立っていたり、剃刀《かみそり》を手にお風呂《ふろ》に浸《つ》かって泣いたりしなくていいように。

そして、あたしにそんなひどいことをしたあの三人に、ふさわしい報いを与えるのだ。

そのためには、これはやらなくてはいけないことだった。文面を考え、物差しとボールペンを駆使して書き上げたこの告発状。

これは正しいことだ。

だってあたしは見たんだもの。本当に見たんだもの。だから、黙っていてはいけないと決心したんだもの。

三宅樹理の口元に、現実世界にあるどんな物差しを使っても引くことのできない、完璧《かんぺき》な直線が形づくられた。それは正義と復讐《ふくしゅう》の、二点間を最短距離で結んだ線。樹理だけが知っている始点と終点を持つ線だった。

告発状

城東第三中学校

二年A組の　柏木卓也君は

自殺したのでは　ありません

本当は　殺されたのです

学校の屋上から　突き落とされました

クリスマス・イブのあの日
ボクはそれを見ていました
現場を目撃してしまいました
柏木君は　悲鳴を　あげていました
彼を突き落としたのは
二年D組の　大出俊次です
橋田祐太郎と　井口充も　手伝いました
三人は　笑いながら　逃げていきました
お願いします
もう一度　事件を　調べてください
このままでは　柏木君が
あまりにも　かわいそうです
お願いします
警察に　しらせてください
心から　お願いします

16

藤野剛《たけし》は、その朝、午前六時に帰宅した。妻はもう起きていて、キッチンテーブルに座り、眠そうな顔で朝刊を広げ、コーヒーを飲んでいた。彼の顔を見て、あらまあお疲れさまと言った。

「二、三時間仮眠して、着替えたらまた出るから」

「お風呂は？」

「出掛けにシャワーでいいよ」

「風邪ひくわよ」

「大丈夫だよ」

上着を脱いで妻の向かいの椅子《いす》に座り、コーヒーを一杯もらった。これから寝るのだからカフェインは要らないのだが、いい香りに誘われたのだ。

「今日、始業式だよな」

「そうよ」

「涼子の様子はどうだ？」

新聞を置いて立ち上がりかけていた妻が、ちょっと首をかしげた。

「あんな事件があったからってこと？」

藤野がうなずいて認めるまでもなく、こう続けた。

「特に気に病んだり、悩んでる様子はないみたいよ。亡《な》くなった柏木君と親しかったわけじゃないっていうし……」

あくびを嚙み殺すためにしかめ面になる。

「他人のことは他人のこと。自分のことは自分のこと。あの子なりに割り切ってるみたいね」

「そうか」

妻は朝食の支度にかかり、藤野は朝刊にざっと目を通すと、コーヒーカップを空にして、キッチンを離れた。二階にあがり、寝室のベッドにもぐりこむと、すぐにスイッチが切れたように眠り込んでしまい、娘たちが起き出して来る気配を感じ取る余裕もなかった。

目が覚めたときには、午前十時を過ぎていた。遮光カーテンを開けると、澄んだ冬の日差しがいっぱいに差し込んできた。あわててシャワーを浴び、髭《ひげ》を剃《そ》り、着替えを済ませる。

子供たちは学校へ、妻は仕事に出て、家のなかには藤野以外誰もいない。テーブルの上には妻のメモがあった。冷蔵庫に食べ物、着替えを詰めたボストンバッグはソファの上。冷蔵庫を開けるとサンドイッチの皿が見えた。野菜スープを温めて食べるようにと指示があったが、面倒くさいのでやめた。椅子に座りもせず、立ったままサンドイッチを頬張り、パックの牛乳を飲んだ。

上着を着てコートをつかんだところで、玄関のインタフォンが鳴った。インタフォンには応《こた》えず、藤野は直《じか》にドアを開けた。

深緑色の防寒コートを着込み、ヘルメットをかぶった郵便局員が立っていた。

「藤野さん、速達です」

藤野は一通の封書を受け取り、ご苦労さんと言ってドアを閉めた。

ごく一般的な、白色の二重封筒だ。郵便番号の上のスペースに、赤いマジックペンで横線が引いてある。

表書きの文字が、藤野の目を惹《ひ》いた。

ひどい金釘文字だ。普通に書いたのではなく、明らかに定規を使っている。

宛名《あてな》は「藤野涼子サマ」になっている。「藤」の字がアンバランスに大きい。定規を使って画数の多い複雑な漢字を書くと、たいていこうなる。同じ理由で「野」の形も崩れていた。それに懲《こ》りたのか、「様」を書くのを避けてカタカナにしたらしい。手のなかで、藤野は封筒を裏返した。差出人の名前はなかった。

嫌な感じだ。

仕事柄、藤野はこうした手紙を目にする機会が多い。いや、そんな経験がなくて、ドラマや小説を通して知っているだけであっても、ここまであからさまに型どおりにされたら、誰でも怪しむだろう。

中身は何だ。何が書いてある？　間違っても、「涼子ちゃん新年おめでとう。三学期もよろしくね」などという内容であるわけがない。しかも、ご丁寧に速達ときた。コートをボストンバッグの脇《わき》に置いて、封筒の表を見たり裏を見たりしながら、藤野は迷った。

この手紙が、愉快な内容であるはずがないことは察しがつく。問題は、どういう性質の不愉快であるかということだ。そして、藤野にこの手紙を開封する権利があるかどうかということだ。

涼子が十歳だったなら、「ある」と言い切れる。それどころか、手紙の中身によっては、手紙が来たこと自体を伏せてしまったってかまわないと、藤野は思う。これが次女や三女宛の手紙だったなら、金釘文字を見た瞬間に開封するだろう。迷ったりはしない。それは親の権利ではなく、義務だ。

だが十四歳は微妙な年齢だ。親の義務と、子供の権利が拮抗《きっこう》し始める年頃だ。藤野は指を動かして、封書の全体に触ってみた。畳まれた紙――それも薄っぺらい――の感触があるだけで、他のものは入っていないようだ。たとえば剃刀《かみそり》とか、虫の死骸《しがい》とか。嫌がらせの定番だ。

そういう種類の手紙ではないのか。もしかしたらラブレターかな？　送り主がシャイで、筆跡から自分を特定されたくなくて、わざわざ定規を使ったのだとしたら？

以前、藤野の同僚の、短大生の娘のところに、交際を求める手紙を何十通も寄越《よこ》した若い男がいた。どの封書にも、思いの丈を綴《つづ》った分厚い便箋《びんせん》と一緒に、コンドームがひと包み同封されていた。とうとう父親が乗り出し、怒鳴りつけるまで、彼はそれを、自分の好意を表すもっとも率直な手段であると思い込んでおり、そんなものを送りつけられた相手がどんな気分になるか、想像してみたことはなかったらしい。平謝りに謝って、最後は泣き出してしまったそうだ。悪意があったわけではなかったから。

金釘《かなくぎ》文字の、一見して不気味な表書きだからといって、絶対に危険だとは言い切れないということだ。

ただ「気味悪くて心配だったから」という理由で、親が勝手に開封する権利はない。

藤野は腕時計を見た。十一時十分前だ。始業式の日で授業がないから、学校は昼ごろに引けるはずだ。が、涼子は部活動に出るだろう。となると、帰宅はやはり夕方になる。

それまで待ってはいられない。だが、藤野の方も、これから家を出れば、また数日は帰れないだろうから、涼子と顔を合わせ、あの手紙は何だったんだと尋ねる機会は先送りになってしまう。

もちろん、手紙が涼子にとっても不気味なものであったなら、娘は必ず藤野に電話して、相談してくれるだろうが——

どうにも落ち着かない。速達だということが、特に引っかかる。

消印を見ると、東京中央郵便局だ。それも引っかかる。涼子は友達が多い方らしいが、それでも十四歳の中学二年生のつくる人間関係の輪は、通っている学校の学区域を超えるものではないはずだ。この手紙はその外から来ている。わざとそうしてあるに違いない。

自分に踏ん切りをつけさせるために、藤野はわざと鼻息を荒く吐き出して、リビングに戻った。怒ったような気分になっていた。

「どうしてあたし宛の手紙を勝手に開けたりしたの？」

と、抗議する涼子が目の前にいて、対抗しているような気分になっていた。突っ立ったまま、ハサミで封書を開封した。

中身を読むのに、二十秒を要した。一度通読しただけでは足りなくて、読み返したからだ。

それから手紙を封筒に戻し、電話を一本かけた。呼び出し音が一度鳴っただけで、部下の一人が出た。立ち寄り先ができてしまったので、本部に戻るのが少し遅れそうだがよろしく頼むと、手早く伝えた。

そして家を出た。「藤野涼子サマ」宛の金釘文字の封書は、藤野の上着の内ポケットに納まり、藤野が小走りで歩くと、カサカサと音をたてた。

城東第三中学校は目と鼻の先だ。

生徒たちはまだ教室内にいるのか、校庭はがらんとしていた。吹き込む北風に巻かれて、落ち葉が生き物のように滑ってゆく。

そちらの方が近いので、藤野は通用門から入った。昨年のクリスマスの朝、柏木卓也の遺体が雪の下から掘り起こされたあの裏庭を通り抜けて、ステップを三段あがる。重たい金属製の引き戸は施錠されておらず、きしみながら開いた。すぐ目の前に長い廊下が延びている。上履きもスリッパもないので、引き戸のすぐ内側に敷かれているゴムマットに靴底をこすりつけてから歩き出した。校内は静かだが、藤野が歩き出したちょうどそのとき、頭上のどこかでどっと子供たちの笑い声があがった。拍手も聞こえる。にぎやかなホームルームだ。

校長室の表示を探しながら歩いてゆくと、折りよく、左手の戸が開いて、紺色の事務服を着た女性が一人出てきた。藤野を見てひどく驚いたような顔をした。藤野は会《え》釈《しゃく》した。

「失礼します。私は二年生の藤野涼子の父親です。校長先生にお目にかかりたいのですが」

事務服の女性は、用件を聞いてもっと驚いたようだった。表情に不安の色も混じった。

「あの、お急ぎでしょうか」

「はい。火急の用件です」

不安の色がさらに濃くなる。「二年生の、藤野さん。お父様で」

「はい」

とにかくどうぞ——という様子で、事務服の女性は先に立った。「校長室」の表示は、彼女が出てきた部屋の二つ先の部屋の上に掲げられていた。隣は「職員室」だ。

事務の女性が戸をノックすると、「はい」という返事があった。失礼しますと戸を開けると、女性は半身を室内に入れ、生徒の父兄の方がお見えなのですが——と言った。

その口上が終わらないうちに、藤野は事務の女性の頭越しに校長室のなかをのぞいた。天板にグリーンのシートを敷いた大きな机に向かい、丸顔の津崎校長が座っている。机の前には、痩《や》せぎすの五十がらみの女性が、校長の方に覆《おお》いかぶさるように立っていた。

津崎校長と目が合う以前に、校長室内の光景を見ただけで、藤野にはわかった。ああ、これなら話が通じやすい。

津崎校長の机の上には、一通の封書が載せられている。書類箱やペン立て、電話機や印章箱、書類の束などはきちんと片付けられ、机の中央は広く開いている。そのスペースの真ん中に、封書はあった。

津崎校長は、そこから取り出したのであろう便箋を両手に持っている。それどころか、藤野が顔を出した瞬間、さっと便箋を伏せようとした。

金釘文字の速達は、学校にも届いているのだ。うちと同じく、届いて、開封されたばかりなのだろう。

「去年のクリスマスの事件の折に、通用門のところでお会いしたこともあります。藤野です」

校長は椅子から腰を浮かし、「藤野さん。確か警視庁にお勤めでしたね」と言った。

机の前に立つ女性の表情がさっと険しくなった。この顔にも見覚えがある。やはり、柏木卓也が発見されたとき、通用門のところにいたはずだ。二年生の学年主任と言っていたのではなかったか。確か、高木先生だ。

ごちゃごちゃと説明を並べる前に、藤野は内ポケットから封書を取り出して、ちらりと見せた。校長と学年主任の顔色が変わった。

「どうぞお入りください」と、校長が言った。

紺色の事務服の女性は、依然困惑顔のまま、道を譲って藤野を通した。藤野は、できるだけ静かに戸を閉めた。

「城東第三中学校　校長　津崎先生」

学校に届いた封書の表書きには、そう記されていた。藤野涼子宛のと同じ金釘文字だ。差出人の名前はない。封筒も同じ。速達になっていることも、消印も同じだ。

中身の文面も同じだった。コピーだ。

「同一人物が出したものでしょうね」

校長室の中央の、来客用の応接セットに、津崎校長と高木学年主任が並び、藤野はその向かいに座っていた。テーブルの上には二通の封書。

「どう思われますか」と、藤野は訊《き》いた。

「どうって……」高木学年主任は、校長の顔を見る。

「ここに書かれている内容は、先生方には初耳ですか。驚きましたか？」

「もちろん初耳です」津崎校長は強くうなずく。「驚きました」

「学校内でこの種の噂《うわさ》が流れているというようなことは？　柏木君は屋上から突き落とされたんだという噂です」

今度は校長が学年主任の顔を見る。高木先生は眉間《みけん》にしわを寄せている。

学年主任の渋面を無視し、津崎校長の顔を正面から見据えて、藤野は続けた。「実は、柏木君が亡《な》くなった直後に開かれた二年生の保護者集会に、うちの家内が出席したんです。そこで既に、大出君という生徒の名前を出して、彼らが柏木君の死に関係しているのではないかという議論が——議論というよりかなり感情的なやりとりがあったと言っていました。これは事実でしょうか」

学年主任の眉間の皺《しわ》がますます深くなる。

津崎校長は視線を落としてうなずいた。「事実です。ここまで具体的な内容のものではありませんが、そうした噂が、柏木君の死の直後から生徒たちのあいだに広まっていたことも事実でございます」

頭から「そんな噂など聞いたこともない、あり得ない」と否定されなかったことに、藤野はほっとした。過去に藤野が他の事件でかかわりを持ったことのある学校関係者には、少しでも学校にとって不利なことは認めない、「知っている」とはけっして言わない、言えないという人びとが多かったからだ。

「学校として公式に――というか、生徒たちに向かって、柏木君の死亡した件についてきちんと説明したことは」

「今朝、始業式の全校集会で話しました」と、津崎校長が答えた。

「自殺だったということをですね？」

「そうです。柏木君のご両親がたいへん悲しんでいるということと、自分の命も、友達の命も大切にしなくてはいけないということを話したばかりです」

高木先生が険しい顔つきのまま言う。「教師のなかには、反対する向きもありました。新学期の始業式に、わざわざこの件を蒸し返すことはないだろう、と。どのみち、生徒たちはみんな知っているだろうから。柏木君のお葬式に参列した同級生たちは、柏木君のお父様の出棺のときの挨拶《あいさつ》を聞いているはずですし、何より、新聞で〝自殺だ〟という続報が載りましたからね」

藤野も、その記事は見た。続報は紙面の隅の小さな記事だった。

「しかし、それでは学校としてのけじめになりませんのでね」津崎校長は言った。「正式に生徒たちに報告するべきだと考えたのです。全校集会で話しているとき、特に生徒たちの動揺は感じませんでした。泣いている生徒も見当たらなかったと思います。自殺だという情報が行き渡って、生徒たちは生徒たちなりに、それを理解しているのだなと感じました」

一分間の黙禱《もくとう》をして、校長は集会での話を終えたという。

「それでも念のために、冬休みじゅう、スクールカウンセラーを置いてはどうかと話し合っていたんですよ」と、高木先生が言った。「公立の学校では、まだほとんど導入されていないんです。区の教育委員会とも相談しなくちゃなりませんし、予算や人員の問題もあって、おいそれとは実現できないことですが……」

頭痛でもするのか、こめかみを指で押さえている。

「教育委員会では、スクールカウンセラーを置くならば、学校単位ではなく、教育委員会主導の横断的な機構にするべきだという意見が強いのです。学校単位にすると

――結局、生徒が相談しにくくなるというんですね。そこで打ち明けたことが、担任教師の耳に入るのではないかとか、いじめ問題を相談しても、苛《いじ》めている側の生徒に、その相談内容が漏らされるのではないかとか。でも、教育委員会主導の形にすると、学校というひとつの単位のなかでの序列を乱すといいますか、上下関係を飛び越して、要するに先生の頭越しに、生徒たちが直《じか》に教育委員会に文句を言ってもいいんだと解釈される危険があるんです。教育委員会では、それを〝目安箱〟的な働きをも併せ持つ相談室だと言いますが、目安箱というのは常に諸刃《もろは》の剣《つるぎ》ですし、何でもかんでも教育委員会に訴えればいいんだということになると、現場の先生たちが不当な圧力を受けることに――」

ここまではうなずいて聞いていた藤野だが、さすがに止めに入った。

「ちょっと、ちょっと待ってください。その詳しいお話はまた別の機会に伺います」

ベテラン教師らしい落ち着きのある風貌《ふうぼう》、そして厳しそうな顔立ちにまぎれてはいるが、高木学年主任は、この告発状に、実は相当うろたえているのだろう。眼前の告発状を正視したくないので、他の問題の方に話題を持っていってしまっているのだ。

「し、失礼しました」

少しあわてて、口ごもりながら、高木先生は謝罪した。

「休みの間中、このことばかりで走り回っていたものですから」

藤野は黙ってこの謝罪を受け流した。事実、始業式の日にはふさわしくないほどに、学年主任は疲れているように見えた。本当に忙殺されていたのだろう。

「先生たちのあいだでは、いかがですか。柏木君の死の理由について、どなたか不審を覚えているということはないですか」

津崎校長はぐっと口を閉じ、しばらく考えてから答えた。

「そういう意見を聞いたことはありません。高木先生の言ったとおり、冬休み中に我々がしていたことは、今後の対策ばかりでした。柏木君のことは、自殺という大変不幸な出来事として受け止めて——それが結論になっております」

「休み中は、先生方は学校に」

「誰かしら来ておりました。まったく誰も登校しなかったのは、元日だけです。スクールカウンセラーについての話し合いもありましたし、三年生はいよいよ高校受験が始まりますので、いろいろと準備がありますから、三年生の担任の先生たちは、連日のように登校しておりました」

「そうやって先生方が集まっても、柏木君の死について、自殺以外の可能性が持ち出されることは一度もなかったと」

「ありませんでした」

藤野はゆっくりとうなずいて、二通の双子の告発状に視線を落とした。

「この告発状を書いた人物は、柏木君が屋上から突き落とされるのを目撃したと述べていますね」

校長と学年主任は、藤野と同じように告発状に目を落とし、硬い表情でうなずいた。

「念を押すようですが、これまで、この種の目撃情報について耳にされたことはありますか？」

高木先生の声が跳ね上がった。「とんでもない！　そんなことがあったなら、今ごろ、今後の学校運営をどうこうなんていう悠長なことを言ってはいられません」

「校長先生は」

津崎校長は無言のまま首を横に振った。そして藤野の顔を見ると、

「生徒の保護者としてではなく、現役の警察官としての藤野さんにお尋ねしたいのですが」と切り出した。「このように――あるひとつの事件のけりがついた後、それを根こそぎひっくり返すような新しい情報が出てくるということは、よくあるのでしょうか。こうした後出しの情報を信じてよいものですか」

藤野は身を起こし、背筋を伸ばした。

「最初のご質問に対しては、さして珍しいことではないとお答えできます。理由はさまざまですね。事件が熱いうちには口を開く勇気のなかった人物が、事件が終息してしまうことで焦《あせ》りを覚えたり、後ろめたさを感じたりして、あとからそっと捜査関係者に接触してくる場合もあれば、単なる〝お騒がせ〟が嘘《うそ》八百を言いふらすこともあるからです」

校長はうなずく。

「二番目のご質問に対しても、ですから、ケースバイケースだとしかお答えのしようがありません。少なくとも現時点では」

津崎校長の丸々とした肩が落ちた。高木先生は身を乗り出してきた。

「でも、この〝ボク〟という生徒は、本校の二年生だと考えて間違いないと思います」

「なぜそう思われます？」

「柏木君の事件に強い衝撃を受けたのは、やはり同年の二年生たちですし、ここに名前を挙げられている大出、井口、橋田の三人組についてもよく知っているわけですから。それに、この手紙を藤野涼子さん宛《あて》に送って寄越したというだけでも、そう断定して差し支えないんじゃないでしょうか。涼子さんのお父さんが警察にお勤めだということを知っていて手紙を寄越したんでしょう。まさか、涼子さんが柏木君のクラスのクラス委員だからというわけではないと思いますよ」

それについては藤野もまったく同意見だった。告発状の主が誰であるにしろ、学校内で涼子の身近にいる人物だろう。ただし、それを口に出すことは避けた。代わりにこう言った。「妥当なご意見だとは思いますが、あくまで可能性です。ですから今のご意見は、まだ先生の胸の内にしまっておいていただく方がいいと思いますね」

「この男子生徒を探してはいけないということでしょうか」

「生徒とは限りませんよ、先生。思い込みはいけません」

高木先生は目を細めた。何か反論があるらしかったが、学年主任がそれを口にする前に、藤野は先んじた。

「〝ボク〟と名乗っているからといって、男子生徒であるとも限りません。この告発の真偽の如何《いかん》にかかわらず、これを出した人物は相当ビクついているでしょうし、自分の正体を突き止められることのないよう、それなりに頭を働かせて工夫しています。消印が東京中央郵便局になっているのが、その好《よ》い例です。地元の郵便局の消印が押されることを嫌って、わざわざ都心まで出て行って投函《とうかん》したに違いない。それぐらいの頭があるなら、性別を偽ることだって考えられるでしょう」

「藤野さんのおっしゃるとおりですね」津崎校長が言った。学年主任に対して、ずいぶん丁寧な言葉遣いをしている。「あわててはいけないと思いますよ、高木先生」

「それはわかっておりますけど……」

高木先生はたぶん、〝ボク〟をとっ捕まえ、「ちょっとそこに座りなさい」と正面に座らせて、「いったいどうしてこんな人騒がせなことをしたの？　あなたが言ってることは本当なの？　それならなぜ今まで黙っていたの？　嘘だとしたら、なぜこんなとっぴな嘘をついたんですか？」と、叱《しか》りつけたくてうずうずしているのだろう。

「ここで名指しされている三人の生徒は、みんな二年生ですね？」

津崎校長が答えた。「はい、そうです」

「三人とも柏木君のクラスメイトですか」

「いえ、違います」

高木先生が口を挟んだ。「一年生のときは同じクラスでしたよ、校長」

そして藤野に目を向けると、

「それで三人がつるみましてね。いろいろと問題行動を起こすことが多かったので、二年に進級するとき、親分格である大出君を別のクラスにしたのです。それでも彼らがつるんでいることに変わりはありませんが」

「はっきり言って、三人とも問題児だということですね？」

「そうです。指導に苦労しています」

「どういうタイプの問題児ですか。暴力的なんですか」

「それも含めて、規律を乱すということです。授業妨害もありますし、他の生徒を脅したり、からんだりすることもあります。遅刻や勝手な早退も目につきます」

「先生に対しても暴力的ですか」

津崎校長と高木先生が、さっと顔を見合わせた。どんな返事がかえってくるか、藤野は注意深く見守った。

「これまで、教師に暴力をふるったということはありません」と、校長が答えた。

「校内の器物や備品を破損したことはありますが」

「過去に、この三人にからんで、城東警察署に連絡して介入を要請するような事件は起こっていますか」

「いや、それはありません」即答だった。

「一度も？」

「はい」

「要請しようかと検討されたことは？」

高木学年主任は校長の顔を見たが、校長は視線を下げて告発状を見ていた。

「そこまでの事態は発生しておりません」

学年主任の顔には違う返答が浮かんでいたが、それは言葉にされることはなかった。

「わかりました。要するに、三中では有名な札付きのワル三人組だと解釈してよろしいわけですね。ここで名指しされて——その真偽にかかわらずですよ——誰も不思議には思わない三人組だ」

校長は息を吐《つ》いた。「残念ですが、おっしゃるとおりです」

「しかし件《くだん》の噂《うわさ》は事実無根だと」

「そうです。印象から生まれた無責任な風評でした。実際、柏木君とあの三人に深い付き合いがなかったことを知っている生徒も大勢いますから、そんな噂は長持ちしなかったのだと思います」

涼子もそんな話をしてはいなかったと、藤野は思った。

「大出という生徒がリーダーです」と、高木先生が言った。「あとの二人は、まあオマケみたいなものですよ。単独では騒ぎを起こしません」

「先生方の目にはそう見える、ということですね」と、藤野は釘《くぎ》を刺した。高木先生の頬の線が強張《こわば》った。

「わたしは実際にこの子たちの指導にあたっておりますから――」

「ええ、それはよく承知しております」

藤野は、昨年十一月中ごろから始まった柏木卓也の不登校のきっかけが、理科準備室でこの三人と衝突したことにあるらしいということは聞いている、と言った。

「柏木君とこの三人の関係は、先生方から見ても緊張度の高いものだったんですか」

「そのようには見えませんでした。保護者集会でもお話ししたことですが……」

「ええ、それも家内から聞いています。理科準備室での事件が起こる以前から、特に柏木君が標的にされている様子はなかったということだそうですが」

「はい」

「この三人の保護者は、学校側が彼らに抱いている問題意識に対して協力的ですか？」

今度は、校長と学年主任が視線を合わせることはなかった。が、揃《そろ》って同じ表情を浮かべた。やりきれない。腹立たしい。

「いいえ。まったく違います」尖《とが》った声で、高木先生が答えた。「むしろ、非協力的を通り越して、はっきり敵対的だと申し上げていいと思います」

「そこまでは――」と、校長が遮る。

「少なくとも大出君の保護者はそうですよ、校長」と、学年主任は押し返した。

「そうすると、この告発状の扱い方がますます難しくなってきますね」

校長も学年主任も、藤野から忠告されなくても、難しいのは最初からわかっていると言いたいだろう。が、二人とも黙っていた。

「率直に申し上げます」藤野は言って、最初に学年主任の顔を、ついで津崎校長の目を真《ま》っ直《す》ぐに見た。校長も臆《おく》せず目を上げている。

「今回の事態にどう対処されるのか、それはまず、第一段階としては学校内の問題です。学校の自治の。本来私は、一人の保護者としてそこに意見を述べるだけに留まる存在です。もちろん、必要とあれば強く意見を言うつもりではありますが」

校長がつと目を閉じてうなずく。

「ただややこしいのは、私は警察官でもあるということです。しかも告発状の一通は、私の娘宛に来ている。こうなると、保護者として学校に一義的な判断を任せてじっとしているわけにもいきません」

「どうなさるおつもりですか」高木先生が訊《き》いた。声が緊張している。

「これから城東警察署へ行って、柏木君の件を担当した刑事に会ってみようと思っています。もちろん、この手紙も見せますが」

学年主任が目に見えて狼狽《ろうばい》したので、藤野は口調を和らげた。津崎校長は表情を変えず、じっと傾聴してくれている。

「内容が外部に漏れることのないよう、充分に気をつけます。城東警察署でも、私と同じように考えるはずですよ。何の証拠もないのに、無記名の、定規を使って字体をごまかしたような告げ口の手紙一通で、大出君たちが後ろ指さされるようなことになってはいけません。たとえ、日ごろの素行に問題があるとしてもです」

「ありがとうございます」津崎校長が言った。

学年主任はまだうろたえている。手をあげて口元にあてたが、その指先が震えていた。

「警察に行くのは――わたしたちが、対策を協議してからではいけませんでしょうか。つまり、警察にはわたしたちが連絡するというのでは。そして当面は、わたしたちに対処を任せてもらうんです」

藤野はこれを憂慮していたのだった。だから先手を打つつもりで来たのだ。

協議して、協議して、もしも城東三中の先生たちが、とりあえずは様子を見ることにしようという結論を出してしまったら？　柏木卓也は自殺したのだ。この手紙はイタズラだろう、と。その可能性は大いにある。学校が〝ボク〟を探すにしろ放っておくにしろ、手紙は握りつぶされることになってしまう。言葉は悪いが、事実としてはそうだ。藤野はそれを避けたかった。

「残念ながら、それはできません」

「でも——」

「高木先生、念のために申し上げますが、私はこの手紙に、〝警察にしらせてください〟と書いてあるから報《しら》せるのではありません。つまり、この内容を鵜呑《うの》みにしているのではないんです。学校の自治権を尊重しないわけでもありません。しかし私は警察官です。嘘か真実かわからないが、殺人現場を目撃したという証言が出てきた以上、放置してはおけないのです」

「でも嘘か本当かわからないのに」

「わからないからこそ、慎重に調べる必要があります。そしてそれは、失礼ですが、先生方の手に負える性質の事柄ではありません」

「おそらく」と、小声で言って、津崎校長は彼宛に来た方の告発状を手に取った。そしてもう一度、今度は声を強めて「おそらくは」と言い直し、続けた。「この〝ボク〟と名乗る人物が藤野さん宛に手紙を出したのも、そのあたりのことを見越したからでしょう。内容の真偽も、〝ボク〟の意図もわかりませんが、とにかく、学校宛に出しただけでは自分の目的は果たせないと考えたのでしょう。なかなか賢い」

藤野は少し驚いた。正直な先生だ。学校側が、告発状を握りつぶしてしまう可能性があることを進んで認めた。

「だったら、なぜ城東警察署宛に出さないんでしょう？」高木先生が、藤野にではなく、校長に反論した。「それがいちばん確実じゃないですか」

「届いているかもしれませんよ、今頃」と、藤野はきっぱり言った。「それも確かめたいですね」

「届いていたら、とっくに連絡があるんじゃないでしょうか」

「警察には、差出人不明の怪しい郵便物がたくさん送られてきます。まだ開封されていないだけかもしれません。あるいは、届いて開封されていても、城東警察としても扱いに困っているのかもしれない」

「だから！」と、高木先生は強調する。「わたしたちがこの件については学校に任せてくれと言えば、そうしてくれるでしょう」

「〝ボク〟がわざわざうちの娘宛に、おそらくはその父親の私の目に留まることを予想して告発状を寄越したのは、学校や警察宛に出しただけでは、そういうふうに事を収められてしまうかもしれないと不安に思ったからですよ。そう考えられませんか？」

藤野はこのことを言うためだけに、校長室を訪ねたようなものだ。学校にも告発状が届いていたのは僥倖《ぎょうこう》だったが、欲を言うならば、校長一人でいてくれた方がよかった。

「でも——そんな——こんな手紙をそこまで真に受けるなんて、おかしいですよ。どうせイタズラなんですから、放っておいたってかまわないくらいです。こんなことで終わった事件を蒸し返して、生徒たちを怖がらせたくないんです、わたしは」

高木先生は食い下がる。真面目《まじめ》で経験豊富であろうこの先生を、藤野はけっして軽んじるわけではない。が、今この場では、高木学年主任は自分に嘘《うそ》をついていると思わざるを得ない。生徒たちを怖がらせたくない？　それは理由の小さい方のひとつでしかない。あなたがこんなにもうろたえるいちばん大きな理由は、他にあるはずだ。

学校の面子《メンツ》、体面だ。評判だ。高校受験を控えた三年生たちのことも頭をよぎっているに違いない。

学校から自殺者が出るのも痛手だが、殺人事件となれば、傷の大きさ深さは桁違《けたちが》いになる。生徒が生徒を殺したとなれば。事実がそうではなくても、そんな噂が立っただけで。

だからこそ放置してはいけないのだと言っているのに。

「私は、できるだけ早く、静かに行動して、この〝ボク〟を特定しなくてはならないと思います」と、藤野は言った。「手紙の内容の真偽を確かめるためだけではありません。叱りつけるためでもない。よろしいですか。この手紙を書いた人物は、さっき校長先生がおっしゃったとおり、かなり頭が回ります」

とっさに、「人物」と言うべきところを「生徒」と言いそうになった。

「学校が動いてくれない、誰も警察に報せてくれそうもないと感じ取れば、次の行動を起こす可能性は大変高い。そうなったら、学校側で状況をコントロールすることができなくなりますよ」

「次の行動とは?」と、津崎校長が訊いた。訊きながら、たぶんこの人は答えを承知していると藤野は思った。

「問題を学校から、地域から外に出すことです。メディアに向けて情報を漏らすことです。そんな手段はいくらだってある。一通の手紙。電話の一本。マスコミは飛びつくでしょう。そして早晩、最初の手紙が学校によって握りつぶされたことまで調べあげますよ。それだけはあってはならない。それを避けるためには、早く生身の〝ボク〟に会う必要があるんです」

学年主任は黙り込んだ。口元が引きつっている。津崎校長は、手にした告発状から目を離さない。

「今の段階では、少なくとも、この〝ボク〟は学校や保護者に期待を抱いています。それが真実を探し当ててほしいという切なる期待なのか、自分の大嘘に騙《だま》されて右往左往してくれるだろうという意地悪な期待なのか、それはわかりません。そんなのは、本人を特定してから聞き出せば済むことだ。今肝心なのは、どんな期待であれその期待を裏切らないことです。様子を見ようとか、悠長な反応をしている時間はありません。ましてやイタズラだと放置するなど論外です」

「わたしは……わたしには、よくわかりませんね。ついていかれないですよ」

高木先生は声まで震え出した。今や狼狽だけではない。怒っている。藤野に腹を立てているのだ。

「こんな手紙、信用できるわけないじゃないですか。書いたのは生徒に決まっています。今頃になって目撃証言が出てくるなんて、映画やドラマじゃあるまいし、嘘っぱちですよ。大真面目に受け取るのは間違いですよ」

「高木先生」と、津崎校長が穏やかに言った。「藤野さんは、この手紙が嘘か本当かを問題にしているんじゃないんですよ。おかしな話だが、それは二の次なんです。もっとも切実な問題は、これに我々が正しく対処できるかどうかなのですよ」

「正しい対処って、どんな対処です？　騒ぎを大きくすることですか」

「高木先生――」

「城東警察署だって、わたしたちからきちんと頼めば、わたしたちが、こんな人騒がせな手紙を書いた生徒を見つけると約束すれば、そっとしておいてくれるんじゃないですか。だって柏木君は自殺したんだという結論を出したのは、警察ですよ！」

　高木先生の声が校長室の壁に反響した。その残響が消えると、しばし沈黙が落ちた。

「そろそろホームルームが終わります」

　壁の時計を見上げて、津崎校長が言った。十二時を五分過ぎている。

「高木先生、職員室へ行ってください」

　立ち上がろうとしない高木先生を、もう一度「お願いします」と促した。

「でも校長」

「席を外してほしいのですよ」

　ようやく、高木学年主任は校長室を出て行った。藤野と二人になると、津崎校長は丸々とした手でつるりと額を撫《な》で、ちょっとのあいだ目を閉じた。

　それから、ため息と共に言った。「ありがとうございました」

何に対する謝辞なのか判じかねたので、藤野は黙って校長の顔を見た。

「藤野さんがおられなかったら、この件については様子を見よう——要するに、こんな人騒がせな告発状など、黙殺してしまおうという結論になったでしょう。学校というところにはそういう性向があります」

あえて意地悪く、藤野は訊いた。「もしも私が口出ししなかったら、校長先生も〝臭いものにはフタ〟の方に手をあげておられたという意味ですか？」

意外なことに、津崎校長は微笑《ほほえ》んだ。「かもしれません。それではまずいと思いつつも、どうせイタズラだろうと考えた方が楽ですからな。それでなくても、柏木君の死以来、解決しなくてはならない問題が山積しています。そっちの方が大事だと、自分を説得することは易しい。その論旨で、警察の方を説くことも易しい。我々は教師ですから、言い聞かせることには長《た》けています」

藤野も微笑した。面白いことを言う校長だ。

「しかし、早々とその手は封じられた」

「おっしゃるとおりです。封じさせてもらいました」

校長は真顔に戻った。「これから、具体的にはまずどうすればよろしいのでしょう。私からも城東警察署に相談するつもりですが、どんな手が考えられますか。警察ではどんな手段をとりたがるでしょうな」

これも意外な質問だった。この先生は実務家だ。

「担当刑事がどう考えるか、私にはわかりません。申し上げられるのは、私が城東警察署で提案しようと思っている意見だけですが」

「それをお聞かせください。ご意見を伺った上で、この件に関しては、私が全責任を負って対処します」

藤野は軽く眉毛《まゆげ》を吊《つ》り上げた。「もちろん校長先生がこの学校の責任者でしょうが」

「他の職員には諮《はか》りません。告発状のことは、可能な限り伏せておきます。騒ぎを拡大させず、早急に適切な措置をとるためには、この件について知っている教職員はごく少なく限られている方がいいと思います」

黙殺するのではなく、極秘裏に解決する。確かにそれは理想だが、

「そんなことが可能ですか？　さっきの先生とか」

「高木先生は、私とは別の理由で、告発状の存在を伏せておきたいと思っているでしょうから、大丈夫です」

津崎校長の頬に、苦い笑みがかすかに浮かんですぐ消えた。

「私が全権を以《もっ》て対策を決めれば、協力してくれるでしょう。いえ、協力させます」

「わかりました」

藤野は津崎校長の正面に座り直した。校長は自分の机の上から事務用箋《ようせん》を持ってきて、ペンを取った。

「さっきはまぜっかえすような言い方をしましたが、告発状の主は、まず間違いなく二年生の生徒でしょう。柏木君やうちの娘のごく近くにいる子供だと思います。クラスメイトだと断定してもいいかもしれません」

「私もそう思います」

「ですからその子に、君の告発状は確かに届いた、受け取ったと、だから学校は警察に報せて、一緒に動き出したよということを報せるのは、難しいことではありません。それにはなにも、柏木君の事件に疑わしいところが出てきたから、再捜査が始まるなんて、〝ボク〟の要求した額面どおりにしてやる必要もありません。たとえば、こういう悲しいことを防ぐ手立てを考えるために、柏木君の不幸な事件をひとつのケーススタディとして研究するために、また学校の警備の問題を見直すためにも、学校と城東警察署が協力して、まだいくらか調べたいことがある。あるいは、警察を含めた外部の専門家の人たちが、生徒の皆さんに、学校生活の悩みなどについて、何か訊きにいくことがあるかもしれないけれど、その場合には協力してほしい。プライバシーはしっかりと守るからと、そんなふうにお膳立《ぜんだ》てしたらどうかと思うんです。同時に、今回のことでみんなもいろいろ考えたり悩んだりしたろう、先生たちもみんなの気持ちを知りたい、担任の先生にでも校長先生にでもいいから、自由に手紙を書いてくれないかと。それ専用の投書箱を置いてもいい」

きちんとした楷書《かいしょ》で、驚くほどのスピードで、津崎校長は書き取っている。長年、板書で鍛えた筆力だ。

「〝ボク〟はすぐ反応すると思います。何か書いて寄越すかもしれませんし、あるいは城東警察署に直《じか》に情報を渡そうとするかもしれません。そうでなくても、先生方が、生徒たちの学校側のアクションに対する反応を観察するだけで、彼もしくは彼女を特定することまでできるかもしれないと、私は思います。こういうことをする子供は、意志は強いかもしれませんが、気は弱いはずだ。今も、告発状がどんなふうに受け取られているか、ああかこうかと想像して、内心ではひどく怯《おび》えているはずです。少し環境を整えてやれば、必ずそれが態度に表れてくることでしょう」

しっかり書き取ってから、津崎校長は目を上げた。

「藤野さんは、この子の告発の真偽については、本当に二の次だと考えておられるようですね」

「ええ、そうです。というより、嘘である公算が強いと思います」

「なぜです？」と、校長は丸い目を瞠《みは》った。

「事件当時、城東警察がどの程度綿密な捜査を行ったのか、私は知りません。ただ、何より柏木君のご両親が、事件前から、彼が自殺するのではないかと案じていたということが大きい。状況からして、あれが殺人事件だったとは、私には思えません」

　それを踏まえた上でと、藤野は続けた。

「柏木君が突き落とされる現場を見た、犯人たちは笑いながら逃げていった。これほどの大きな証言にしては、出てくる時期が遅すぎますし、また早すぎます。つまり半端《はん》《ぱ》なんですよ。遅すぎるというのは、本当にその現場を見たならば、犯人たちが逃げ去るのを見届けて、すぐ一一〇番通報をせずにはいられないのが普通の人間の心理であろうという意味でです。十四、五歳の子供でも、殺人という大きな出来事に対する心の動きは、もう大人と同じはずだ。幼児じゃありませんからね」

　部屋の外、廊下のスピーカーから、ホームルームの終了を報《しら》せる音楽が流れ出した。

「一方、早すぎるというのは、その場では何らかの理由で——恐怖や、犯人たちへの仲間意識や、係わり合いになるのが嫌だという気持ちや——それやこれやで通報できなかったけれど、しかし、柏木君の死が自殺として片付けられてしまうと、黙っていられなくなってきたという意味では早すぎるということなんです。今日は始業式でしょう。もう何日か、本当に事件は終結してしまったということが体感できるまで待つのが自然です。たとえば、今朝の校長先生のスピーチの後に告発状が書かれたというのならわかります。新聞で読んだだけじゃない、噂《うわさ》で聞いただけじゃない、校長先生までああ言ってる。学校は元通りに、何事もなかったみたいに新学期が始まるんだ。ああ、柏木君は本当は殺されたのに、それを知っているのはもう自分だけなのだということが頭に染《し》み込んで、こうしてはいられないと動き出すには、最低でもあと数日は必要なはずです。中学生にとっては、新聞に載っていることが社会の動きじゃないでしょう。学校で起こっていることこそが社会なんです。それを体感するには、学校に出てこないことには始まらないはずだ。しかしこの告発状は、学校が冬眠していた冬休みのうちに書かれている。ようやく学校が動き出す、始業式の日を狙《ねら》って届くように。不自然ですよ」

二度、三度とうなずいて、津崎校長は藤野の顔を見上げた。校長は小柄なので、座っていても目の高さが違う。このときふと、藤野はそれを気恥ずかしいように思った。専門家ぶって（実際専門家なのだが）、居丈高に演説してしまったようで。

「よくわかりました」校長の声は暗く沈んでいた。「これが嘘であるならば、本当であるときと同じくらい、大きな問題です。この子は何か切実な理由があって、柏木君の事件の関係者の心を揺さぶりたいと願っている。私は心配になってきました」

「何がです?」

「校長の私と藤野さん以外のところにも、同じ告発状が送られている可能性があると思うのですよ。城東警察ではなく、他の生徒の家庭です」

一瞬、顔を見合わせた。

「柏木君のご両親ですか」

「はい。それにもう一人。柏木君を発見した野田健一君という生徒がいます。彼もその意味では関係者でしょう」

うなずき、一拍おいて藤野は言い足した。

「当の三人組の家も考えられませんか? 見たぞ、目撃していたぞという告発状が」

告発がでっちあげであるとするならば、標的はむしろ、大出、井口、橋田の三人なのではないか。目の前が開けるように、藤野はそれを思った。一度流れ、すぐに消えた三人に対する悪い噂こそ、この〝告発者〟が蒸し返そうとしているものなのではないか。津崎校長も同じことを考えているようだった。

壁ひとつ隔てた廊下に、生徒たちのにぎやかな声と足音があふれ出してきた。

17

城東警察署を訪ねると、運よく、柏木卓也の事件を担当した二人の刑事が、二人とも署にいてくれた。一人は会議中ということで、藤野はまず、佐々木礼子《ささきれいこ》という少年課の女性刑事と話すことになった。

もちろん、藤野が現役の警察官であり、しかも本庁の刑事だという事実にも効果があったのだろうが、佐々木刑事は呑《の》み込みが早く、対応も機敏だった。彼女はまず、郵便室で、今現在署に到着している郵便物をすべて調べる、という。

「午前中に着いた分は、もう各課に配られてるんじゃないですか」

かつかつと靴の踵《かかと》を鳴らして廊下を急ぐ彼女と一緒に歩きながら、藤野は尋ねた。

「そうですが、リストがありますから」

「リスト？」

「ここでは、着いた郵便物をすべてリストにしてから、それぞれの宛先《あてさき》に配るんです」

郵便室は署内の北側の、陽《ひ》のあたらない寒い部屋だった。佐々木刑事の言う「誰もやりたがるはずのない」作業をしているのは、おそらくは退官間際《まぎわ》の巡査なのだろう、痩《や》せた年配者だった。刑事の要請に応《こた》えて、すぐ本日到着分のリストを出してきた。

「念のため、昨日の分も見せてもらえませんか？」

「そっちは私が見ましょう」

室内の一角にある作業机でリストを広げ、二人でリストに目を通した。

「速達なんですよね？」

「うちと学校に来たのはそうだった」

差出人不明の速達は、二日分のリストのなかには存在しなかった。

「午後の配達分が着いたら、わたしに報せてください。内線331の佐々木です」と、女性刑事は郵便チェック係に言った。藤野は、表書きを、定規を使ったらしい金釘《かなくぎ》文字で書いてある封書だと説明を添えた。

「そんな特徴のあるものなら、わかり易《やす》い。見つけたら、すぐお報せします。年明けから今日までのリストも、私の方で見直してみましょう」と、チェック係の巡査は言った。

郵便室を出ると、佐々木刑事は小声で言った。「気の毒に。あんな仕事、わたしだったら三日で我慢が切れます」

佐々木刑事の口ぶりからは、彼女がこのシステムを立派なものだと評価しているのか、一人前の公僕を愚弄《ぐろう》するものだと憤《いきどお》っているのか、わかりかねた。

少年課はガヤガヤしているので、こちらへどうぞと言われ、彼女の後について、先ほど下りてきた階段を上ったところで、白髪混じりの髪を角刈りにした男性に出くわした。

「ああ、ちょうどよかった」

「会議は終わったんですね？」

「うん。そちらが？」

角刈りの男性は、藤野をさして、佐々木刑事に尋ねた。彼女はうなずき、藤野は名乗った。相手は、

「刑事課の名古屋《なごや》です」角刈りの頭をちょっと下げて、上目遣いに藤野を見、「生まれは埼玉なんですが、苗字《みょうじ》は名古屋でして」

愛想笑いをした。卑屈なようでもあり、藤野を値踏みしているようでもある、独特の目つきだ。この署では古株《ベテラン》なのだろうと、藤野は思った。

壁掛けタイプの電話と、机と折り畳み椅子《いす》があるだけの、殺風景な小部屋に通された。ドアに「使用中」「空き」と表示を変えることのできるプレートがついているが、

佐々木刑事も名古屋刑事もプレートには見向きもせず、「空き」にしたままさっさと入ってバタンとドアを閉めてしまった。

担当者が二人揃《そろ》ったので、藤野はもう一度、自分の立場と事情を説明した。

「文面に〝警察にしらせてください〟とあるんだから、これが署に届くことはないと思いますが、ま、気をつけておきましょう」

名古屋刑事は、藤野が渡した告発状を、老眼鏡をかけて読みながらそう言った。呑《のん》気《き》そうな口ぶりである。

「学校の先生方は、どうするとおっしゃっていましたか」

藤野は津崎校長と話し合ったことと、彼自身の提案した事柄について説明した。二人の刑事の態度には、はっきりした温度差が感じられた。佐々木刑事は時折あいづちをはさみながら熱心に聴いているが、名古屋刑事は何となく〝話半分〟という表情だ。

「わたしも、告発状の差出人に、ちゃんと受け取ったことを報せるという藤野さんのご提案には賛成です」と、佐々木刑事は言った。「そのために、生徒たちとの面談とか、聞き取り調査のような手法をとるというアイデアにも賛成します。そして〝ボク〟を特定し、ふさわしい対処をする。ただその場合、城東警察署が関与することはできません」

言い切って、女性刑事は急に別のことを質問した。「藤野さんは、ずっと刑事畑ひと筋でいらっしゃいますか」

藤野はちょっとまばたきした。「ええ、そうですが」

「少年課のご経験はないんですね」

「ありません」

「失礼な言い方になりますが、だからピンとこないのかもしれませんね。警察官が学校内で行われる活動に関与するというのは、由々しい事態なのです。気楽にやっていいことではありません。学校側も、簡単にそれを許してはいけないんです」

女性刑事は真剣そのものだった。

「私の提案は軽率でしたか」

佐々木刑事は強く首を振った。「わたしはけっして、協力したくないわけではないんです。むしろ積極的に協力したい。ただ、事が捜査ではなく、学校が自主的に行う調査である以上、署として公式に動くことはできないし、動いてはいけないと申し上げています」

「では、どうすればいいですかね。差出人の〝ボク〟の心を動かすには、警察の存在が必要だと思いますが」

佐々木刑事は真顔で考え込み、念を押すように訊《き》いた。「津崎校長は、この件は可能な限り伏せておいて、校長が全権で対策をとるとおっしゃっているのですよね？」

「そうです。明言しておられました」

「それならわたしは、一人の少年課刑事として、こういう不幸な出来事が起こった際の生徒たちの反応や、心理状態などについて学んでおきたいので、個人的にその調査を見学させてもらうよう、津崎校長にお願いして、承諾をもらったという形をとります。上司にも、それなら何とか話が通るでしょう」

「そんな大げさに、筋論《すじろん》にまで踏み込んで考えるほどのことかねえ」名古屋刑事は笑っている。「そこまでまっとうに相手してやらんでもいいんじゃないの」

「そうでしょうか。わたしはこの〝ボク〟を特定して、きちんと対応する必要があると思いますが」

「そうかぁ？　私ゃ、こりゃイタズラだと思うが」

藤野は二人のあいだに割って入った。「あなた方二人とも、この告発状の内容には信憑性《しんぴょうせい》がないと思っているんですね？」

世代が違い、性別も違い、意見の合わない二人の刑事が、揃って驚いた顔をした。

「はい、もちろんです」と、佐々木刑事が先に答える。「柏木君の件は自殺という結論で、間違いないと思います」

「何か疑問があるんですかな」

「それをお伺いしたいんです」と、藤野は言った。「校長先生にも訊きましたが、これまで、この件に事件性があるという話はどこからも入ってきていません。ただ、わたしは生徒の父親ですが、事件の詳細については、保護者集会で家内が聞いてきたことと、新聞で報道された事柄しか知らないんですよ。ですから、公《おおやけ》にされていない事項――捜査の都合上、学校サイドにさえ伏せていた、たとえば目撃証言などがあるんじゃないかとも思いましてね。担当者から、直《じか》に話を聞きたかったんです」

名古屋刑事は軽く両手を広げた。がっちりと固太りした体軀《たいく》に似合わぬ、骨ばった手だ。

「ありませんよ、そんなもの」

「通用門のそばには民家が建ち並んでいますね？　そこからも何も？」

「ありません。一応、聞き込みはしましたが」名古屋刑事はまた手帳を広げる。「当の柏木君の姿を見かけたという証言さえとれませんでしたよ。まあ、あの天気でしたからな」

その雪が、すべての物証——自殺を裏付けるものであれ、それ以外のものであれ——を消してしまっていることが、この件をややこしくしているのだが。

「では、公開されていない情報はないと？」

「ありません」今度は佐々木刑事が断言した。「柏木君のご両親は、当初から自殺だとおっしゃっていたんですが、遺書が見つからなかったので、わたしたち、かなり丁寧に調べたつもりです」

藤野は彼女に目を向けた。「あなたは、ここで名指しされている三人の行状については、柏木君のことがある以前から知っていましたか？」

佐々木刑事はすぐ認めた。「彼らはうちの有名人です。これまで、凶悪犯罪にからむようなことはなかったのが救いですが」

「他のどんなことをして有名なんです？」

佐々木刑事は数え上げる。「万引き、深夜徘徊《はいかい》、飲酒喫煙、自転車と自動二輪の窃盗、無免許運転。それとカツアゲですね」ため息をつく。「書き出せば、わたしの腕より長いリストになります」

「校内暴力は？」

「城東三中から相談や通報を受けたことはありません」

警察の介入を要請したことはないと、津崎校長も言っていた。但《ただ》し、そこまでの事態は起こっていないという校長の言葉に、高木学年主任は異議を唱えたそうな顔をしていたが。

「柏木君の死と、この三人を結びつけて考えたことはありますか？」

佐々木刑事はかぶりを振った。「ありません。彼らの虐《いじ》めが柏木君を自殺に追いやったんではないかという噂《うわさ》が、学校内にあることは知っていました。でも、こちらからその可能性について伺うと、柏木君のご両親が、すぐ否定されましたので」

「はっきりと？」

「はい」

「根拠は？」

「息子は不登校になって以来、同級生たちの誰にも会っていないとおっしゃいました。電話がかかってきたこともないし、訪問があったわけでもない。柏木君はたまに外出することがあったそうですが、そういう時でもいつも一人だったそうです。外部の誰かと連絡をとっていることもなければ、誰かに呼び出されるようなこともなかった」

「金銭の動きは？」

「柏木君が、家からお金を持ち出すようなことは一度もなかったと、ご両親は断言しています。誰かにたかられたり、金を持ってこいと脅されている様子もなかったと。それは最近に限らず、過去にもです」

ボレーの応酬のようなやり取りになってきた。名古屋刑事はのんびりとそれを見物している。

ちょっと間をおいて息を継いでから、藤野は尋ねた。「そうすると、柏木君の死にからんで、大出君たちを調べたことはなかったわけですか。当日の彼らの行動や居場所について」

佐々木刑事は目を瞠《みは》った。乾いたくちびるが、ぽかんと開く。

「そんな必要があったとは思えません。誰かを調べるなんて——。そもそも殺人を疑う理由がありますか? 何より、ご両親が真っ先に自殺だと言っていたんですよ。わたしたちが近隣地区に丁寧な聞き込みをしたのは、あくまでも——」

「調べていないんですね?」

佐々木刑事は、この不当な詰問《きつもん》に対する憤懣《ふんまん》を分かち合いたいという顔つきで、相方を見た。名古屋刑事は反応せず、のほほんと藤野の顔を見ている。いつの間にか煙草《たばこ》を取り出して口にくわえていた。火はついていない。

「調べていません」腹立たしそうに、佐々木刑事は認めた。「事実としてはそうです。

でも、わたしは柏木君の事件のあと、何度か彼らに会いましたよ」

「訪ねたんですか？」

「いいえ。繁華街でうろついていますからね。見かけるんです。見かけたら、声をかけます。向こうもわたしの顔を知っています」

「柏木君の死の後、彼らが補導されたことはありますか」

「ありません。幸いなことに」

「彼らの態度に変化は」

「ありません。不幸なことに」

佐々木刑事は、相方に分かち合ってもらえなかった憤懣を、別の標的にぶつけることにしたようだ。目じりがきつく吊《つ》り上った。

「彼らの場合、問題は本人だけでなく、家庭にあります。児童虐待《ぎゃくたい》のなかに養育放棄《ネグレクト》というものがありますが、大出、橋田、井口家において行われているのは、わたしに言わせれば教育放棄ですね。彼らの両親は、彼らに好き勝手をさせ、ほったらかしにすることで、ならず者を育てているんです」

「彼らの両親と面談したことは？」

「何度もあります。本人を補導した場合、当然、親を呼びますから」怒りを抑えるためだろう、笑みを浮かべる。「わたしは大出俊次の父親に殴られかけたこともあります。殴ってくれれば、こちらとしても対処ができたんですけれど、先方は弁護士を連れてきてましてね。賢い弁護士先生が、止めに入ったんです」

この女性刑事なら、殴られたら殴り返すぐらいのことはやりそうである。

「なるほど」藤野は口調を緩めて言った。「最初に申し上げたとおり、私自身、この告発状の内容は疑わしい、作り話だと考えています。大出君たちが疑われる理由は見当たらない。柏木君の死の当時、あなたが自殺以外の理由を積極的に探す必要を感じなかったのも、わかります。私が担当していても、同じようにしたでしょう。ただ、それを確認しておきたかったんですよ」

佐々木刑事はふんと鼻から息を吐いた。緊張は解けたようだが、まだ目元は張り詰めている。

「何だか、口頭試問を受けているように感じました」

「失礼しました」

本庁さんだもんねえと、揶揄《やゆ》するように名古屋刑事が言う。

「ま、そんなら、あとは学校と佐々木さんに任せてもいいですかな」折りたたみ椅子から腰を浮かせる。「私が駆り出されたのは、一報が入ったとき、事件性があるとまずいってんで、上が神経質になったからなんですよ。昨今、学校で何か起こると、マスコミがうるさいですしな」

「ええ、けっこうです。ありがとうございました」丁寧に応じてから、藤野は訊いた。

「火をつけないんですか」

「はあ？」

「煙草ですよ」

「ああ、私ゃ禁煙中でしてね。口淋《ざみ》しくなると、こうやってくわえとるんです」

名古屋刑事が出ていくと、佐々木刑事が顔をしかめた。

「ああしてると、フィルターが湿ってきますよね？」

「ええ」

「そうするとあの人、その煙草をまたパックのなかにしまいこむんですよ。けっして捨てないで、使い回すんです。あんなことを繰り返していたら、喫煙するより身体《からだ》に悪いような気がします」

藤野は笑った。佐々木刑事も苦笑する。やっとほぐれた。

「今後のことは、校長の津崎先生とよくご相談した上で、具体的にどんなサポートができるか考えていきたいと思います。嘘《うそ》の告発をしたという意味では、この〝ボク〟

という子を探し出して事情を訊くことは、立派にわたしの仕事の内ですし」

よろしくお願いしますと、藤野は頭をさげた。佐々木刑事は戸惑ったようだ。

「私は三中に通う生徒の父親でもあるんですよ」と、藤野は言った。

「そうですね。あの……」ちょっと躊躇《ためら》ってから、佐々木刑事は尋ねた。「お嬢さん宛《あて》の手紙を勝手に開封したことを、どうお思いですか。余計な質問かもしれませんが」

「かなりの激戦が予想されますね」と、藤野は答えた。女性刑事は吹き出した。

「うちの娘は、理を尽くして説けばわかってくれると思います。しかし問題は、私がこの封書を開封したのは、理に動かされたからではないということで。親の情でやったことですからね」

「難しい年頃ですよ」

「そのようですね。私にとってはまだまだ子供なんですが」

「わたしの父も、わたしが未《いま》だにおままごとをして遊びたがる女の子だと思ってるようなところがあります」

凛《りん》として背筋を伸ばし、洒落《しゃれ》っ気のないスーツに身を包み、男のような短髪にして紅の気もないこの女性にも、〝女の子〟の時代はあったのだ。

「私もひとつ、余計なことを訊いてもいいでしょうか」

問いかけると、佐々木刑事は小首をかしげて藤野を見た。

「あなたは事件のあと、大出君たち三人組と顔を合わせたとき、彼らと柏木君の死について話したことはありますか？　彼らに疑いをかけるという意味ではなくて、柏木君について、同級生が死を選んだという事件そのものについて、彼らがどんな感想を抱いているか」

何度かまばたきをしてから、佐々木刑事はうなずいた。

「大晦日《おおみそか》に、ライブラ——あのショッピング・モールですが」

「ええ、知っています」

「あのなかのゲームセンターで彼らを見つけて、ちょっと話したことがあります。柏木君自殺しちゃったね、というふうに切り出しまして」

急にバツが悪そうになって、

「もちろん本気ではなく、冗談——というのも不謹慎ですが、そのとき訊《き》いたんですよ。あんたたち、ホントに柏木君に何もしちゃいないでしょうねって」

「彼らは何と答えました？」

「とんでもないと、口々に否定しました。彼らはいつだって真面目《まじめ》ってことがありません。どんなときでも斜に構えて、ふにゃふにゃしています。座り方も立ち方もだらしないです。ですから、にわかに真剣になったわけじゃありませんでした。といいますか、そこで彼らが真剣な顔になったら、わたしはかえって警戒したと思います」

「何かあるなと」

「はい。ですからだらしない口調で、何バカなこと言ってんだよ、オバサンというような感じでしたけれども、三人とも、俺たちは関係ない、何もしていないと言いました。わたしはそれを信じました。今も信じています。あいつらはどうしようもない中坊で、このままだとどうしようもない大人になってしまう可能性大ですが、柏木君の死には、まったく無関係だと思います」

「疑われていたことに——噂もあったわけですし——怯《おび》えている様子はありましたか」

「不愉快じゃないわけはないと思いますが、深刻に受け止めてはいなかったと思います。怖がってもいませんでした」

——同級生が死んじゃったことについて、どう思う?

——自殺なんてするヤツはバカだよね。

——俺らはゼッタイ死なない。

――死ぬヤツは勝手に死にゃいいんだ。

そんなやりとりがあったという。

「そういえば」と、佐々木刑事は続けた。「柏木君てどんな子だったのと訊いたら、まあ彼らのことですから、面倒くさそうに〝知らねえよ〟なんて吹いてましたけど、ちょっと気になることを言いましたね。橋田君が」

――薄気味悪いヤツだった。

藤野は興味を惹《ひ》かれた。「薄気味悪い奴《やつ》、ですか」

「はい。藤野さんは彼らをご存知ですか」

「いや、まったく知りません。三人のなかでは、大出君がボスだそうですが」

「おっしゃるとおりです。彼の家は飛び抜けて裕福ですし、本人も、一部の女生徒にはけっこう人気があるくらいで、外見はなかなかカッコいい少年です。橋田君と井口君は、その左右に控えているというかぶらさがっているというか。橋田君は、背丈だけなら大出君より大きいですが、釘《くぎ》みたいに痩《や》せてます。井口君はその逆で、小柄で太り気味なんです。橋田君は無口で、井口君は、親分の尻馬《しりうま》に乗ってよくしゃべります」

問題のセリフは、日ごろは口数の少ない橋田の発言だったわけだ。

「薄気味悪い奴だった。橋田君がそう言うと、大出君と井口君が、ちょっと反応しました。これはわたしの推測ですが、警察《マッポ》のオバサンの前で余計なことを言うなよ、というような感じでした。いえ、でも」

わたしの考えすぎでしょうと、急いでかぶりを振った。

「いずれにしろ、彼らが柏木君の死を気にかけている様子はありませんでしたね。こんな言い方をするのは柏木君に対して申し訳ないですが、わたしはそれで、ああ本当に彼らは、どんな形であれ、柏木君の死には関係ないなと確信したんです」

「なぜです？」

「あの子たちは——やってることは大人顔負けにズル賢かったりしますが、やっぱりまだまだ子供の部分もたくさん持ちあわせています。わたしは城東署に来てからはまだ二年足らずですが、少年課では通算して五年目です。その経験から申し上げることで、生意気なようですが」

藤野は励ますつもりで先を促した。

「非行少年たちって、何かとても大きな事件を起こしてしまったり、関わってしまったときに、大人のようには、それを隠しておけないことが多いんです。罪の意識に苛《さいな》まれて、という場合もありますし、その逆で、自分のやったことを吹聴《ふいちょう》したいという誘惑に勝てない、ということもあります。あるいは、自分のやったことを正当化して、それを誰かに追認してもらいたいという気持ちもあるみたいに思えるんです。一人で抱え込んでいられないんですね。心の容量が、大人より少ないと言えばいいでしょうか。だから、どんな関わり方であれ、彼らが柏木君の死にタッチするところがあったなら、どうやったってそれが表情や態度に出てきたと思うんです。繰り返しますが、それで心を傷《いた》めているのではなく、それを〝手柄〟に——俺って凄《すご》いことやっちゃったぜ、と思っている場合だとしても、ですよ」

うなずける話だ。大人の犯罪者でも、心の容量が少ない者はいる。彼らのとる態度は、まさに今、佐々木刑事が言ったとおりのものだ。それが事件解決の端緒になったり、全面自供を取るきっかけになることもある。

「でも大出君たちには、何の変化もありませんでした。わたしが柏木君の話を持ち出したときも、いつもと同じようにだらしなく、悪ふざけをしていて、わたしに対して敵対的なくせに、妙に馴《な》れ馴《な》れしく図々《ずうずう》しい。いつもの三人でした。唯一《ゆいいつ》、変わったところといったら、橋田君のさっきのひと言だけでした」

——薄気味悪いヤツだった。

「よくわかりました。ありがとう」

そう言って、藤野は立ち上がった。

「この先、同じ警察官としての立場では、私はこれ以上発言しません。生徒の父親として、学校の対処を見守りたいと思います」

佐々木刑事も立ち上がった。と、そのとき、壁掛けタイプの電話機から、いきなり受話器が外れて落ちた。受話器は壁にぶつかり、コードにぶらさがって、床から二十センチぐらいのところでぶらぶらしている。

「嫌だわ」

佐々木刑事はぼやきながら、受話器を持ち上げて元のとおりにフックにかけた。

「うちの署、建物も備品もみんなオンボロで、あっちもこっちもガタがきてるんです。警察がこんなにもお金に困ってる役所だなんて、誰も教えてくれませんでした」

それは本庁も同じだと、藤野は言った。二人で笑ったが、出し抜けに受話器が外れた一瞬、自分がそうであったように、佐々木刑事もドキリとしたかどうか、心のなかで計りかねていた。

現在、藤野が身を置いている特別捜査本部は渋谷警察署内にある。地上げにからんだ放火殺人事件で、容疑者は二人組のチンピラだ。すでに身柄を拘束し、取調べが始まっている。

これまでの捜査で、実行犯が彼らであることに間違いはないと判明しているが、捜査本部にとっての本丸は別にある。彼らに殺人と放火を依頼した人物を特定し、その関与と共謀を裏づけ、起訴に堪えるだけの材料を集めてそいつを法廷にまで引きずり出さないことには、本当に事件を解決したことにはならないからだ。

藤野は担当の取調官ではないが、ずっと地取り捜査を指揮してきたし、この事件については自分がいちばんよく把握しているという自負もある。それだけに、帰宅してから本部に戻るのが遅れた上に、夕方になってからもう一度家に戻らせてもらうというのは、かなり気が引けた。

しかし、今日ばかりは電話で済ませるわけにはいかない。涼子と顔を突き合わせ、問題の手紙を彼女に渡した上で釈明する責任が、父親としての自分にはあると思う。

だが、なかなか身体が空かなかった。事件は他にもある。また間の悪いことに、午後になって、継続捜査扱いになって半年を経過した殺人事件に、新たな情報が寄せられたこともあって、その所轄署《しょかつしょ》に出向く用事もできた。渋谷署に戻ってきて、時計を見れば午後八時を過ぎている。

「副長、夕飯は？」

まだだった。考えることもなく「蕎麦《そば》でいい」と返事をした。この時刻になっても、本部のあちこちで電話が鳴っている。

「副長」

「蕎麦でいいって言ったろ」

「電話です。お嬢さんからですよ」

部下が笑っている。藤野が机を回って電話に近づいていくあいだに、「今かわるよ。涼子ちゃん、元気？」などと受話器に話しかけている。

この強行犯第三班で、藤野は指揮官の伊丹《いたみ》警部の補佐役ということになっており、班長の次席だから副長と呼ばれている。電話をとった紺野《こんの》という部下は、この春三班に配属されて来た若手で、頬にニキビ痕《あと》の残る独身男である。夏休みに、恋人もいないしレジャーに行くあてもないと愚痴ってばかりいるので、家に呼んで一緒にバーベキューを囲んだことがあり、そのとき涼子とも会った。以来、妙に親しんでしまったらしい。

「もしもし？」

「あ、お父さん」涼子の声が聞こえてきた。

「お仕事中にごめんなさい。今、少し話してもいい？」

「いいよ」

告発状はまだ藤野の手元にある。涼子が知るはずはない。何の用件だろう。口調に変わったところはないようだ。

「今日、部活が終わったあと、校長先生に呼ばれたの」

藤野は無言のまま眉《まゆ》を上げた。まだ紺野がこちらを見ていたので、背を向けた。

「本当は、お父さんから先にお話があるべきなんだけど、お忙しくてなかなか時間がとれないだろうからって。それと今後も、校長先生がお父さんに連絡をとることがあるかもしれないし、そのときにあたしがわけわからないといけないから、先生から事情を話しておきますって」

津崎校長の丸顔が目に浮かんだ。机に向かい、手編みのチョッキの裾《すそ》を引っ張りながら、自分から涼子に話すべきかどうか思案したのだろう。

「じゃ、聞いたのか」

「うん。校長先生、お父さんに、差し出がましいことをして申し訳ないってお詫《わ》びしてくださいって言ってた」

丁寧なことだ。

「お父さんもな、おまえと会って話したいと思ってたんだ。だけど」

「時間がなくて」と、涼子は先回りして言った。「わかってるよ」

うん、と、藤野は応じた。

「お父さん、もしかしてその手紙が、あたし宛《あて》のラブレターだとは思わなかった？」

「一瞬、考えた」

「それでも開けちゃったんだ」

「そうだ。悪かった」

電話の向こうで、涼子は笑い声をたてた。

「そんなにパッと謝られたら、あたし反抗できないな。あんまり親に逆らわない子供ってのも、逆に問題あるんだってよ」

藤野は黙っていた。

「今回はカンベンしてあげます」と、涼子は言った。

「そうか」

「うん。あたしがその速達受け取ってたとしても、金釘文字の表書きを見たら、すぐお父さんに相談してたと思うから」

「封を切らないうちに？」

「うーん、中身は見たかな。でも、開けるのが怖かったかもしれない」

わかんないやと、子供っぽい声になって言った。

「結果的に、手紙がそういう内容だって知ってるから、腹が立たないのかもしれないし。別の手紙だったら、今ごろスゴかったかも」

「そうだな」

「あたしには怒る権利があるってことは、認めてくれるんだよね」

「うん」

「だったら、いい」

藤野はほっとした。

「校長先生は、他に何とおっしゃった？」

涼子はちょっと黙った。返事に迷っているようだ。

「どうした？」

「いろいろ話してくれたけど、それ、あたしからしゃべっちゃっていいのかな。お父さんにも校長先生から連絡が行くと思うよ」

「そりゃそうだろうさ。でも、校長先生がおまえにはどんな話をしたのか知りたいな」

「これだから嫌なんだ、刑事は」と、涼子は短く笑う。そして声を潜めた。

「あのね、あの手紙――告発状は、校長先生とあたし宛に送られてきただけだったみたい」

「柏木君のご両親や森内先生には?」

「来てないの。速達なんだから、着いててもいいころでしょ。届いてないってことは、来てないのよ。誰からも何も言ってこないんだから、ほかには来てないのよ」

津崎校長は、それを確認するのにそうとう気を遣い、骨を折ったことだろうと、藤野は思った。いきなり「告発状が来てませんか」と尋ねては、騒ぎを大きくすることになる。

「担任の先生にも来てないのか……」

「そう。あたし、この告発者には、森内先生よりあてにされてたってことみたいね」

「おまえはクラス委員だからな」

今度は、涼子は笑わなかった。

「だからね、告発状のことは、校長先生と高木先生とお父さんとあたしと、あと城東警察署の人のあいだだけの秘密にしておきましょうって。えっと、これで何人?」

「人数はともかく、おまえもその一員ってことだな」

しかし、藤野は驚いた。「校長先生は、森内先生にも伏せておくっておっしゃったのか？　担任なんだぞ」

「あたしもどうかと思ったけど、でも豆ダヌキ、心配そうだった」

「心配？」

「モリリン、弱いんだもん。柏木君が死んだときも、ただ青くなってるばっかりで何もできなかった。最近やっと立ち直った感じなの。だから校長先生も心配なんじゃない？」

津崎校長は、〈お嬢様〉な森内先生よりも、クラス委員の涼子の方をあてにし、信を置いているというわけか。

ちらりと思った。津崎校長は森内恵美子を案じているというより、彼女の口からこの件が外部に漏れることの方を恐れているのではないか。森内先生がこの事態を受け止めきれるかどうか危ぶんでいる。彼女は三中の関係者という鎖のなかで、もっとも弱い輪だ。

これは津崎校長の独断ではなく、しきりと外聞を気にしていた高木先生の意向もあるかもしれない。さすがに、それを涼子に言うのは憚《はばか》られた。

「またモリリンと呼んだな。校長先生のことも、豆ダヌキとは何だ」

「いいじゃない。親しみを込めた綽名《あだな》です。で、この先、お父さんの助言を容《い》れて、何か調査みたいなことをするんですって？」

「そうだ。学校側がリアクションすれば、告発状の送り主はとりあえず落ち着くだろう」

涼子はふうんと言った。

「そういうことを説明してくれました」

「説明してくださいました、だ」

「くださいました」

「他に何か訊《き》かれなかったか？」

「あたしにこういう手紙を出してきそうな友達に、心当たりがありますかって」

それは藤野も尋ねたいと思っていたことだ。

「あるか？」

涼子は即答した。「全然」

「思い当たらない？」

「ていうか――そういうこと、ゼッタイにしないって確信のある友達はいるけど、それ以外の子たちのことはわかんないって意味よ」

「お父さんが刑事だってことは、おまえの友達のあいだでよく知られてるのかな」

「そんなに大勢に話したつもりはないよ。仲のいい子だけ。でも、こういう話って広がるもんね」

そこで初めて、涼子の声に不安の色が混じった。

「お父さん、校長先生に、この手紙に書かれてることは事実じゃないと思うって言ったんでしょ？」

「ああ、言った」

「ホントにそう思う？　それは刑事として」

「おまえはどう思う？」

「質問に質問で答える親はイヤだよね」と、涼子は茶化した。「答えは同じよ。わかんない。目撃者がいたなら、もっと早く出てきそうなもんだけど、怖くて言い出せなかったのかもしれないとも思うし」

「それは、手紙で名指しされている三人が怖いから、という意味か？　自分が通報したとバレたら仕返しされるとか」

涼子は驚いたようだった。「そんなこと考えてないよ。ただ巻き込まれるのが怖いって意味だけど……」

でもどうかなと、声が小さくなった。

「あいつら、何をやるかわからないってところはあるもの」

「大出、橋田、井口」

「うん。あ、言っとくけど、あたしは何も悪さされたことないからね」

「うん」

「ただあいつら——大出がね、言ってた。柏木君のお葬式の後にモールで会ったとき」

柏木卓也が自殺したとはっきりして、藤野の親父《おやじ》に逮捕される危険がなくなったという意味のことを言ったと、涼子は説明した。

「出棺の前に、柏木君のお父さんが挨拶《あいさつ》で、誰が聞いてもあれは自殺だったってわかるようなことを言ったの。でもあいつら、お葬式には来なかったのよ。何で知ってたのかな」

「おまえたちの前に、葬式帰りの誰かに会って、聞いたんだろう」

「ああ、そういえばそんなこと言ってた」

情報ほしさに、誰か通りかかるのを待って、モールにいたのかもしれない。充分考えられることだ。

「彼らは所轄の少年課じゃ有名人だそうだ」

「それ、全然フシギじゃないよ」

「校長先生と話したとき、最初は学年主任の高木先生も一緒だった。彼らが学校で起こしてきた騒ぎについて、何か言いたそうだったよ」

「いろいろやってるから。数え切れないくらいだよ、ホントに」

「それでおまえはどう思う？　彼らが柏木君に手を出した可能性はあると思うか」

ちょっとの間、涼子は黙っていた。藤野も黙ったまま待った。

「わからない」

「そうか」

「つながらないよ、あの三人と柏木君。だけど、それは外からそう見えていただけかもしれないし」

「そうだな」

「今度は、あたしがお父さんに訊きたい。家族は自殺だって思ってたのに、よく調べてみたら他殺だったってこと、ある？」

「すぐには思い当たらないな」

「そう……」

「珍しいと思うよ。その逆ならあるけどな」

検死で、現場検証で、ありとあらゆる要素が自死を示していても、なお納得しない遺族の心情というものはある。

「おまえの気分はどうだ?」

「モヤモヤしてる。あたし、手紙の主に頼まれたわけでしょ? 〝警察にしらせてください〟って」

「その頼みには応《こた》えたぞ」

「ていうか、お父さんが勝手に応えちゃったんじゃないの」

少しだけ声が尖《とが》った。自身で意識している以上に、涼子はやっぱり怒っているのかもしれない。藤野はふと、娘がいじらしくなった。

「そうだな。だけど、もうお前がこのことであれこれ考える必要はないよ。あとは先生と警察に任せなさい」

「お父さんは?」

「おまえの親としてのみ、かかわる。校長先生にもそう言ってきた」

「申し上げてきました、じゃない?」

藤野は笑った。涼子も笑った。

「何かあったら、また電話するね」そして涼子は急いで続けた。「また手紙が来たり、もしかして電話がかかってきたりするかもしれないじゃない？ この〝目撃者〟からさ」

「学校の対応が上手《うま》くいけば、それはないだろう。でも、おかしいと思うことがあったらすぐ教えてくれ」

「うん、そうする」

「お父さんのせいで、おまえも要らん気苦労をするな」

「さっきお母さんもそう言ってた。あ、ちょっと待って」

受話器を手で覆《おお》い、家族の誰かと話しているようだ。すぐ戻ってきて、

「今日、お父さんが着ていったワイシャツ、袖《そで》のボタンがとれてたでしょう。お母さんが付け直そうと思ってたんだって。よく見て着なさいってよ」

まったく気づかなかった。

「あと、瞳子《とうこ》が漢字のテストで百点を取ったのよ。帰ってきたら見てください」

「わかった」

「お父さん？」

「何だ」

「あたしのことなら心配しなくていいよ。けっこうしっかりしてるから」

今、そんなことを言うおまえは、お父さんの膝《ひざ》でおもらしいいしたこともあったのだと、つい言ってしまいそうになった。

「よくわかってるよ」

電話を切ると、出前の蕎麦《そば》が来ていた。紺野は大方食べ終えている。

「涼ちゃん、いつも可愛《かわい》いッスね」

ニヤついている部下をひと睨《にら》みして、藤野も冷たい蕎麦に手をつけた。

18

あたしの手紙は届いたろうか。ちゃんと受け取ってもらえたろうか。

三宅樹理は自室の机に向かい、小さな丸い手鏡を見ていた。陽《ひ》は暮れて、すでに空の茜色《あかねいろ》も失《う》せ、机の上のスタンドだけが光源だ。

どれほど熱心に手鏡をのぞきこんでも、劇的に美しい変化が訪れるわけではなかった。だから鏡は嫌いだ。けれど、今は自分の顔を見ているしかなかった。秘密を共有し、この煩悶《はんもん》を分かち合える相手がいないからだ。

浅井松子では駄目だ。樹理のやったことがどんな意味を持つのか、樹理が何をやろうとしているのか、わかっているような顔をしているだけで、実は何も理解していない。松子はただ優しいだけ。気がいいだけ。

今日の始業式では、校長先生は何も言っていなかった。まだ手紙が届いていなかったのかもしれない。速達にしたけれど、投函《とうかん》したのは昨日の午後だったから、配達されるのは今日の午後だったのかもしれない。

だったら今頃は――

校長先生には、学校宛《あて》に出した。自宅の住所を知らなかったからだ。だから、もう確実に届いているはずだ。

あとの二人はどうだろう？

あの虫の好かない藤野涼子。

大、大、大っ嫌いな森内先生。

あの二人は、「告発状」を読んでどんな顔をするだろう？　藤野涼子はすぐ父親に相談してくれるだろうか。森内先生は、校長先生に電話をかけるだろうか。

あるいは、自宅宛に出した手紙はまだ受け取っていないかもしれない。森内先生は、すでに校長先生から話を聞いているかもしれない。だったら、今夜家に帰って現物を見ても、そんなにビックリ仰天することはないだろう。

ちょっと残念だ。腰を抜かさせてやりたかったのに。校長先生宛のは、一日遅れて着くようにすればよかったかな。

森内先生は隣の江戸川区に住んでいる。独り住まいだ。夏休みに遊びに行った女生徒たちがいる。素敵なマンションだったとか、騒いでいた。ベランダでハーブを栽培してるんだとさ。バカみたいだ。気が知れない。

モリウチなんかに、どうして憧《あこが》れるんだろう。見てくれに騙《だま》されてるだけだってことが、なんでわからないんだろう。

見てくれが、そんなに大事か？

森内先生、うんとあわてて、真っ青になって、あたしのために走り回ってよ。骨を折ってよ。あいつら三人を、学校から追っ払って。そうでなかったら、あたし、次は、次は、もっと凄《すご》い手を打つつもりでいるんだからね。

三宅樹理は手鏡をのぞきこむ。学校側が、匿名《とくめい》の告発状の主を探し始めるかもしれないという懸念《けねん》は、今のところはまだ、彼女のなかでは差し迫ったものではない。

フラウコーポ江戸川。

森内恵美子《えみこ》は大学を卒業し、城東第三中学校に職を得ると、すぐここに引っ越してきた。実家は杉並区にあるから、通勤したって一向にかまわなかったのだが、就職を機に自立したかったからだ。

大手のデベロッパーが手がけた物件ではないが、総戸数六十戸の立派な分譲マンションである。賃貸で入居しているのは、恵美子を含めて数世帯しかいない。小さな子供のいるファミリーが多いので、少し騒がしい時もあることが難ではあるが、セキュリティ面を考えたら、どんな素性の人間が入居しているか見当もつかない賃貸専用マンションよりも、はるかに安心だ。恵美子はこの住まいを気に入っている。

一月七日月曜日、午後七時四十分。恵美子は帰宅した。エントランスの重たいドアを押してホールに入る。オートロックのドアを開け、ずらりと並んだ郵便受けに近づく。差し入れ口から夕刊がのぞいているのは恵美子のボックスだけだ。

夕刊の他に、遅れて来た年賀状が数枚と、ダイレクトメールが一通入っていた。取り出して胸に抱え、エレベーターへと向かう。降りてきたエレベーターの箱から、顔見知りの入居者が現れた。「こんばんは」と挨拶を交わして、入れ違いに恵美子は一人で乗り込む。四階の四〇三号室だ。

エレベーターを降りて歩き出す。五センチヒールの品のいい足音が、廊下に響く。コツ、コツ、コツ。鍵《かぎ》を出してドアを開ける。ただいま、我が家よ。

森内恵美子の足音、ドアの開閉する音、そのあとの静けさ。耳を澄ましている人物が、すぐ隣の四〇二号室に存在した。

垣内美奈絵《かきうちみなえ》は一月十五日が誕生日だ。そのせいで、正月はいつも憂鬱《ゆううつ》だった。正月が来ると、否応《いやおう》なしに自分の年齢を意識してしまうからだ。

いや、いつも憂鬱なのではなかった。これほどの憂鬱に襲われるようになったのは、ほんの二年前からのことだ。

夫の浮気が始まってからのことだ。

始まって、続いている。今もずっと。二年と一ヵ月と二十八日。

垣内典史《のりふみ》は、大阪に本社のある一流証券会社の社員である。数年前から始まったこの好景気のおかげで年収はうなぎのぼりだ。数年前？　夫はこんなアバウトな表現をしない。「プラザ合意以来」とはっきり言う。優秀な証券マンは、家でも明快な口をきくのだ。

だから、「離婚したいんだ」という言葉も、間違えようがないほど明瞭《めいりよう》だった。言いにくそうな顔さえしなかった。口ごもりもしなかった。おそらくは顧客に投資効率を説明するときと同じ声音で、

「僕たちの結婚という投資は失敗した。別の運用法を考えよう」と切り出したのだ。

言葉こそ違ったけれど、美奈絵には彼がそう言っているとしか思えなかった。

垣内典史は、美奈絵という女に人生の一部を投資した。だがその結果は、彼の望んだものではなかった。だから乗り換える。当然のことじゃないか。

乗り換えられる側の傷《いた》みは、彼の知ったことではない。

二年と一ヵ月と二十八日。美奈絵はそれだけ歳《とし》をとった。二年と一ヵ月と二十八日前。夫の浮気に気づき、それを問い詰め、

「君に知られてしまったなら、いい機会だ」と、あっさり離婚を申し渡されて以来。

そして美奈絵は、次の誕生日を迎えれば三十一歳になる。夫に離婚を望まれ、彼には愛人が――二年と一ヵ月と二十八日よりもさらに半年前から存在し、今も継続する愛人がいることを知りながら迎える三十一歳。

どんな女なのと、美奈絵は訊《き》いた。あたしよりいくつ若いの？

二十八歳だと、夫は答えた。インテリア・デザイナーだと、夫は答えた。もともとは顧客だったのだと、夫は答えた。

立派に自立し、キャリアを積み、経済的にも恵まれた若い女性なのだ。そんな女が、あたしから夫を奪っていこうとしている。

美奈絵は離婚に応じなかった。すると夫は家を出た。彼の名義でローンを組み、購

入したこのマンションを出ていってしまった。

「この部屋は君のものにしていいよ。慰謝料だ。離婚届にサインしてくれたら、すぐに譲渡の手続きをするから」

そう言って出ていった。あれは二年前の正月明けだった。明日が仕事始め、東証の大発会だという日だった。

「新しい年に、けじめをつけたいんだ」

そして愛人と暮らし始めたのだ。

美奈絵は独り《ひと》、残された。今も残されたままだ。

これからも、離婚に応じるつもりはない。けっして応じたりするものか。こんなふうにないがしろにされて、素直に従うほど美奈絵は愚かではない。夫は美奈絵を舐《な》めている。彼にそう言ってやったこともある。

だが典史は、多少のリスクはあるがおそろしく有利な株に手を出そうとしない顧客に対するように、あなたのために残念ですという顔をして、言うのだ。

「僕は現実を直視しているだけだ。君を軽んじてるわけじゃない。僕たちの結婚は失敗し、破綻《はたん》した。だから解消しようと言ってるんだ。どうしてそれがわからないのかな」

美奈絵は知っている。夫は有能だ。あれから年収はさらにあがり、やり手の社員として会社内でも一目置かれている。今やただの営業マンではなく、「ファイナンシャル・プランナー」とかいう肩書きも持っている。金は余っているから、こんな平凡なファミリータイプのマンションのひとつやふたつ、美奈絵にくれてやったところで痛くも痒《かゆ》くもないのだ。生活費も、少ない額だが毎月送金してくる。金が口座に入ったころを見計らい、電話をかけてくるのだ。

「いつまでもこんなことをしているわけにはいかないだろ？　いい加減で折れてくれよ。あんまり強情だと、僕としても強硬手段に出なくちゃならなくなるからね」

「どんな強硬手段？」

「裁判とかね」

「いいわよ、どうぞ。やれるものならやってみなさいよ。浮気した夫からの離婚申し立てなんか、裁判所が認めてくれるもんですか」

「本気で言ってるのかい？　最近はそうでもないんだよ。結婚生活が破綻していれば、有責配偶者からの離婚申し立ても受け付けてくれるようになってきてるんだ。それに君――僕らの結婚が失敗した原因が、本当に、僕一人にだけあると思ってるのかい？　自分のことを省みたことはないの？」

「あたしは何も間違ったことなんかしてないわ！」

「それじゃ仕方ないな。堂々巡《めぐ》りだ。でもね、もし裁判を起こしたら、金を送るのもやめるよ。君、暮らしていかれないだろう」

そのとおりだ。今だって生活はギリギリだ。

だけど夫は愛人と二人、贅沢三昧《ぜいたくざんまい》に暮らしているに違いないのだ。具体的な場所は美奈絵にはわからない。典史は、まるで悪性のばい菌を遠ざけるように、美奈絵から身を隠している。勤務先の支店も替わってしまい、元の職場に美奈絵が問い合わせても教えてくれない。緘口令《かんこうれい》が敷かれているのだ。みんな夫の味方なのだ。どうして？　どうして？

新しい年に、けじめをつけて始めた、新しい人生。夫にとって美奈絵は、そこから切り捨てた粗大ゴミだ。

「根競べだというのなら、僕の方は平気だよ。彼女も籍にはこだわらないと言ってるし、仕事にも生活にも何の支障もない。無駄な年月を過ごして、人生の再スタートを遅らせてしまうことで、君が損するだけなんだがな」

いつもこんなやりとりをして、電話は切れる。

美奈絵の実家は遠く、父親は病気がちで、母はその看護で手一杯だ。心配をかけたくないから、何も話していない。夏休みも正月も、「海外旅行に行くから」と帰省しない。法事など、どうしても顔を出さなくてはならない折には、いつも美奈絵一人で出かける。それでも両親はまったく怪しまない。

「典史さんは忙しいんだもんねえ」

パッとしない地方都市の、名もない会社のサラリーマンだった父は、娘婿《むすめむこ》が一流証券会社でバリバリ働いていることが誇らしいのだ。その父の愚痴《ぐち》ばかりこぼしてきた母は、そういう男をつかまえた娘が自慢なのだ。たいした取柄もない娘だったが、出《で》来物《きぶつ》の結婚相手を釣り上げる腕だけは確かだった。

だから、美奈絵は何も言えない。あたしは捨てられたのよなどと、どうして言えよう。言う必要もないことだ。我慢を続ければいいのだから。一人で抱え込んでいれば、誰にも知られない。夫は多忙で、めったに家に帰れないと思えばいい。出張が多いと思えばいい。単身赴任しているのだと考えてもいい。もともと、こんなことになる以前から、典史は本当に忙しくて、帰宅はいつも深夜、休日だってまともに家にいたことはなかったのだから。

自分一人でいることのいちばんの利点は、騙す相手も自分一人で済むということだ。だけど——あるときから、状況が変わってきてしまった。

隣の女、森内恵美子は、二年前の三月に引っ越してきた。挨拶《あいさつ》に来たときから、虫の好かない感じがした。まだ大学出たてぐらいのヒヨっ子だろうに、あまりにも堂々としていて、自信満々に見えたからだ。世の中に、自分の思い通りにならないことはないと信じているみたいに。自分のやることはすべて正しいのだと確信しているみたいに。

おまけに美人だった。服装のセンスもいい。ひと目見て、癪《しゃく》に障《さわ》った。

それでも当時は、夫が一月に出ていったばかりだったし、美奈絵にも隣の女にかまけている心の余裕がなかった。感じの悪い隣人のことなど、どうでもよかった。すぐに忘れてしまったし、ずっと忘れていた。濃い近所付き合いをしなくていいところが、マンションの利点だ。

彼女のことが、いきなり美奈絵の生存権にかかわるような存在となったのは、昨年の九月のことである。何日だったか、日にちは覚えていない。日曜日だったことは確かだ。昼過ぎに、ひょっこりと典史が訪ねて来たのである。家を出て以来、初めてのことだった。

古い資料を取りに来た、と言った。会社にあるかと思って探したが見つからない。だからたぶんここにあるはずだと。その口調からして、大切なものであるようだった。

夫の部屋も、彼の使っていた簞笥《たんす》やクロゼットも、すべてそのままにしてあった。いつ彼が戻ってきてもいいように。だが典史は、そのことに気づいたとしても顔に出さず、家宅捜索でもするかのようにガサガサと探し回った。美奈絵が話しかけても返事をせず、コーヒーをいれたのにも手をつけない。

溜《た》まりに溜まった鬱憤《うっぷん》と憤怒《ふんぬ》が、美奈絵のなかから噴き出した。あちこち探し回る夫の後をついて回りながら、鋭い難詰《なんきつ》の言葉を浴びせかけた。夫はまったく反応せず、ひたすら家捜しを続ける。無視されればされるほどに、美奈絵の興奮は高まった。

動き回る夫めがけて、手近のものを投げつけた。夫にはあたらなかったが、彼が目を剝《む》くのを見て、自分でもびっくりするくらいに胸がすうっとした。だからまた投げた。夫は美奈絵の攻撃を避けながら、部屋から部屋へと逃げ回った。

「君、頭がおかしいんじゃないのか」

捨て台詞《ぜりふ》を残して、帰りかける。美奈絵は彼を追いかけ、夫が玄関のドアを開けたところでつかまえた。全身の力を振り絞って夫にすがりつき、引き戻そうとした。そのあいだじゅう、甲高い声で泣き喚《わめ》いていた。夫は美奈絵を振り払い、強引に外廊下へと出て行こうとした。美奈絵は引きずられながら一緒に外へと転がり出た。

そのとき——目の前に隣の女が立っていたのだ。

四〇三号室のドアを開け、ノブに片手をかけて、こちらをのぞきこんでいた。隣家の騒動に、何事かと驚いたのだろう。

典史は彼女に気づいた。それまでの冷静さの一角が崩れ、額と頬に血がのぼった。

「失礼しました」

短くそう詫《わ》びると、渾身《こんしん》の力を込めて美奈絵の手を振りほどいた。第三者の登場に、さすがに一瞬ひるんでいた美奈絵は、あっさりと突き放され、ドアにごつんと頭をぶつけて、玄関先にへたりこんでしまった。夫は振り返りもせず、足音も高くエレベーターへと去ってゆく。

座り込んだまま、美奈絵は声をあげて泣いた。泣きながら叫んだ。「絶対に別れてなんかやらないから！」と、繰り返し、繰り返し。

しばらくして、まだ隣の女が傍《かたわ》らに立っていることに気がついた。サンダルをつっかけた爪先《つまさき》が、美奈絵の膝《ひざ》のすぐそばに見える。

美奈絵は顔を上げた。隣の女がこちらを見おろしていた。目と目が合った。

隣の女は笑っていた。

もちろん、泣き濡《ぬ》れた美奈絵の顔を見ると、彼女の面《おもて》から笑いは消えた。急いで引っ込めたのだ。そして美奈絵の方にかがみこみながら、

「大丈夫ですか」と声をかけてきた。

その声は、正直なことにまだ笑っていた。美奈絵を笑っていた。

美奈絵は、黙ったまま這《は》いずるようにしてドアの内側へと逃げ込んだ。リビングまで戻って、クッションの下に頭を突っ込んで、また大声で泣いた。

悔しかった。典史の仕打ちがではない。彼があんな態度をとることには慣れている。いつの間にか慣れさせられてしまった。

隣の女に笑われたことが悔しかった。あの嘲《あざけ》るような目つきが悔しかった。あの女の目と口元は、典史と同じことを言っていた。

――頭がおかしいんじゃないの？

それだけじゃない。聞かれてしまった。知られてしまった。美奈絵が捨てられた妻だということを。捨てられたのに、「別れてやらない！」と、しがみついている女だということを。もうこれからは、美奈絵がどんなに努力して自分を騙《だま》しても、隣の女は知っているのだ。夫が帰らないことを。美奈絵が離婚を迫られていることを。

隣の女の存在が、美奈絵のなかで悪性腫瘍《しゅよう》のように膨れあがり、増殖を始めた。

それまでは、マンションの内外で隣の女とすれ違うことがあっても、せいぜい会釈《えしゃく》するくらいで、無視することができた。でも、それが違ってしまった。女と会うと、彼女の視線を感じると、美奈絵は常にそこに一定の意味を読み取るようになった。

——頭おかしいんじゃない？

——みっともない、情けない女ね。

——旦那《だんな》に捨てられたんでしょ？

——いい加減に諦《あきら》めたら？

——あんたみたいなオバサン、捨てられたってしょうがないんだからさ。

いいいいいいい。

あんたの人生は失敗よ。

隣の女はいつもそう言っている。言葉に、声にしてはいないけれど、美奈絵にはわかる。

——あたしは、あんたみたいな惨《みじ》めなオバサンにはならないわ。男にしがみついて泣き喚くような、みっともない女じゃないの。

隣の女の職業は、確か教師のはずだった。引っ越してきたときにそう言っていた。去年の夏には、生徒たちが遊びに来ていたこともある。きゃあきゃあとにぎやかだった。

隣の女は働く女なのだ。社会のなかに居場所を持っている。役割を持っている。夫の愛人と一緒だ。

いつでもどこでも、遭遇《そうぐう》するたびに、ちらりと投げられた彼女の視線と、あたりさわりのない会釈のなかに、無言の嘲りを感じる。

昼間会えば、

──離婚したがってる旦那にしつこくぶら下がって、遊んで暮らしてるのね。いい身分ね、オバサン。

夜に会えば、

──オバサン、どこに遊びに行くあてもないの？ 誰も誘ってくれないの？ 気の毒だけど、しょうがないわね。

そして笑っている。笑っている。笑っているのだ、美奈絵のことを。

──澄ました顔して歩いてるけど、オバサン、あたしは知ってるのよ。あんたは捨てられた女なのよね。どこにも居場所のない、誰にも必要とされない女なのよね。いい、いい、邪魔者なのよ、あんたは。

もしも美奈絵に、この状況を打ち明けることのできる人物が一人でもいたならば、その人は忠告してくれたろう。それは隣の女性の言葉ではない、あなたがあなた自身に向かってぶつけている非難と自己嫌悪《けんお》の言葉なのだと。

非難されるべきは夫の自分勝手なやり方だし、それと戦うのならば、きちんと手順を踏んだ戦い方があるはずだ、と。そして美奈絵は、もっともっと自分自身を大切にするべきなのだと。

だが、そんな相談相手はいなかった。

家に閉じこもっているのは良くないし、生活費を自分で稼ぐことができれば夫に対抗しやすくなるから、働いてみようかと思ったこともある。だが、実際に探してみると、ロクな仕事がなかった。この好景気で、パートやアルバイトならばいくらでもある。だが時給仕事は嫌だった。派遣も駄目だ。格下の感じがする。きちんとした一流会社の正社員になりたい。キャリアが欲しい。

そうすると、途端に選択肢は狭まる。ニュースでも新聞でも、新卒の大学生はどこでも大モテで、あまりに青田買《あおたが》いが横行するので規制をかけねばならぬほどだと報じているのに、三十代の中途採用で、これというスキルもなく、学歴にも職歴にも見るべきものがない美奈絵には、それとはまったく裏腹の現実が厳しく立ちはだかった。人手不足だ、就職は空前の売り手市場だと、景気のいい言葉がそのとおりに適用されるのは、やっぱり限られた人材だけなのだ。

何が何でも、隣の女にひけをとらない仕事に就きたい。一流有名企業で働きたい。美奈絵は、モノに憑《つ》かれたようにそれを望んでは拒絶されることを繰り返した。求人要項に年齢や学歴の制限があっても、負けずに履歴書を書き、新調したスーツを着こんで面接に出かけた。そして苦笑いと共に断られ、また次へ。次へ。次へ。

ここでも、冷静な第三者の目があれば、美奈絵が張り合っている相手は隣の女性ではなく、夫の愛人と、彼女が持っているキャリアなのだと教えてくれただろう。彼女の顔さえ見えず、直接攻撃することもできないから、手近にいる隣の女性を身代わりにしているだけなのだと――

悔しい、悔しい、悔しい！

何がキャリアだ。何が働く女だ。あたしの年代では、高校や短大を出たらそこそこの会社のOLになり、四、五年勤めたら結婚相手を見つけて寿《ことぶき》退社をするのが王道だったのだ。あたしはその王道を通って、人生の勝利者になったはずだったのだ。

それがなぜ、今になって、社会のなかのあぶれ者のように扱われなくてはならない？

「申し訳ありませんが、うちでは応募を受け付けることができません」

「今は求人情報が豊富ですから、もっと他の分野にあたられてみてはいかがでしょう。パートタイムですとかね」

丁寧な断りの言葉と共に、美奈絵の履歴書を突っ返してくる採用担当者に、夫の姿がだぶって見える。彼の言葉がかぶって聞こえてくる。

――君と生活していると、退屈なんだ。君は何も吸収しようとしない。成長しようとしない。

あたしは何もできない女だと、夫は言っていたのだ。

だけどあなたが、あたしが家庭に入ることを望んだんじゃないか。あたしが家事を切り回し、忙しいあなたの生活のサポートをしたから、あなたは心置きなく仕事に打ち込めたのじゃなかったの?

子供に恵まれていたなら、違っていたの?

あたしは子供が欲しかった。でもあなたは、まだ子供を持つふんぎりがつかないと、ずるずる先延ばしにしてきた。あたしが頼んでも耳を貸してくれなかった。

あれは――あれは最初から、いずれはあたしと別れるつもりがあったから? この結婚は失敗だったと、あなたが見切りをつけたのはいつのことだったの?

教えて、教えて、教えてよ。

美奈絵の孤独な叫びは、独りぼっちの四〇二号室の虚空《こくう》に消えてゆく。濃くなる一方の妄想と煩悶《はんもん》に、慰めの水を注《さ》してくれる相手はどこにもいない。

あたし一人だけが貧乏くじを引き、不当な目に遭わされている――

隣の女が癪に障る。心に刺さった棘《とげ》みたいだ。いつ何をしているのか。どんな暮らしをしているのか。どんな人間と付き合っているのか。恋人はいるのか。その男と、あたしのことを肴《さかな》にして、ゲラゲラ笑っているに違いない。気になって夜も眠れない。

そして、ふと魔がさした。

ミステリー・ドラマを見たのがきっかけだった。探偵役の男女が、疑わしい人物の身辺を探りまわる。その人物の住まいに忍び込む。机の引き出しのなかや、郵便物を調べる。

いくら出来合いのマンションでも、鍵《かぎ》がかかっているドアを、素人《しろうと》の美奈絵が開けることはできない。でも、郵便箱なら？

そうだ、あの女宛《あて》の郵便物を見るくらいなら、あたしにもできるはずだ。それで何か、あの女が隠している弱みが見つかれば、今度はあたしがせせら笑ってやることができるじゃないか。澄ました顔してるけど、あたしは知ってるのよ——

あたしはこのマンションを出ていくことができない。出て行ったら、夫と愛人に負けることになる。ここで夫の帰りを待つのだ。そのためには、またプライバシーを取り戻さなくちゃ。隣の女の弱みを握り、彼女を追い出して、心の静寂を取り戻さなくちゃ。

美奈絵の思い付きを、後押しする出来事もあった。昨年のクリスマスごろ、あの女が妙にしおれている時があったのだ。エレベーター・ホールですれ違ったのに、いつものような人をバカにした視線を投げてくることもなく、うつむいてそそくさと通り過ぎてしまった。まぶたが腫《は》れていた。もしかすると泣いていたのかもしれない。

何があったのだ？　あの女に何が起こった？　知りたい。あたしには知る権利がある。勝手な思い込みは、勢いよく走り出した。

このマンションの郵便受けには、番号合わせ式の鍵がかかっている。隣の女は美奈絵を警戒しているので、彼女が郵便受けを開けているとき、近寄って番号を盗み見るのは難しい。あれこれ考え試みて、実はとても簡単な方法が有効だとわかった。三十センチの物差しの先にセロハンテープをくっつけて、それを差し入れ口から箱のなかに差し込み、中に入っている郵便を釣り上げるのだ。大型の重い郵便物は釣り出せないけれど、そういうものは書籍や通信販売のカタログだろう。大切な私信は軽いものだ。この手法で、充分に用が足りる。

最初に実行に移したのは、昨年の十二月二十八日だった。たいした郵便は来ていなかったが、わくわくした。だからそれからは毎日試みた。配達は日に二回、午前と午後だが、どちらもあの女の動静を見極めてから、実行した。他の入居者と管理人に見《み》咎《とが》められることにさえ気をつければ、楽な作業だった。

盗んだ郵便は、すぐにチェックし、一日手元に置いて、あの女の郵便受けに返した。葉書ならそのまま読めるし、封書の場合は、封緘《ふうかん》されているところに湯気をあてて剝《は》がして読んだ。剝がれにくいときや、セロハンテープが貼《は》られているときは、無造作にハサミで切って中身を取り出した。郵便物を盗み見ていることを気づかれさえしなければ、何も几帳面《きちょうめん》に、すべてあの女に渡してやらなくたっていいのだ。

正月の三が日は、あの女は実家に帰ったらしい。だから美奈絵は、彼女宛の年賀状をすべて、本人よりも先に見ることができた。おかげであの女が、どこかの中学校の二年A組の担任であることがわかった。生徒たちから賀状が来ていたからだ。また、彼女が英語の教師であることも、一部の生徒たちからは、親しげに「モリリン先生」と呼ばれていることもわかった。

このまま続けていけば、もっといろいろなことがわかるだろう。毎月の電気代や水道代、電話料金もわかる。どこに電話をかけたかわかればもっといいのだけれど。

一月五日には、パリからのエア・メールが一通来ていた。差出人は女性で、大学時代の友人らしい。留学しているのか、それとも仕事で赴任しているのか。この女も隣の女を「モリリン」と呼んでいた。新年の挨拶《あいさつ》をし、パリの街の美しいことを書き並べ、「ゴールデン・ウィークには遊びにおいでよ」と結んであった。美奈絵はそのエア・メールを破り捨てた。これで隣の女が友達を一人失うことになったらいい気味だ。もっと、もっと何かないか。もっとあの女に肉薄することのできる手紙は来ないか。

熱望は通じた。天にではないだろう。だが、どこかに通じて形になった。

今朝の十時過ぎのことだ。遅く起き出した美奈絵は新聞を取りにロビーへ降りていった。ちょうどそこに、郵便局員が来ていたのだ。集合インタフォンのパネルの前に立っている。あの女宛の郵便もあるかもしれないと、美奈絵はさりげなくそちらを見守った。

ピンポン、ピンポンと、郵便局員はインタフォンを鳴らした。返事はない。彼は束にした郵便を手に持ったまま身体《からだ》の向きを変え、ずらりと並んだ郵便受けの方に向かった。

郵便受けの列のこちら側で、美奈絵は耳を澄ましていた。

カタリと音がした。間違いない。四〇三の受け箱に、郵便物が入れられた。

美奈絵は走って四〇二号室に戻ると、郵便物釣り出しの道具を持ってきた。郵便局員がわざわざインタフォンを鳴らしたのは、その郵便物が、書留や簡易書留など、受取り証明が必要な種類のものだったからだろう。だとすれば、郵便受けに入れられたのは不在連絡票のはずだ。それを手に入れることができれば、本体の郵便物も奪取できる。認印などいくらでも買えるし、窓口で住所を確認するものを見せろと言われたら、これまでに盗み取り、隣の女に返さずに取っておいたものを使えばいい。ダイレクトメールの類《たぐい》だが、本人確認に使うだけなら充分だ。こんなこともあるかと思って、何通か保存しておいたのだった。

現金書留だといい——美奈絵は思った。お金は欲しいし、あの女から横取りしてやるのなら、できるだけ実損のあるものがいいから。

だが、釣り出してみた郵便物は、ありきたりの封書だった。

封筒の上部にマジックで赤い横線が引いてある。速達なのだった。だから配達員はインタフォンを鳴らし、不在だったから郵便受けに入れていったのだ。

最初はがっかりした。が、その封書の表書きをよくよく見ると、気を惹《ひ》かれた。おかしな金釘《かなくぎ》文字だ。定規を使って書いているに違いない。差出人の名前は——ない。

美奈絵も何度か、こうした手紙を出したことがある。夫の職場宛に出したのだ。内容はもちろん、彼の所業を告発するものに決まっている。妻の訴えゆえに取り上げてもらえないなら、傷心の妻に同情し、義憤にかられた第三者の告発という形にすればいいだろうと思った。宛名にも本文にもワープロを使ったが、それでは真に迫って見えないかと思って、手書きにしたときもあった。美奈絵の筆跡だと露見《バレ》ないよう、苦心して左手で書いた。定規も使ってみた。

何度出してもなしの礫《つぶて》だったので、それきりになってしまった。夫の職場は、やっぱり夫の味方なのだ。でも、手紙を書いているときの興奮は忘れられない。自分が自分でなくなり、本当に、気の毒な垣内美奈絵のために行動する親切な誰かになった気分だった。とても正しいことをしていると思った。

美奈絵は金釘文字の封書を開封した。湯気をあてるなどという手間はかけず、堂々と鋏《はさみ》で切った。

中身を読んだ。表書きと同じ金釘文字で書かれている。

「告発状」と、タイトルがついている。

城東第三中学校、二年A組の柏木卓也？

自殺したのではなく、本当は殺された？

二年A組といえば、あの女のクラスだ。城東第三中学というのか。学校をはっきり特定できたことは収穫だ。

あの女の担任している生徒が自殺したのか。手紙の主は、それが実は殺人だったと告発している。

「警察にしらせてください」

美奈絵はすぐにコートを着込むと、近くの図書館へ向かった。

新聞をとってはいるが、見るのはせいぜいテレビ欄と雑誌の広告ぐらいだ。テレビのニュースはほとんど見ない。あの女の勤める学校でそんな事件が起こっていたなんて、まったく気づかなかった。今の今までは学校名を知らなかったのだから無理もないが、もう少し注意深くしていればよかった。ひょっとすると、去年のクリスマスごろ、あの女が妙にしおれていたのは、この件とかかわりがあったのではないか？　いくら傲慢《ごうまん》で自信満々の女でも、自分の生徒に死なれたら、少しはしゅんとしてもおかしくない。

図書館で先月の新聞の綴《と》じ込みを調べると、事情はすぐはっきりした。

他でもないクリスマスの朝である。城東区立城東第三中学校の敷地内で、同校の男子生徒の死体が発見された。屋上から墜落死したらしく、城東警察署では、事故と事件の両面から捜査を始めた——当日、二十五日夕刊の第一報にはそう書かれている。

あの大雪の降った翌朝だ。美奈絵もよく覚えている。前夜のクリスマス・イヴの雪に、天気予報コーナーに出てくる気象予報士までが「ロマンチックですね」などと浮かれていた。こういう連中は、世の中に、クリスマス・イヴでも独りぼっちで、見捨てられて、誰にもかまってもらうことのできない人間がいるのだということを無視しているのだ。この世の人間は、みんな自分と同じように満ち足りて幸せなのだと、愚かにも思い込んでいるのだ。腹が立って腹が立って、じっと座っていることさえできなかった。窓から外を見れば、美奈絵を降りこめて閉じ込める雪にさえ怒りを感じた。都内のどこかで夫と愛人が、この雪を笑顔で見上げている——「ロマンチックだね」などと囁《ささや》き交わしているのかと想像すると、気が変になりそうだった。

二十六日の朝刊各紙に続報はなく、夕刊になって、大手三紙に揃《そろ》って「死亡した男子生徒は自殺か」という内容の短信が載っている。この男子生徒は十一月から不登校状態にあり、両親も彼の精神状態が不安定であることを心配していたらしい。

さらに中二日おいて、この男子生徒の通夜《つや》と葬儀に学校関係者や同級生たちが参列し、涙で別れを惜《お》しんだという記事がある。新聞報道はそこまでだった。

大きな騒ぎになっていないところを見ると、自殺ということで一件落着したのだろう。

しかし、匿名《とくめい》の告発者は「殺人だ」と証言している。突き落とされるところを見た。犯人たちは笑いながら逃げていったと。

図書館を出ると、美奈絵は町を歩いた。一人で歩き回るなど、ここしばらくしたことがない。買い物や用足しに出るときも、真っ直《ます》ぐ行って真っ直ぐ帰る。脇目《わきめ》も振らない。視界の隅にちらとでも、仲むつまじいカップルや、楽しげな親子連れの姿などが入ってしまうと、もうどうしようもないくらいに心が乱れてしまうからだ。膝《ひざ》ががくがくして、冷汗が出てくる。

だが今は――行きかう人の流れに身を任せ、ただ黙々と歩くことができた。頭のなかは、たった今この手につかんだ事実で一杯だった。

こんなにも心が震えたことは久しぶりだ。自分の血を熱く感じる。

「告発状」の差出人は、たぶん、同じ城東三中の生徒だろう。でなかったら、教師宛に手紙を送ったりするものか。あの女のクラスの生徒でさえあるかもしれない。

あの手紙は告発であり、同時に救助を求める悲鳴でもあるのだ。先生、助けて。わたしは、僕は、真実を知っているけれど、怖くて言えないんです。

万人にとって楽しいはずだと決めつけられているクリスマス・イヴに、一人きりで死んだ子供。その死の真相を知りながら、恐怖のあまりに口をつぐんでいる子供。そのどちらも、美奈絵の仲間のような気がした。三人とも、孤独の檻《おり》に閉じ込められた囚人なのだ。

道端にコーヒーショップの看板が出ていた。ふらりと立ち寄り、ドアを押す。窓際《まどぎわ》の椅子《いす》に腰をおろして、ブレンドコーヒーを注文する。喫茶店に入るのも久しぶりだ。外で、一人でコーヒーを飲むなんて、そんなみっともないことができるはずないと思っていた。居合わせた客たちが、みんなこう思うだろう。あの女性客、連れがいない。男も、子供も、友人もいないのだ。なんて可哀想《かわいそう》な、惨《みじ》めな女なのだろうと。

今はそんなことも気にならない。窓の外に目を据《す》えたまま、運ばれてきた熱いコーヒーを、ゆっくりと味わう。

それにしても、この告発の真偽は？

こんな大変なことで、嘘《うそ》をつく子供はいるまい。自分から「警察にしらせてくれ」と頼んでいるのだ。作り話であるはずがない。

先生、助けて。

助けてあげる。必ず助けてあげるよ。だけど救助者は森内先生じゃない。このあたし。同じ孤独に悩むあたしこそ、あなたの力になれるのだ。

森内先生はあてにならないよ――

その言葉が浮かんだとき、美奈絵のなかで、混沌《こんとん》としながら高まる一方だったエネルギーが、ひとつの形を成した。

上手《うま》く立ち回れば、告発者の願いを聞き入れた上で、憎らしい隣のあの女、森内恵美子に大打撃を与えることができるじゃないか。

自分の担任していた生徒が死んだというのに、しおらしくしていたのはせいぜい二日かそこらで、年末にはしゃらっとした顔を取り戻していた。今も元気で学校へ通っている。図々《ずうずう》しいにもほどがあるとはこのことだ。本来、生徒を死なせてしまった時点で、責任をとって辞めるべきだったのだ。

なのに、あの女は依然、自信満々。生徒の命などへとも思っていないという証拠だ。そう——あの女は罰を受けるべきだ。

生徒が殺されるのを、防ぐことができなかったという罪で。

いや、それだけじゃない。この告発状がなかったとしても、あるいは万にひとつこの告発が嘘のものであったとしても、生徒が不登校になり、挙句に自殺したというだけで、すでにあの女の責任は重大なのだ。教師失格だ。人間としても失格だ。なのに、森内恵美子は何の咎《とが》も受けず、何も感じていない。

相変わらず幸せ。

相変わらず傲慢。

相変わらず美奈絵を見下している。

告発状を握りつぶしてしまおう。

長い期間ではない。十日か、半月か。そして、あらためて美奈絵の手で世に出してやるのだ。

この手紙が捨てられているのを、偶然、見つけました。

内容が大変なものなので、届けました。

警察？　いやいやそれでは生ぬるい。マスコミがいい。こういうことで派手に騒いでくれそうなところを探さなくては。

城東第三中学校二年A組の担任、森内恵美子教諭は、生徒からの告発状を無視して捨ててしまいました。

さあ、どう言い訳する？

全部壊してやる。全部取り上げてやる。二度と、あたしを見下したりできないように、完膚なきまでにやっつけてやるんだ。

窓ガラスに向かって、垣内美奈絵はにんまりと笑い始めた。

声が伝わる。空《くう》を飛び交う。行っては戻り、戻ってはまた投げ返される。心を乗せ、時には取りこぼしながらも。想《おも》いを告げ、時には嘘を交えながらも。

19

＊

「刑事っていうからもっと怖い人かと思ってたけど、そうでもなかったよ」

「女の人なんだってね」

「それに若いヒトなんだ。でもモリリンよりは年上かな。いくつくらいだろ。三十歳過ぎてるかなぁ」

「まりちゃん、どんなこと訊《き》かれたの？」

「どんなって……うーん」

「基本的には希望者だけだ、でもうちのクラスだけは全員だっていうの、おかしいと思わない？」

「だってさ、あたしたちA組は柏木君のクラスだもの。しょうがないよ。それだけじゃない？ 涼ちゃん、考えすぎ」

「そうかな……。嫌なこと訊かれた？」

「嫌なことって、どんなぁ？」

「柏木君と仲良かったかとか」

「それ、涼ちゃんには嫌なことなんだ」

「そんなんじゃないけどね」

「何か声に元気ないね。カゼ引いた？」

「かもしれない」

「流行《はや》ってるんだってさ。電話なんかしてちゃいけないね。ちゃんと熱をはかってごらんよ。お大事にね」


電話を切っても、藤野涼子はしばらくのあいだその場に佇《たたず》み、受話器を睨《にら》みつけていた。うちは柏木君のクラスだから、全員が聞き取り調査を受けるのも仕方がない。倉田まり子の言うとおりだ。みんなそう思って、納得しているのだろう。

真実は別なところにある。学校はこの面談を行うことで、あの告発状を書いた生徒を探そうとしているのだ。お父さんははっきりそう言っていた。というか、これはお父さんが校長先生に提案したやり方なのだ。だから、おまえは知らん顔をしているんだぞ。はい、わかりましたお父様。涼子はいい子にしております。

涼子も、告発状の主が同じクラスにいることはほぼ間違いないだろうと思っている。だけど、あれこれ算段してまで探して特定する必要があるのだろうか？　柏木君は自殺したんでしょ。間違いないんでしょ。今さら、あの子が突き落とされるところを見たなんていう目撃証言に、信憑性《しんぴょうせい》があるわけがない。後出しのじゃんけんだ。あの告発状の目的は、別のところにあるはずだ。誰がやったにしろ、ただ騒ぎを起こして注目されたいだけなんじゃないの？　どうしてそんな思惑に乗ってやらなきゃならないのだ。

もう、こんなことで学校をかきまわさないでほしい。あたしたちを放っておいて。それが涼子の願いだ。だが一方では、涼子自身も気づいていない心の深いところで、あの告発状が自分宛《あて》に出されたということに、未《いま》だに強いこだわりも感じているのだった。

＊

電話がかかってきたとき、野田健一は一人で夕食をとっていた。近所の持ち帰り弁当屋で買ってきた、二百五十円のシャケ弁当だ。

中学生の男の子が一人きり、点《つ》けっぱなしのテレビだけを相手に、出来合いの弁当とインスタントの味噌汁《みそしる》で食事を済ませる。侘《わび》しく見える光景かもしれないが、健一はいっそ気楽な気分だった。

母は一昨日《おととい》から地元の病院に入っている。今度は腰が痛いと言い出して、一人で立ち上がることもできなくなってしまったのだ。椎間板《ついかんばん》ヘルニアの疑いがあり、とにかく本人が激痛を訴えるので、検査入院することになったのだった。

父はいつもの夜勤である。出掛けに顔を合わせ、食事代をもらった。父も母が病院にいることで、安心したような顔をしていた。口には出さずとも、父と子の本音は一致しているようだった。

もっとも、北軽井沢でのペンション経営の話が持ち出されて以来、健一は、父親に対して気を許したことがない。疑い深い刑事のように、常に父の挙動を観察している。少なくとも自分ではそのつもりだった。慎重に見張っていないと、いつ何時《なんどき》、こう言い出されるかわかったものではないからだ。

——例のペンションの話だけどな、健一。お父さん、やっぱり決めたんだ。春休みには引越しだぞ。

父は健一に相談を持ちかけ、健一の意見を聞いた。健一は強く反対した。だが父にとっては、その反対意見は、「やっぱり」という言葉ひとつで脇《わき》に退《の》けてもいいものなのかもしれない。その疑いが充分にある。

思春期の子供は誰でも、必ず一度はこの関門を通る。親への不信。お父さんの生きがいって何なの？　文句ばっかり言いながら、会社にしがみついてるのはなぜ？　悪口しか言わないくせに、お母さんはどうしてお父さんと離婚しないの？　あんたたち夫婦、ホントに愛し合って結婚したの？　人生って何？　人間はどうして生きるの？　生きる目的って何さ？

だが健一の場合は、親に対して抱く不信が、きわめて具体的な形をとっていた。その不信を不信のまま放置しておくと発生する危機が、切実に現実的だという点でも不幸だった。

——一人になりたい。

一人で黙々と夕食を口にしながら、健一は考えていた。

——一人で生きたい。

自活することができたら、どんなにいいだろう。誰にも生活の行く先を左右されず、すべてを自分で決めることができたならば。

家出——という言葉が、ちらりと頭をよぎる。健一は、計算間違いをしたときのように、急いでその言葉を消しゴムで消す。自由になりたいという切なる願望が導き出すこの「解」は、両親と一緒に北軽井沢へ行くのと同じくらい破壊的に間違っているとわかっているから。

健一はそんな迂闊《うかつ》な子供ではないのだ。中学二年生の子供が家出してどうなる？そこにどんな〝生活〟があるというのだ。一瞬だけの解放感と引き換えに、この先の長い人生を棒に振るってか？　バカバカしい。

それでも、受話器をあげて電話に出て、向坂行夫の声が聞こえてきたとき、ほとんど反射的にこう問いかけていた。

「なあ、家出したいって思ったことある？」

行夫は大いに驚いたらしく、ちょっと絶句してから笑い出した。

「何だよう、出し抜けに」

「うん、ちょっと考えてたんだ」

「おじさんと喧嘩《けんか》したのかぁ？　それよりおばさんの具合、どう？」

行夫は、健一の母が入院したことを知っている。

「検査受けてる。元気だよ」

「元気なら入院なんかするもんか。健ちゃん、ヘンだねえ」

変なのはうちの親だよと、健一は心のなかで呟《つぶや》いた。

「家出したいなら、うちへ来ればいいよ」行夫は陽気に言い放った。「オレん家《ち》で暮らせばいい。学校だって一緒に行けるし、まあいい健ちゃんが来てくれたら喜ぶし」

それはまさに健一が、父から北軽井沢行きを持ちかけられたとき、とっさに考えたことだった。同じ提案が行夫の口から飛び出してきた。

久しぶりに健一は、嬉《うれ》しいと感じた。そういう感情って、こんな温かいものだったのか。すっかり忘れていた。

「そんなの無理だよ」微笑しながら、健一は言った。「迷惑になるじゃんか」

「うち？　ぜーんぜん平気だよ。だってオヤジもオフクロも言ってるもん。おばさん入院してて、野田さん家《ち》じゃ大変だろうから、健ちゃん泊まりにくればいいのにねってさ」

ついでにまあいいあの宿題も手伝ってやってよと、楽しそうに言った。

ずっとこの話題について話していたい。うんと話して、具体的にしたい。健一の心はそう願っていたが、いざとなれば、両親が絶対に許してくれるはずがないこともわかっていた。母は健一が向坂行夫と親しいことを快く思っていない。あんなグズな子――と、健一の面前で吐き捨てたこともある。勉強だってまるで駄目なんでしょう。

あなた、もう少しましな友達はいないの？　冗談じゃないわ、なんであなたがあんな家の世話にならなくちゃならないの。

父は父でこう言うだろう。ちゃんとした家庭の子供が、理由もなしに他所《よそ》の家に厄介になるなんてとんでもない、と。理由はあるじゃないか。だいたい、うちはちゃんとした家庭なんかじゃないよと健一が言い返したら、父は目をシロクロさせてしまうだろう。おまえはいったい何を言ってるんだ？　と。

ああ、嫌だ。両親から逃げ出したいからあれこれ考えているのに、逃げ出すための方法を思いつくたびに、当の両親の許可を得られるかどうかを考えてしまう。

親の期待を裏切りたくない。だから期待をさせないようにふるまう。ずっとずっとそうしてきた。今になって、親とのあいだにいざこざを起こしたくない。だから自分から動くことができない。僕は腰抜けだ。

——一人になりたい。

唐突に、渇望《かつぼう》が嗚咽《おえつ》になってこみ上げてきて、健一は受話器をしっかりとつかんだ。

「——何？」

「へ？」

「電話」

声がかすれていることを行夫に悟られないよう、健一は息を整えた。

「あ、用なんてないんだ。ただきぁ、今日健ちゃん、呼ばれたろ？」

「呼ばれたって、どこへ」

「ほら、あの何だ、柏木のさ、あの件のさ、面談ってヤツにさ」

「なぁんだ、そのことか」

先週の初めに、森内先生が突然、柏木卓也の事件について個別の面談をすることになったと言い出したのだ。

「対象になるのは二年生全員です。原則として、面談を希望するしないは自由ですが、うちのクラスだけは全員に受けてもらいます。なんといっても柏木君はわたしたちのクラスメイトだったわけだし、みんなも、まだ自分では処理しきれない複雑な想いがあるんじゃないかしら。それを聞かせてほしいの」

教室はざわついた。今さらいいよ、という声もあれば、なにがしかほっとしたような、そういう対応を待っていたというような空気も流れた。

「面談するのは、わたしたち先生じゃないの。それだとみんな話しにくいでしょう。カウンセラーの先生と、養護の尾崎先生と、城東警察署の少年課の刑事さんが、みんなの話を聞いてくれます。ご両親も面談を希望されるようでしたら、一緒に来てもらってください」

警察というところで、今までと別のさざなみが立った。どうして刑事さんが来るんですかという質問が飛んだ。森内先生は笑って答えた。

「怖がることなんかないのよ。刑事さんは立ち会うだけなんだから。城東警察署の少年課ではね、柏木君のような不幸な事件を防ぐために、これからどんなことができるか、いろいろ検討しているんです。それで、現役の中学生であるみんなの意見を聞きたいんですって。だから、学校への不満なんかもどんどん言っていいわけ。わかる？」

笑いが起こった。森内先生はその笑いのなかで、わたしのことチクッたっていいわよと言い足した。ホントはそんなこと、欠片《かけら》も思っちゃいないくせにと健一は思った。

準備がどうのこうのと手間取っていて、実際に面談が始まったのは今週明け、月曜からだ。出席番号順に、女子は番号の早い順から、男子は番号の遅い順から。それで、野田健一には向坂行夫よりも先に順番が回ってきたのである。

「健ちゃん、どんなこと訊かれた？」

「どんなって、別にたいしたことじゃなかったよ」

カウンセラーの先生は、健一の父と同年代の男性で、きちんと背広を着ていた。漠然とした先入観で、白衣を着ているのだろうとばかり思っていたから、少し驚いた。臨床心理士という仕事をしているのだと、最初に説明してくれた。城東警察署の刑事は、あの日にも会ったことがある。短く切り揃《そろ》えた髪と、濃い眉毛《まゆげ》が印象に残った。

面談で司会役というか、主導的な立場にいるのは尾崎先生だった。終始にこやかで、いくつか質問に答えてもらうけど、本当の目的は、今のあなたたちの気分とか、健康状態とかを知ることにあるのよと言った。いつもの尾崎先生で、だから健一は真っ先に——面談室に入ったときにはそんなつもりなどなかったのに——母がまた入院したんですと言ってしまった。本当なら、このことこそ打ち明けて相談したかった。先生、僕は一人になりたい。一人で生きたい。僕を両親から解放してほしい。そんなことを考える僕は間違っていますか。

会ったばかりのカウンセラーと、女性刑事の前で口に出せることじゃなかった。

夜はよく眠れますか。漠然と不安になることはないですか。一人でいると怖いことはありますか。柏木君が亡《な》くなってから、彼のことを思い出すことはありますか。朝になると頭痛がするとか、お腹《なか》が痛くなるということは？　学校に行きたくないと思うことはありますか。

面談のあいだに、この人たちは自分のことを——野田健一のことを、他の生徒たちよりも念入りに観察しているのじゃないかと、健一は思った。なぜかといえば、健一が柏木卓也の遺体の第一発見者であるからだ。

そういえば、おかしなことを訊《き》かれた。

——柏木君のことに関して、誰かに何か言われたり、電話がかかってきたり、手紙が来たなんてことはない?

意味がよくわからなかった。それ、どういうことですかと問い返すと、何もないならいいんだと言われた。

——新聞にも載るような事件だったから、たまたま柏木君を見つけただけのあなたにも、取材とかが来たんじゃないかと思ったのよ。そういうことはなかったのね?

ありませんでしたと、健一は答えた。カウンセラーの先生は何かメモを取っていた。尾崎先生はニコニコし、女性刑事はうなずいていた。

——柏木君のことは、気の毒だったなって思ってます。でも、それだけです。

健一の言葉に、今度は三人でうなずいた。

だけど実際には、健一は柏木卓也のことをほとんど忘れかけていた。いや、凍りついた彼の身体《からだ》の感触や、開きっ放しになっていた瞳《ひとみ》に小雪がくっついていたことなどは、記憶から消えていない。なにしろ、人の亡骸《なきがら》を目《ま》の当たりにしたことさえ初めての経験だったのだ。

だから正確には、柏木卓也のことなど心にかけている余裕がない——と言った方がいいのだろう。彼は死んだ。もう安らかに眠っている。現実を生き続けている健一には、彼にかまけている暇などないのだ。ごめんよ。

「そんなに緊張するような雰囲気じゃなかったよ」と、健一は受話器に向かって言った。これは嘘《うそ》じゃない。

「尾崎先生がいるからさ。お茶とか出してくれるし」

「ふーん」

「普通にしてれば平気だよ。ユキオが何か悩んでるっていうんじゃなければ」

「勉強ができないってこと相談しちゃ駄目かなぁ」

「いいんじゃない？　ついでに、モリウチがえこひいきするってことも言っちゃえば」

「健ちゃん、言ったの？」

「言うわけないじゃない」

「じゃ、ズルいよ。オレも言わない」

個人面談なんかで、ホントのこと言うヤツなんかいるもんか。

僕は、学校は世渡りを学ぶ場だと思ってます。自分がどの程度の人間で、どの程度まで行かれそうなのかを計る場です。先生たちは、先生たちの物差しでそれを計って、僕らにそれを納得させようとします。だけど納得させられちゃったら、たいていは負け犬にされます。先生たちが「勝ち組」に選びたがる生徒は、とてもとても数が少ないから。

そんなこと、誰が言うもんか。

そんなことより、もっともっと切実に教えてもらいたいことがあるけど、そんなの、誰が教えてくれるもんか。

僕にはどうして、あんな両親がくっついているんですか? どうやったら、僕はそこから逃げることができますか?

僕は父さん母さんをがっかりさせないよう、一生懸命に尽くしてきました。ええ、尽くしてきたんです。だけど、それはいっぺんも報《むく》われたことがない。どうしてこんな理不尽なことがあるんですか。先生、教えてください。刑事さんでも、カウンセラーでも誰でもいい。僕が自由になるためには、何が必要なんでしょう?

他愛《たわい》ない話をし続ける行夫をやり過ごして、電話を切った。生ぬるくなった受話器の感触が、手の中で気持ち悪い。

夕食の弁当が、まだ半分ほど残っている。すっかり冷めてしまった。テレビはしゃべり続けている。ニュース番組は終わり、バラエティが始まっていた。軽佻浮薄《けいちょうふはく》で、どこまでも下らない。だけどこいつらは楽しそうで、笑って、笑って、笑ってばっかりいる。おまえがいるこの家以外の場所には、幸せが満ち溢《あふ》れているのだと見せつけるかのように。

柏木卓也は、死ぬことで逃げ出した。

いいいいいいいいいいいい。

この行き場のない生活から。

面談のときには夢想だにしなかった思考が、健一の心をぎゅっと捕らえた。さながら固い抱擁のように。

死の抱擁。ずっと腕《かいな》を広げて、健一のすぐ後ろに立っていた。

だけど僕は死にたくない。まだその腕に抱かれるには早い。僕には僕の人生があるはずだ。きっと、きっと。僕が自由になってそれを見つけ出すまで、辛抱強く待ってくれているはずなのだ。

出口は他にもあるはずだ。

一人に——なるには。

父さんと母さんが、いなくなってくれればいいんだな。

見慣れて見飽きた風景のなかに、突然現れた新しい建築物を見つけたように、健一はふと気がついた。

家のどこかで時計が鳴った。

＊

どうして女子も男子と同じように、出席番号の後ろから面談してくれないのだろう。それなら、三宅樹理の番が早く回ってくる。

唐突に個人面談なんて、何だろう。生徒たちから何を聞き出そうというのだ。おまけに、校長先生に直《じか》に届く「手紙箱」とやらを設置したとかいう。これは、樹理の告発状に対する反応なのだろうか。

面談には刑事が参加しているという。それは樹理の告発を受けて、警察が乗り出したということなのか。だけど、いささかまどろっこしくないか。ちゃんと捜査するのなら、個人面談なんか必要ない。大出たちを呼び出して、取調室に入れて、テレビの刑事ドラマみたいにガンガン問い詰めればいいじゃないか。

宿題がたくさんあるから。そう言って、夕食もそこそこに、三宅樹理は部屋にこもっていた。頬にできた新しいニキビが痒《かゆ》い。指で掻《か》いてしまいそうになるのを、懸命に我慢している。

先週、初めて個人面談が行われることを聞いたときには、樹理はほとんどパニックに陥った。松子の苗字《みょうじ》は「浅井」だから、面談は最初から二番目だ。トロい松子のことだから、何をぺらぺらしゃべるかわからない。二人で出したあの手紙のことは内緒だよと、きつくきつく口止めをした。なのに松子ときたら、樹理がどうしてあわてているのかさえわからないようだった。

「先生たちに通じたなら、それでいいんじゃないの？　ダメなの？」

そんなバカな質問までしたんだ。

「あたしたちが出したってことがわかったらまずいんだよ！」

そこまで嚙《か》み砕いて言ってやって、やっとこさ「ああ、そうなんだね」ときた。あたしもバカだ。樹理は自分で自分の頭をブン殴りたくなった。なんで松子なんかに手伝わせたんだろう。もっと気のきいた、もっと頭のいい仲間を持てばよかったのだ。

面談が済んで、どんなことを訊かれたかとせっついて尋ねても、やっぱり松子はあてにならなかった。先生たち優しかったよ、なんてことばかり言う。柏木君のことで覚えてることはあるかって訊かれたから、ちょっとカッコいいと思ってたって言っちゃったよ。

──そう。彼のどんなところがカッコよかったの？

──大出君たちに負けなかったし、それにあの、よく教室で本を読んでて、その本が難しそうな本ばっかりで、頭いいんだなぁって思ったんです。

──柏木君と話したことある？

──あたしこんなふうに太ってて、男の子には嫌われてるから、話しかけたりできませんでした。

──そんなふうに思い込んでちゃいけないと思うなぁ。話してみたこともないのに、どうして嫌われてるってわかるの？　わからないよねえ。

そんなやりとりがあったのだと、嬉《うれ》しそうに報告した。つまらないおしゃべりだ。しかも最近、倉田まり子と話をして、一緒にダイエットしようということになったのだという余計な話まで出てきた。

「倉田さん、いい子だよ。あたし今まで、あの人は藤野さんとしか仲良くしないのかと思ってたけど、そんなんじゃないみたい」

「あいつは藤野の仲間だよ」

「そうじゃないよ、樹理ちゃん。それに藤野さんも、そんなにヤな子じゃないよ。一緒に図書館へ行って、ちゃんとしたダイエットのやり方を書いてある本を探そうって。

手伝ってくれるって」

「あんた騙《だま》されてるんだ」

藤野なんかとつるんだら、あんたとは絶交だと言ってやると、松子は困ったようだった。

「あたしと絶交したら、友達なんか一人もいなくなっちゃうんだよ。わかってる？　誰もあんたなんか相手にしてくれないんだから」

「だけど倉田さんは――」

「太ってる同士で仲良くなンの？　惨《みじ》めだね。すっごい惨め。死ぬほど恥ずかしいね、あんたたちが並んで歩いてると」

松子が泣き出してしまったので、樹理はようやく手を緩めた。絶交を言い出したのは本気だったけれど、そうなってしまったら自分も困ると気づいたのだ。樹理との友達関係が切れたら、それこそ、松子が誰に何を暴露《バラ》すかわかったものではない。

「松子の親友はあたし。あたしの親友は松子。ね？」

松子を丸め込むのなんて簡単だ。樹理はたかをくくっていた。

問題は個人面談の方だ。先生たち、何を企《たくら》んでいるんだろう。モリウチのあのしゃらっとした顔の奥には、どんな考えが隠れているのか。

どうしてあたしがこんなふうに気を揉《も》まなくちゃならないんだ。あたしはただ、酷《ひど》いことをされたから悔しくて、もうあんな酷いことをされたくないから、だから頑張って——

そのまなざしが正確なところに向けられているかどうかはさておき、自分の内側を見つめることに慣れている樹理は、想像力も豊かだった。若い心は、無限の創造エネルギーを秘めている。右に曲がれば空想に、左に逸《そ》れれば妄想に近づく想像の力は、樹理の心の目に、いつでも望むままに鮮明な映像を浮かび上がらせることができた。

今も見える。見えてくる。校長とモリウチと、きつい顔をした刑事が並んで座っていて、樹理が面談の席に落ち着くと、いっせいに冷たい笑いを浮かべて口を切るのだ。

——あの手紙は、三宅さんが書いたのね？

——この嘘つきめ。

——本当に見たのか？　証拠はあるのか？

まばたきをすると、映像は切り替わる。校長とモリウチと刑事が、樹理を褒《ほ》め称《たた》えて肩を抱いてくれる。

——よく勇気を出して告発してくれたね。

——これで柏木君も浮かばれる。

――三宅さん、あなたは立派だわ。

――警察の捜査に協力してくれてありがとう。あなたには警視総監から感謝状が贈られますよ。

バカ、バカ、バカ。そのどっちも現実《ほんとう》になるわけがない。それぐらいわかってるんだから。あたしは表面に出たりしないで、こっそりとひっそりと、先生たちを動かすことができればそれでいいんだもの。

面談を乗り切らなきゃ。何食わぬ顔をしていればいいんだ。だけど、何食わぬ顔ってどんな顔なの？

たとえ誰にも知られなくても、松子にさえ知られていないとしても、自分のやったことを自分は知っている。それは自分のなかに根をおろす。天が知らずとも、地が知らずとも、我はそれを知っている。昔の謂《いわ》れを、樹理は知らない。ただその体感と実感とに溺《おぼ》れかけているだけだ。

藤野涼子は、あの告発状を見てないのだろうか。あの優等生女は何をやってるんだ？　とっとと親父に相談しなかったのか？　学校にも知らせてないのか？

電話、かけてみようか。

急に思い立ち、樹理は混乱した。藤野に電話なんかかけて、何をどう尋ねるっていうのよ。あたしの出した告発状、あんた捨てちゃったのと訊く気なのか？

　待て、待て。もっといい方法があるんじゃないか。考えろ考えろ。三宅樹理の持ち前の頭を働かせるんだ。

　たとえば――えっと、たとえば。あたしのところに、おかしな手紙が来たのと相談してみるのはどうだ？「告発状」だって。柏木君の事件のことが書いてあるの。あれは殺人だったって。ねえ、藤野さんのお父さんて、警察の人なんだよね。こういうとき、どうすればいいのかわからない？

　いいぞ。いいじゃないか。で、その手紙を見せてごらんと言われたら？　コピーの原本はまだ手元にとってあるが、現物を見せるわけにはいかない。どんなきっかけで、樹理が作ったものだとわかってしまうかもしれない。怖かったから、すぐに破って捨てちゃった。でも気になってしょうがないから、藤野さんに相談してみようと思って。うん、それなら説得力がある。

　幼さは、若さは、すべて同じ弱点を持っている。待てないという弱点を。事を起こせば、すぐに結果を見たがる。人生とは要するに待つことの連続なのだという教訓は、平均寿命の半分以上を生きてみなければ体感できないものなのだ。そして、うんざりすることではあるけれど、その教訓は真実なのだと悟るには、たぶん、残りの人生すべてを費やすまでかかるのだ。

三宅樹理も待てなかった。だから、自分ではよく考えているつもりでも、その思考は上滑りしているだけだった。

樹理は自室にある電話に近づいた。子機だから、通話ボタンを押せば、リビングにある親機のランプが灯《とも》って、両親に電話をかけていることがわかってしまう。長く話していれば、きっと母が様子を見に来るだろう。悩んで困って友達に相談しているのだというふりをしなくては。藤野涼子の父親にも話が伝われば、こっちの親にまでリアクションが来ることだって充分あり得る。いまいましい優等生の藤野涼子は、樹理がこのことは誰にも言わないでと頼んだところで、聞く耳を持たないはずだからだ。何でもかんでも先生に、親にご注進！　ぺらぺらぺら。そのつもりでいなくては。

――樹理、いつそんな手紙が来たの？

――先週の金曜日。

――なんで黙ってたのよ。

――ごめんなさい。心配をかけたくなかったの。

涙のひとつも浮かべてみせれば、パパもママもあっさり信じてしまうだろう。そして、そして、そのあとは――

そのあとはどうする？　自問自答をしながらも、樹理は机の引き出しから、クラスの緊急連絡網のプリントを取り出していた。藤野家の電話番号が書いてある。もう電話をかけることしか考えられない。早く藤野涼子と話をして、早く楽になることしか考えられない。

自分の心臓の鼓動が耳元で聞こえる。指先が震える。番号を押し間違えた。やり直しだ。

今度はちゃんとかけられた。呼び出し音が始まる。ルルル、ルルルルル——がちゃり。

「ハーイ、藤野です！」

小さな女の子の声だった。逸《はや》る心に急《せ》かされて、涼子が出るとばかり思い込んでいた樹理は、言葉を失った。

「もしもし、藤野でゴザイマスが」

小学生だろう。藤野涼子には妹がいるのだろうか。樹理は受話器をぴったりと耳に押しつけ、涼子さんはいますかと言おうと息を吸い込んだ。

「藤野ですけども、どちらさまですかぁ」

いいいい、うるさいガキ。

そのとき、確かに間違いなく回転の速い樹理の頭が、ある問いを投げかけてきた。三宅樹理宛《あて》に告発状が来た？　どうして？　先生でもなく、家族に警察官がいるわけでもない。そもそも柏木卓也と親しかったわけでもない三宅樹理に？　おかしいぞ。その疑惑に、どう応じる？　どう説明をつける？

樹理は柏木卓也と話をしたことさえない。興味がなかった。近づこうと思ったこともない。そのことは誰もが知っている。

ありもしなかったとみんなが知っている過去を、遡《さかのぼ》ってでっちあげることはできない。告発状に書いた嘘《うそ》とは、そこが根本的に違う。

樹理は受話器を叩《たた》きつけて電話を切った。びっしょりと冷汗をかいていた。

あたしは頭がいいはずなのに、とんでもない間違いをするところだった。どうしちゃったんだろう。どうしちゃったのよ。

危ないところだった。本当に危機一髪だった。樹理は深呼吸を何度もして、両腕で身体《からだ》をさすり、やっと薄笑いを浮かべられるところまで自分を取り戻した。

現実は何も変わっていないし、樹理が仕掛けた嘘は動き続けているのだけれど、そんなことは今、頭に浮かばなかった。

＊

「なぁに、間違い電話？」

風呂《ふろ》上りの涼子は、タオルをかぶったまま妹に呼びかけた。瞳子《とうこ》は受話器を手にしてふくれっ面《つら》をしている。

「切れちゃったんだよ」

「ヘンなこと言われた？」

「ヘンなことってなぁに」

「いやらしいこととか」

「いやらしいことって？」

涼子は瞳子から受話器を取り上げ、フックに戻した。

「お父さんとお母さんと約束したでしょ。瞳子はほいほい電話に出ちゃいけないの。ね？」

「お姉ちゃんは出るじゃない」

「翔子《しょうこ》も出ないよ。お姉ちゃんは中学生だからいいの」

「そばにいたんだもん」

「だったらお母さんを呼びなさい」

涼子は、できるだけ妹たちに電話をとらせないように気を配っている。理由は二つ。一つ目は、この家の電話には、お父さんの仕事上の大事な連絡があるかもしれず、そんなときに翔子や瞳子では心もとないから。二つ目は、世の中には暇な愚か者がうじゃうじゃいて、いやらしいイタズラ電話をかけてくることがあるから。実際、一時その手の電話が続いたこともあったのだ。幼い妹たちを、そんな電話口に出したくない。

思いやりのある姉さんではないか。

「ホントにすぐ切れちゃったのね？」

「うん。でもハアハアいってたよ」

「ハアハア？」

涼子は思いっきり顔をしかめた。やっぱイタ電だったんだわ。

「気持ち悪い？」

瞳子は指で自分の鼻先をつついた。「トウコが？」

「だいじょうぶならいいんだ。さ、あんたもお風呂に入りなさい」

それきり、電話のことは忘れてしまった。

伝わり損ねた声は、夜のどこかにこぼれて落ちた。誰もその所在を知らない。声のキャッチボールは終わり、電話線も風に鳴るのをやめた。

陽《ひ》はのぼり、陽は暮れる。一日が経《た》つのは早い。約束されたスイッチが、音もなくそっと入るまで、何事もなく時は過ぎる。今日できることは全部やった。誰もがそう信じているから、安眠できる。

＊

20

日曜日で外来が休みだから、病院の正面玄関は閉まっている。佐々木礼子は通用口の方から入って、通りかかった看護婦に声をかけ、警察手帳を見せた。外科の救急処置室はどちらですか？

足元の青いラインに従って進め、と教えられた。通路はすいていたので、礼子は途中から走った。走りながらコートを脱いだ。腕時計を見る。三時になるところだ。

廊下の角を三つ曲がったところで、通路に立っている庄田《しょうだ》に出くわした。青いラインはまだ先に続いていたが、両開きのドアの上に掲げられたプレートには「救急処置室」とある。ここに間違いない。

「今、お母さんがなかで担当医と話してる」と、庄田は言った。

歳《とし》は三十ちょうど、礼子より二歳下だが、少年課でのキャリアは同じくらいなので、後輩ではなく同僚だと、礼子は思っている。熱心だし、有能だ。少年課のような労多くして実り少ないところからは一刻も早く立ち去りたいと、常に中腰になっている里《さと》中《なか》課長なんかより、はるかに頼りになる。

「どんな様子？」と、礼子は訊《き》いた。ポケベルは庄田からだったのだが、電話では、被害者の怪我《けが》の程度までは聞かなかったのだ。庄田はこう言った——大出《おおいで》たちがやらかしたよ。被害者は救急車で病院に運ばれた。礼子としては、それだけ聞けば充分だった。

「運ばれてきたときは顔じゅう血だらけで」

庄田は自身の細面の顔を手でぐるりと撫《な》でるような仕草をした。

「耳から出血しているようにも見えたんで、検査は念入りにやったそうだ。詳しいことはこっちも医者に聞くまでわからないけど、とりあえず今は、本人の意識はちゃんとある。話もできる」

「救急車に乗ったとき、意識は？」

「あったけど、ぼんやりしていたそうだ」

被害者の名は増井望《ますいのぞむ》。城東第四中学校の一年生男子だ。

「本人と話した？」

「まだ。救急隊員と、お母さんからは話を聞いた。彼を見つけて救急車を呼んでくれた人は、親切なだけじゃなく機転のきく人物でね。もしかすると事情を話す必要があるかもしれないからって、救急隊員に名刺を渡しておいてくれたんで、すぐ連絡がついた」

庄田は、手にしていた手帳を開いて見た。

「田川実《たがわみのる》、岡谷《おかや》証券の社員だって。休日出勤する途中だったそうだ。勤務は今夜七時までだそうだから、あとで回ればいいでしょう。システムエンジニアだとさ」

「一一〇番はしてくれなかったのね」

「しょうがないでしょう。現場は保存に行ってるから問題ない」

礼子は下くちびるを噛《か》んだ。「今度ばかりは、中坊のカツアゲです、すみませんでしたじゃ済まないわね。もちろんカツアゲだって悪いことだけど」

庄田はうなずいた。「こりゃ立派な強盗だ」

「あいつら」礼子は毒づきそうになる。「なんてバカなことを。どうしてここまでバカになれるんだろ」

「そりゃ本人たちに聞いてみないとね」

庄田はあっさり言った。少年課顔馴染《かおなじ》みの不良少年、非行少年たちに対し、けっして冷たくはないが、礼子よりは距離をとっているところがある。

「どうして大出たちだってわかったの？」

「まだわからない。増井君が、駆けつけたお母さんに、三人組にやられた、一人は三中の大出ってヤツだと話したそうだ。とにかく大変なことだというので、お母さんが署に電話してきた。だから、正確に言うなら、まだ大出たちの仕業と決まったわけじゃないよ」

そんな可能性、礼子には考えられそうにない。

「前から顔見知りだったのかしら」

「そういうことかな。増井君が連中にからまれるのは、これが初めてじゃなかったのかもしれない」

ありそうな話だ。ますます情けなく、腹立たしい。

小一時間前のことだ。この区立総合病院から徒歩で十五分ほどのところにある、相《あい》川《かわ》水上公園脇《わき》の路上で、岡谷証券社員田川実氏は一人の少年を見つけた。公園の出口からふらふらと出てきて、路上にしゃがみこんでいる。顔にも服にも血がついており、見るからに様子がおかしいので、田川氏は近寄って声をかけた。少年は起き上がるどころか、顔を上げることもできない。驚いた田川氏は、近くの家に飛び込んで電話を借り、救急車を呼んだ。そして救急車が来るまで少年のそばにいて、彼の身体を抱きかかえていた。少年はセーターこそ着ていたが、コートや上着の類はなく、靴も片方脱げていた。電話を貸してくれた家の主婦が毛布を持ってきて、少年にかけてくれた。待っていたのは五分程度だが、その間に少年は吐いた。

救急車が来ると、田川氏は休日出勤の途中であることを説明し（交代の時間なんです）、隊員の一人に名刺を渡して立ち去った。救急隊員は少年を乗せると、本人に名前を尋ねた。少年は増井望と名乗り、住所と電話番号も言った。

「どうして怪我したの」

隊員の問いかけに、

「殴られた」と、増井君は答え、お母さんに電話してくださいと言った。頭が痛いと訴え、苦しそうなので、救急隊員はそれ以上の質問は控えた。

増井君がストレッチャーに乗せられて救急処置室に運び込まれた直後、母親が病院に飛んできた。病院に着いたことと、母親の顔を見たことで、増井君はほっとしたのだろう。少し泣き、泣きながら、相川水上公園のなかを歩いていたら、城東三中の大出という二年生とその仲間にからまれ、殴られてお金を取られたということを話した。よってたかって強く殴られたので、しばらく気絶していたらしい。気がついたらとても寒く、身体じゅうが痛く、目が回って気持ちが悪かった。とにかく家に帰ろうと歩き出したが、なんとか公園を出たところで足が動かなくなって、しゃがみこんでしまった。上着や靴がどうなったのかはわからない。

話を聞いた母親は城東警察署に通報した。だから礼子たちがここにいる。

「お母さんの話だと、増井君は図書館からの帰りだったそうだ」と、庄田が言った。「彼の家は、彼が発見された公園の出口から、あと二区画ぐらいしか離れていないんだよ。相川水上公園を通ると、図書館までの近道になるそうだ」

相川水上公園は、元は運河だったところを埋め立てて造られた公園だ。だから「水上」と名がついている。木立や植え込みに囲まれ、運河の流れを残した水路もあり、散策にはうってつけの場所だが、入り組んだ構造になっているので物陰が多い。これまでにもカツアゲや引ったくり、痴漢の被害などが頻繁に起こっていた。陽が落ちてからは、女性や子供は立ち入らない。

増井君が襲われたのは真昼間だ。ただ冬場のことだから、公園のなかに人が大勢いたとは考えにくい。目撃者は期待できないだろうと、礼子は思った。そもそも、誰かが見ていたならその場で通報するだろう。いや、しないか。かかわりを恐れて知らん顔をしてしまうか。襲われているのが少年で、襲っているのが少年たちだとわかっていても。昨今じゃ、怖いのはガキと外国人だ。

「刑事さん」

声をかけられて、庄田と礼子は振り返った。救急処置室の入口に、薄緑色の手術着姿の医師が立っている。

「どうぞ。短時間なら話ができますよ。ただ、あんまり興奮させないでください」

礼子は長身の医師に近づいた。「それで、容態はいかがでしょう」

なぜかしら医師は礼子ではなく、庄田の顔を見て答えた。「頭部の方は、脳波には異常が見られませんし、ＣＴもクリアでしたからね、大きな障害が残る心配はないでしょう。ただ脳震盪《のうしんとう》の影響がしばらく残りますかね。それと眼底出血。特に右目がひどい」

礼子は心臓のあたりがずきりとした。

「視力に影響は――」

「うーん、経過を見ないと、すぐには何とも言えないな。失明の危険はないと思いますが、視力が落ちることは考えられます」

「骨折は？」と、庄田が訊いた。

「右の脇腹が三本、亀裂《きれつ》骨折です」医師は自分の脇腹を軽く叩《たた》いた。「場所からいって、倒れたときに折れたという感じではない。カツアゲに遭《あ》ったんだそうですね？」

片方の眉《まゆ》を上げて、やはり庄田に訊いた。

「そのようです」

「蹴《け》られたのかな……」

淡々と呟《つぶや》くように言う。

「顔にも身体にも殴られた痕《あと》が残っています。目のまわりなんか、拳骨《げんこつ》の形がわかりそうなほどはっきりしてる。ああ、証拠の写真を撮るんでしたら、看護婦に声かけてからにしてください」

慣れている。

「打ち身が多いので、腫《は》れますし、かなり痛がるでしょう。鎮痛剤を打ってありますから、本人が眠いと言ったら、無理に起こさずに眠らせてやってください。ショックを受けていますし、安静にして休息をとらせることが必要です」

「内臓に異常はありませんか」

「微量の血尿があります。それ以上の重篤《じゅうとく》な異変は検査では見当たりませんが、これも経過を観察しませんと」

スーツの胸ポケットで、礼子のポケベルが鳴り出した。あわてて取り出す。

「電源、切ってくださいよ」

厳しく咎《とが》めて、医師は出て行った。礼子は庄田に、署からだわと言って、電話を探しにロビーまで戻った。

相川水上公園内の植え込みのなかから、増井君のものらしいジャンパーが発見されたという報《しら》せだった。汚れているだけでなく、身ごろの部分が刃物で切られているという。靴の片方はまだ見つからない。

「大出俊次、橋田祐太郎、井口充」礼子は吐き出すように三人の名前を並べた。「彼らを探してくれてますか？」

パトロールの巡査に通知して、繁華街を回らせているという返事だった。三人とも自宅にはいない。保護者は外出先を知らない。こちらからは、まだ詳しい事情を告げてはいない。慎重な対処が必要と思われる。

電話を切ると、さああの強気で剛毅《ごうき》な大出集成材社長が、息子のこの不始末にどう対応するか見物《みもの》だわと、礼子は思った。不始末？　そう、その言葉を使いたがるだろう、大出勝《まさる》は。あるいはイタズラだと。だが今度の件はそのレベルに留まらない。犯罪だ。彼らは刃物まで使っているようではないか。

電話のそばを離れかけて、礼子は思い直し、また受話器をあげた。城東三中に電話すると、しばらく呼び出し音が鳴ってから、主事の男性が応じた。緊急だと言って、津崎校長の自宅の連絡先を聞き出した。

津崎校長は、呼び出し音二回で出た。お休みの日に申し訳ありませんという前口上を述べながらも、礼子は、電話の向こうの津崎校長の緊張を感じ取ることができた。

「何か起こりましたか？」と、校長は訊いた。

礼子は事情を話した。

校長は二秒ほど沈黙した。それからきびきびと言った。

「私はこれから学校へ行きます。職員室で待機していますので、いつでも連絡をください。学年主任の高木先生にも出てきてもらいます」

「よろしくお願いいたします」

先生も楽じゃない――礼子は、思わず呟いてしまった。

救急処置室には、カーテンで仕切られたベッドが三台並んでいた。

増井望はいちばん奥のベッドにいた。明るい草色のカーディガンを着た中年の女性がベッドの足元に立っている。母親だろう。すぐ礼子たちに気づいて近寄ってきた。

「城東警察署少年課の庄田と佐々木と申します」

手帳を開いて見せながら挨拶《あいさつ》をすると、母親は何度も頭を下げた。

「望君の具合はいかがですか。お話を伺うことはできるでしょうか」

「はい、はい」

応じる母親の声は嗄《か》れていた。治療が終わり、検査の結果も聞き、最悪の事態は回避できたという安堵《あんど》に、いっぺんに疲れてしまったのだろう。

「眠そうですけれど、話せると思います」

「お母様は大丈夫ですか」礼子は母親の腕にそっと手を触れた。「おかけになりますか。それとも、少し待合室の方でお休みになりますか」

「いえ、ここにいます。望についておりますので」

「他のご家族に連絡はつきましたか」と、庄田が尋ねた。

「主人は今日、ゴルフに行ってるんです。お得意さんを案内して」

「ああ、それじゃすぐには連絡できませんね。お母さんお一人で大変でしたね」

労《いた》わるように、庄田はうなずく。

「お姉ちゃんは部活で学校にいますけど、まだ知らせてないです。とにかくわたしもここへ来るのに精一杯で」

「望君にはお姉さんがいるんですね」

「ええ、年子なんです」

「やはり四中の生徒さんですか」

「そうなんです」

母親は拳《こぶし》を握って口元にあてた。目元が険《けわ》しい。

「四中は落ち着いてるんで、安心してたんです。大きな問題なんてなくて。心配することなくて。それなのに、他所《よそ》の学校の子に狙《ねら》われるなんて……」

礼子は増井望のベッドに歩み寄った。ベッドはほとんどふくらんでいない。少年はたいそうちっぽけに見えた。まぶたが閉じている。呼吸のたびに鼻腔《びこう》が震えていた。

顔が腫れあがっている。右目に眼帯をしており、耳にかけた白いゴム紐《ひも》が鼻にかかっているが、それさえも痛そうだ。薄い上掛けに覆《おお》われているので、首から下の様子はわからないが、尿管カテーテルが入っているようだ。多感な年頃に差しかかった男の子には、決まりの悪い処置だったろう。ベッドの足元に吊《つ》り下げられたビニール袋のなかの尿は、少なくとも素人の礼子の目には、ぎょっとするような色合いには見えない。ほっとした。

右腕に点滴をしている。薬液は規則正しく落ちていた。薬液の名称を読んでみたが、礼子には何の薬なのか見当がつかなかった。

眠ってしまったようだ――しばらくのあいだ、礼子は声をかけずに彼の顔を見守っていた。と、少年のまぶたがかすかに動き、半目になった。

「増井君」礼子は小さく呼びかけた。「わたしは城東警察署の警察官です。お話できそうですか」

半開きのまぶたの奥で目が動き、赤紫色の痣《あざ》に縁取られた口元が、わななくようにちょっと開いた。

「刑事さんですか」

呼気にまぎれてしまいそうな声だ。

「そうですよ。ひどい目に遭ったね。怖かったでしょう。でも、もう大丈夫だからね」

少年のまぶたが閉じた。ぴくぴくと震えている。鎮静剤の効き目と戦って、目を覚まそうとしているようだ。

「今、無理に話さなくてもいいのよ。お医者さまもそうおっしゃっていたからね。君を殴ってお金を盗《と》った三人組を、警察で探しているからね。安心していいのよ」

増井望のまぶたの隙間《すきま》から、瞳《ひとみ》がのぞいた。礼子を見ている。礼子はうなずいてみせた。

「大出」と、少年は言った。

「大出俊次」呼び捨てにしかけて、礼子は一瞬ためらってから言い直した。「大出俊次君ね。三中の二年生」

「――うん」

「彼一人？」

「仲間が、いました。いつもあいつと、つるんでる二人」

「増井君は、彼らのことよく知ってるの？」

鼻腔がぱっとふくらんでしぼみ、息が漏れた。

「学校で、聞いてたから」

「四中で？」

「はい」

「増井君の前にも、四中の生徒が大出君たちにカツアゲされたことがあるってことかな」

「はい」

「そうすると、彼ら四中でも有名なのね」

城東三中と四中には、同じ小学校から進学している生徒たちがいる。大出俊次は小学校時代から問題児だったし、ちょっとでも噂《うわさ》になれば、すぐ広まるだろう。

「だから増井君も彼らの名前がわかった？」

「あいつら、名前を呼び合ってたし」

「君を脅したり、暴力をふるったりしたときに」

「はい」

バカだ。吐き出すように礼子は思った。大出たち三人組は、ワルであると同時にその程度のバカなのだ。それがたまらなく腹立たしい。

手帳を取り出し、そこに挟んだ三人組の生徒手帳のコピーを、一枚ずつ増井望に見せた。小さな顔写真のコピーを、増井望は確認した。

「この三人です」

「増井君のこと、何て言って脅したの」

少年は枕《まくら》の上で頭を動かした。口が震える。

「相川公園で、増井君の着ていたジャンパーが見つかったの。ざっくり切られてた。あれも大出君たちがやったの？」

「そう」

「刃物を見せて脅かしたんだ。お金を出せって」

「そうです」

「場所はどの辺だった？」

「遊歩道の、橋のそば。亀井橋《かめい》」

相川水上公園の出口に近いところにある、小さな橋だ。

「脅されて、増井君はどうしたの」

「逃げました」

「でも逃げ切れなかったんだ」

「はい。殴られた。蹴っ飛ばされたし」

「お金はいくらぐらい持ってたの」

「――千円ぐらい」

「それを盗られた」

「なくなってた」

「盗られるところは見なかったの」

「気絶しちゃったから」

「じゃ、そのあとのことはよく覚えてない？　公園から道路に出て、救急車を呼んでもらうまで」

「気がついたら、植え込みのなかにいました」

「襲われたのは公園のなかの遊歩道だったんだよね。だけど目が覚めたら植え込みのなかにいた」

「はい」

　増井望の頭がまたちょっと動き、ふう——というように鼻腔がふくらんだ。呼気も震えているようだ。半目だったのがぴったり閉じてしまった。疲れたのだろう。

　一人で歩いている増井望を見つけ、取り囲み、刃物を見せて脅す。ジャンパーを切ってみせる。逃げ出そうとするところを三人がかりで殴り、蹴り、倒れて気を失った彼の衣服を探って金目のものを奪う。ジャンパーを脱がせたのはそのときだろうか。靴は、増井望が逃げようとしたときに脱げてしまったのかもしれない。

　そして、意識を失っている増井望を、植え込みのなかに隠して立ち去った——粗暴で、悪質だ。礼子は喉《のど》がヒリヒリしてくるのを感じた。

背後から軽く肩を叩《たた》かれた。振り返ると、庄田が耳元で囁《ささや》いた。

「パトロールが、大出俊次を見つけたそうだ。保護者と一緒に署に出頭させる」

礼子はうなずいた。「あとの二人は？」

「金魚のフンだ。くっついてた」

「連中どこにいたの？」

「ゲーセン。〝ライブラ〟のなかの」

遊んでいたというわけか。捕まるはずはないとたかをくっていたのだろう。

ベッドの上に目を戻した。増井望は静かに呼吸している。それでも一度だけ、増井君と小さく呼んでみたが、返事はなかった。眠らせてやろう。

ベッドのそばを離れ、救急処置室の通路に戻ると、庄田が待っていた。

「署に戻りましょう」

抑えたつもりだったが、自分の声が戦闘的に尖《とが》っていることを、礼子は感じた。あの、バカな連中。救いがたいほど愚かな三人組。今度という今度は、説諭じゃ済まないんだからね。

21

少年課に入ると、居合わせた同僚に、すぐ、「大部屋だよ」と言われた。階上《うえ》にある大会議室のことだ。

「課長も？」

主のいない課長席をちらりと見て、佐々木礼子は尋ねた。

「行ってるよ。おかんむりだ」

急いでコートを脱ぎ、事務用箋《ようせん》の綴《つづ》りを手に、礼子は庄田と連れ立って階段をのぼった。大会議室のあるフロアには、署長室と訓示場もある。日常、署内ではいちばん静かな階だ。

が、礼子が大会議室の引き戸に手をかけるのを待っていたかのように、室内から罵《ば》声《せい》が漏れ聞こえてきた。

「だいたいあんたね、最初《はな》っからうちの倅《せがれ》がやったって決め付けてるじゃないか！」

礼子は庄田の顔を見た。彼は含み笑いをしつつ、

「来てるね、親父《おやじ》さん」と、小声で言った。

失礼しますと声をかけて、礼子は大会議室に踏み込んだ。とたんに、交錯する複数の視線を感じた。吹き降りの雨のなかに出たようだった。

面子《メンツ》は揃《そろ》っていた。長方形の大テーブルの、礼子が入ってきた引き戸からは遠い側の端に、大出俊次、橋田祐太郎、井口充《みつる》の三人組が、だらしなく椅子《いす》を引いて腰かけている。大テーブルの先頭、よく「お誕生席」と言われるポジションに陣取っているのは、俊次の父親の大出勝だ。さっきの大音声《だいおんじょう》も彼のものである。礼子には聞き慣れた怒声だった。

俊次は父親のそばに、だから大テーブルの角にあたる部分に座っている。橋田祐太郎と井口充は、彼ら親子からちょっと離れ、入口の方にも背を向けている。二人の少年たちからさらに心持ち距離をとって、橋田の母親と、礼子が初めて見かける中年男性がいた。橋田の家は母子家庭なので、これは井口充の父親に違いない。充から余分な脂肪分を取り除き、さらに脱水機にかけたような容貌《ようぼう》だ。

礼子は少し驚いた。これまで、充が何度厄介《やっかい》事を起こしても、補導されても、井口家から父親が出てきたことはなかったからだ。礼子が会うのはいつも母親で、しかもこの母親は、何があっても、泣き泣き「すみません」と謝ることしかしない人だった。

「またあんたらか」

大出勝は敵意を剝《む》き出しに、礼子と庄田を睨《にら》みつけた。大出集成材株式会社社長は、背丈《しゃ》も横幅もある大男だ。息子の俊次は、背丈こそあるものの、父親の横に並ぶと華《きゃ》奢に見える。

日曜のことだから背広ではなく、派手な大柄のセーターを着ていた。左手首に、ぎらぎら光る金色の時計が見える。ロレックスだ。

「いったいぜんたい、うちの倅に何の恨みがあるっていうんだ？」

呻《うな》るような声で、大出勝は食らいついてきた。礼子は直接この問いには応じず、室内の全員に向けて軽く会釈《えしゃく》をすると、

「少年課の佐々木と申します。こちらは庄田です。ご足労いただきまして」

と、敢《あ》えて橋田の母親と井口の父親に向けて言った。橋田の母親は目をそらし、井口の父親は、それでなくてもうなだれていたところを、さらに背を丸めて縮まった。

「今、事情をお話ししていたところだ」

ぞろりと並んだ少年と保護者たちの対岸で、里中課長が言った。表情は穏やかだが、目の底に苦々しい色がある。それがはっきりと見えてしまう。その隣には名古屋がいて、のほほんとした面持ちで煙草《たばこ》をくわえていた。例によって火は点《つ》けていない。

少年課の有名人、要注意人物が引き起こしたらしい事件だから、課長が出てくるの

は当然だ。が、名古屋が顔を連ねているのは、礼子にはやや意外だった。当の名古屋は礼子の方を振り向きもしない。スプリングのきいた椅子の背もたれに寄りかかり、少年たちの顔を見比べている。

「〝バトルステーション〟にいたんですって？　びっくりしたでしょう」

礼子は顔を明るくして、俊次たち三人の少年に話しかけた。さっきの電話では、彼らはライブラ・ロードのなかのゲームセンターにいたと言っていた。ゲームセンターは二店ある。〝バトルステーション〟はそのひとつで、俊次たちが好んで集まる店の方だった。

誰も返事をしなかった。三人の少年たちは、それぞれの役回りに忠実に、三通りのふてくされ方をしている。大出俊次は薄笑いを浮かべてふてぶてしく、のっぽの橋田祐太郎は目を開いたまま寝ているみたいに無反応、小柄で肥満気味の井口充は、きょときょとと視線を動かして、礼子の顔もちらちらと盗み見る。気のきいた野卑な台詞《せりふ》が浮かぶならすぐにも言い返したいのだが、思いつかない。思いついたとしても、うっかり応答したら、親分である俊次に叱《しか》られるし——だからせいぜいむっつりしておくんだ。

「パトロールが彼らを見つけてね。その場ですぐ保護者に連絡をとった。それで一緒に来てもらったんだ」

手続きに間違いはないと強調するように、里中課長が言った。

「たまの休みだってのに、いい迷惑だ」

大出勝が吐き捨てた。まんべんなくこんがりと日焼けした顔に、右手の甲だけが白い。ゴルフ焼けだ。ゴルフする暇はあっても、倅の不始末のために割く時間は惜しいという意味ですかと、礼子は心の中だけで尋ねた。

「たいへん恐縮なことです」礼子は丁寧な口調で言った。「ただ、課長からお聞きになったとおりの事件です。わたしと庄田は入院している被害者に会ってきたのですが、かなりひどい怪我《けが》をしています」

「だからって何で倅が疑われなくちゃならないんだ？」

「里中からもご説明があったと思いますが、被害に遭った少年は、同年代の三人組の男子にやられた、その三人組が、互いに〝シュンちゃん〟〝橋田〟〝井口〟と名前を呼び合っていたと証言しているんです」

大出勝のなめし革のような色の頬に、かっと血がのぼった。ごつい拳《こぶし》が大テーブルの天板を打ち、片隅に寄せてあったアルミの灰皿がぽんと飛び上がる。井口の父親がびくりとした。

「そんなもんはあてにならん、あんたら、倅のことばっかり疑って」

「大出さん」礼子は真《ま》っ直《す》ぐ大出勝の顔を見て、いっそう声を和らげた。「被害者の少年には、大出君たちの顔写真を見せて、確認をとりました。これはただならない事態です。だから、本人たちから話を聞きたいので、こうしてご足労願ったのですよ」

「倅は何もやってない!」

父親の大声を聞きながら、俊次はにやにや笑っている。彼の笑顔を確認してから、井口充もクックッと笑い出した。橋田祐太郎は依然、宙を見ている。

「今日の昼ごろ、どこにいたか教えてもらえないかな」と、庄田が少年たちに問いかけた。三人をぐるりと見回し、大出俊次の顔の上で視線を止める。

「答えることなんかないぞ」素早く、大出勝が遮《さえぎ》った。「もうすぐ弁護士が来るからな」

「大出さん、弁護士を呼ばれたのですか」

「呼んじゃ悪いか? ま、あんたらには都合が悪いだろうがな」

「そういう意味ではないんです」庄田は微笑《ほほえ》んでいる。「もし大出さんが、我々がお子さんたちから事情を聞くことをやめさせたければ、弁護士先生を頼むまでもないのですよ。このまま席を立ってお帰りになればいいんです。我々にも、誰にもそれを止める権利はありません」

大出勝は短気そうにまばたきをした。額は汗でてらてらと光っている。

「その手には乗らないよ」

「どの手ですか」

「そんなこと言って私らが倅を連れて帰ったら、勝手に調書をでっちあげて、逮捕するつもりなんだろう？　おまえらのやり口はいつだってそうじゃねえか」

庄田は同意を求めるように礼子の顔を見ると、微笑を少し薄めて、さらに続けた。

「大出さん。率直に申し上げますが、俊次君はこれまでにも何度か補導されています」

大出勝が反論しかけたが、庄田はそれを手で制した。

「そうした折にも、我々城東警察署の者が、今、大出さんがおっしゃったようなデタラメなことをやったとおっしゃいますか」

「いつもデタラメばっかりだ。倅がやりもしないことをでっちあげて」

「それでは、今度こそでっちあげのないように、事実を確認していきたいと思うのですが、いかがでしょう」

今度は里中課長が庄田を睨んだ。確かに今の台詞だと、「これまではデタラメをやってきた」というふうに聞こえる。だがこれはレトリックだ。いちいち過敏に反応しなさんな。

「そのためにも、弁護士さんが来るまでお待ちしましょう。我々としても、被害にあった少年だけでなく、大出君たちの生活も守りたいのです」

くわえていた煙草を指に移して、名古屋がのんびりと口を挟んだ。

「先ほどは申し上げませんで失礼しましたが、私は少年課でなく刑事課の担当でして」

何だこのオヤジは――という目で、一瞬、俊次が素早く名古屋の顔を見たことに、礼子は気づいた。

「この件は強盗傷害事件です。被害者の証言で、大出君たちの名前があがったんで少年課が扱ってますが、本来は私ら刑事課の手がける事件ですわ。なるほど、ここまでのお話を聞いた限りでは、大出君、橋田君、井口君がやったという物証は何もない。被害者の証言だけです。犯人が他にいる可能性は充分にあります。ですからここはひとつ、凶悪な強盗傷害事件の捜査に協力していただくということで、お話しいただけませんかな」

「嘘《うそ》っぱちで名前をあげられて迷惑してるのに、何を協力しろっていうんだ」

名古屋は煙草を上着のポケットにしまった。

「被害者が嘘をついているとしたら、これは明らかに大出君たちに悪意を持っているからですな」

「だから、最初からそうだって言ってるだろうが！」

また拳がテーブルを打った。橋田祐太郎が、ちょっと目を瞠《みは》って、カラカラと軽い音をたてる灰皿を見ている。

「まことに、大出君たちから見たらひどい話ですな。どうしてそんなふうに迷惑をかけられなきゃならんのか、お父さん、はっきりさせたくはないですか。なにしろ事が事だ。凶悪な強盗傷害事件です」

「私らには関係ないよ」

「しかし、強盗傷害事件ですよ。下手《へた》をすると被害者は死んでいたかもしらんし……」

礼子は内心で、ちょっと笑った。名古屋が「強盗傷害事件」と念を押すように繰り返すのは、大出勝に聞かせるためではない。標的は、橋田の母親と井口の父親だ。

それは効いている。二人の父と母は、うつむいていた顔を上げて、名古屋を見るようになった。窺《うかが》うような視線に、具体的な不安の色が混じり始めている。

「話せったって……」

橋田祐太郎の母親が、ぐずぐずと語尾を引っ張るようにして言い出した。いつもこういうしゃべり方をする。若い娘《こ》たちの専売特許である、ねっとりした半疑問形。

「何を話せばいいんですかねぇ」

橋田光子《みつこ》というこの女性について、礼子が知っていることは少なくない。なぜならば、彼女がやたらに身の上話をしたがるからだ。

光子は二十二歳で結婚したのだそうだ。すぐ長男が生まれたが、その子が小学校にあがる年に、夫は交通事故で死亡。彼女は女手ひとつで子供を育てることになり、スナック勤めなど、水商売の世界でひどく苦労をしたという。

その後、店で知り合った客と再婚し、祐太郎と、彼の下に女の子を一人もうける。が、その夫とも三年前に別れた。最初の夫とのあいだに生まれた長男は、高校を出て職に就くと家を出てしまったので、現在は母子三人暮らし。地元で焼き鳥屋「あずさ」を経営している。間口一間、プレハブのマッチ箱のような店だ。家族の住まいはその二階である。

礼子はこの店で飲食したことはないが、少年課の刑事として訪問したことはあるし、通りがかりにのぞいてみたことも何度かある。焼き鳥専門店というよりは、居酒屋だ。

大繁盛《はんじょう》しているようには見えないが、固定客がついているのだろう、週末の夜などはにぎわっている。橋田光子はたいてい、ひっつめ髪にエプロン姿で、ただ化粧だけは念入りにして店に出ている。

保護者としての彼女は、大出勝のように警察に敵対的ではない。ただし言い訳が多い。その言い訳が身の上話につながるのである。

「父親がいないもので……」

何かというとそれを言う。

「女親だと男の子のことはわからなくて」

というのも決まり文句だ。

「あずさ」は、もともとは別れた夫が始めた店だという。もちろん彼女も手伝っていた。そのまま経営を引き継いだ。

「だってしょうがないじゃないですか。あの人、ぷいと出て行っちゃって、それっきりなんですからね。子供と三人、食べていくためには、お店やってくしかなかったんですよ。賃借りだから、お店の家賃払うと、生活するだけで精一杯ですよ」

つまり、別れたといっても、正式に離婚したわけではないのだ。夫が勝手に家を出て、彼女は子供たちと共に捨てられたのである。

口を尖《とが》らせるようにして愚痴《ぐち》をこぼすときの橋田光子は、ひどく疲れている。だが、しゃべり続けるうちに、だんだん生気を帯びてくる。礼子は、彼女の息子の行状や、学校での様子について知りたいから訪問するのだが、気がつくと彼女の一人語りに付き合って、聞き手になっていることが多い。だらだら続く苦労話を遮るきっかけを見つけるのが難しいこともあるが、そうやって話を聞き出しているうちに、橋田祐太郎があのように無口で、愛想のない無気力な少年に育ちあがり、一方で、粗暴で刹那《せつな》的な大出俊次にくっついてしまった原因を、探り当てられるのではないかとも思うからである。

「あたしはねえ佐々木さん、ずっと、女一人で頑張ってきたんですよ」

決まり文句のように、光子は言う。温和で真面目《まじめ》な人だったという最初の夫を懐《なつ》かしみ、あの人が生きていてくれれば、あたしの人生もこんなふうにおかしくなりはしなかったと悔しがる。別れた二番目の夫についてはボロクソに言う。女狂いで、すぐ暴力をふるった。怠け者のくせに金遣いが荒かった。出ていってくれてほっとした――と言いつつ、すぐその後に、あたしたち母子《おやこ》三人は捨てられたんですよと自己憐《れん》憫《びん》に陥《おちい》る。

冷たく見るならば、あるタイプの女性の、あるタイプの典型的な〝人生の失敗〟ということなのだろう。が、「失敗」と言い切ってしまっていいのだろうかとも、礼子は思うのだ。何だかんだ言いながらも、彼女は子供三人を育て、そこそこ客の集まる店を切り盛りしているのだ。

橋田光子の本当の「失敗」は、むしろこれから来るものなのではないか。子供たちが成長の仕方を間違うという形で。

だが、橋田光子の祐太郎に対する思い――彼の問題行動やこれまでの非行歴をどう思っているのかということは、どうにも曖昧模糊《あいまいもこ》としてつかみにくい。礼子はそれを知りたいからこそ彼女に面談するのだが、光子はいつも、息子の問題を、彼女自身の人生の不測と不足にすり替えてきた。

今度という今度、補導と説諭だけでは済まない事態に直面して――そのくらいのことは、世間知のある彼女ならわかるはずだ――光子はどうするだろう。何を言うだろう。礼子はしっかりと顎《あご》を引き、橋田光子の貧相な横顔を見つめた。

「この子はこのとおりぼうっとしてまして、口下手なんですよ」

視線を大テーブルの上に落として話し始めたが、「この子」というときは、すくうような目つきで祐太郎を見た。当の息子はまだぽかんと宙に目を遊ばせている。

「今だって、何でここに呼ばれてんのか、わかってないかもしれないです。あたしも何がナンだか――」

　庄田がやんわりと質問する。「お母さんは、祐太郎君が今日の昼すぎから三時ごろまでにかけてどこにいたかご存知ですか」

「はあ……」光子は目をしばたたく。日曜日は店が休みだから、まったく化粧っ気がない。礼子が見慣れている顔よりもひとまわり大きく、輪郭がだらしなく緩《ゆる》んで見えるのもそのせいだろう。マスカラもシャドウもない目は小さくすぼまって、奥に引っ込んでしまっている。

「家にいたと……思うんですけども。ねえ」

　ねえという呼びかけは、祐太郎に向けてのものである。

　息子はようやく母親を見た。というより目を向けた。目の焦点は、母親から微妙にずれている。

　一同は、彼が何か言うかと固唾《かたず》を呑《の》んだ。礼子が来てからこれまで、三人の少年たちは一言も発言していない。里中課長と対しているときも、たぶんそうだったろう。しゃべったり怒鳴ったりして反応していたのは、大出勝一人だったはずだ。

「家にいたよ」と、橋田祐太郎は言った。

「そらみろ」急に勢い込んで、大出勝が身を乗り出す。「うちの倅《せがれ》だって家にいたんだ。私と一緒に昼飯食って、ずっと家にいたんですよ」

庄田は大出勝を無視した。橋田祐太郎に問いかける。

「それじゃ、ライブラ・ロードに行ったのは何時ごろ？　三人で〝バトルステーション〟に遊びに行ったのは」

祐太郎は骨ばった肩をすくめた。今時の十代の子供は、こういう動作を上手にする。映画やテレビドラマが手本になっているのか。

「店に入ってすぐ、おまわりに捕まったんだと伜は言ってる。いきなりだよ。何も悪いことなんかしとらんのにさ。ゲームセンターだって、日曜の昼間なんだから、中学生が入っちゃならんということはないでしょう」

大出勝が声を張り上げる。俊次は力説する父親を眺めているが、まだ薄笑い顔のままだ。

「大出君、そういうことだった？」庄田は素早く視線を切り返して俊次に訊《き》いた。

「パトロール巡査が君たちに声をかけたのは、午後三時三十五分なんだ。君たちはそのとき、ゲーセンに入ったばっかりだったの？」

俊次が口を開いたので、ようやくニヤニヤ笑いが消えた。彼は庄田に答えず、父親にこう尋ねた。「弁護士が来るまでしゃべらないいんじゃねェの？」

一瞬、大出勝の顔に新たな怒気が浮かんだ。明らかに、息子に対する怒気だ。

「おまえの身の証《あかし》を立てることなら、しゃべったっていい」

へえ～、と気の抜けたような声をあげて、俊次は驚いたような表情を浮かべた。

「オレはうちにいたよ、刑事さん」と、庄田に答える。またニヤニヤ笑いが全開だ。

「うちで寝てた」

「でも〝バトルステーション〟に行ったろ。それは何時ごろだったか訊いているんだ」

「時間なんか覚えてねぇ」

間延びした口調でそう言って、椅子《いす》をきしきし鳴らしながら身を起こすと、井口充の顔をのぞきこんだ。

「覚えてねぇよな？」

「うん、ぜんぜん覚えてない」

待ってましたとばかりに、井口充はうなずいた。勢いよく口を開いて発言したので、彼の口から唾《つば》が飛ぶ。

「店に入ってサ、まだ両替もしないうちにサ、おまわりにど突かれたんだ」

「おまわりがおまえらを殴ったのか？」これまた飛びつくように、大出勝が言った。

「何発殴られた？ 言ってみろ。訴えてやる！」

「パトロール巡査はお子さんたちに暴力をふるったりしていませんよ」庄田が遮る。

「その場にいもしなかったてめえになんでそんなことがわかるんだ！」

「きちんと報告を受けています」

「そんな報告なんざでっちあげだ！」

この手の応酬に、礼子は飽き飽きしている。大出勝はこういう保護者で、こういう社会人なのだ。だから、橋田光子の顔から目を離さないようにしていた。光子は祐太郎の表情を窺っている。何か読み取ろうとしているのか、それとも何かを伝えようとしているのか。もっとも、息子は一向に気づかない様子で、眠たげに頭を垂れてしまった。

「うちは、ちっぽけな商売屋だからね」

突然、発言があった。井口充の父親である。やや甲高い声の調子が息子とよく似ている。

「大出さんにはかないませんよ。商栄会の顔役なんだから。でもそっちは商売の話であって、私ら大人同士の付き合いです。だからって、倅が大出さんとこの息子さんに義理立てしなくちゃならん理由《わけ》はない」

これは見物《みもの》だ。一瞬だが大出勝が唖然《あぜん》としたのである。それから猛然とまくしたて始めた。「あんたね、井口さん。そりゃ聞き捨てならないね。義理立てってのはどういう意味だよ？　え？」

井口充もあわてて父親を止めにかかった。「黙ってろよ、父ちゃん！」

だが、当の父親は黙らなかった。いきり立つ大出勝には目もやらず、息子の充の方にぐいと顔を寄せた。

「おまえ、刑事さんたちが言ってるようなこと、本当にやったのか？　強盗なんて、おまえにそんな度胸があるのかよ。大出君に付き合わされて、尻馬《しりうま》に乗っただけなんじゃねえのか？」

井口充の顔から、みるみる色が抜けてゆく。それとは対照的に、大出勝の方は噴火寸前だ。顔が真っ赤に紅潮してゆく。

「オレたちは仲間なんだよ！」井口充が悲鳴のような声を放った。「友達なんだよ！　オレとシュンちゃんは友達なんだよ！」

礼子は気づいた。大出俊次は下を向いて笑いを噛《か》み殺している。そうだろう、そうだろう。彼にとっては、橋田祐太郎も井口充もただの下僕に過ぎない。下僕の必死の抗弁が、可笑《おか》しくてたまらないのだ。

礼子の視線を感じたのか、大出俊次が顔を上げた。その目の奥に怒りが宿る。そんな顔でオレを見るなよ、オバハン。

「そうだよ」と、出し抜けに彼は言った。井口充の父親に向かって。「オレたち、仲間なんですよ」

落ち着き払った口調だった。誰かをからかうときには、こいつはいつもこうなんだ。

「友達なんですよ、オレたち」

「そ、そうだよ。だから黙ってろよ、親父《おやじ》」

井口充は汗をかいている。その父親は、疲れたように何度かまばたきをした。

「そんなの嘘《うそ》だろうが。どうせまた、おまえは大出君に引きずられただけなんだろうよ。なのに一緒に捕まって一緒に強盗犯になって、一緒に少年院に行くのか。何でそんなに付き合いがいいんだよ、おまえは」

「何だと！」大出勝が椅子を蹴《け》って躍りあがった。「黙って聞いてりゃさっきから勝手なことばっかり言いやがって。うちの倅は強盗なんかやっとらん！」

「大出さん！」あわてて庄田が立ち上がり、井口の父親に殴りかかろうとする大出を止めた。里中課長も割って入る。橋田光子が席を立って逃げ出した。

充の父親は、息子にとっては地雷のようなものだった。開けてはいけない蓋《ふた》だったらしい。暴れる大出を、課長と庄田が二人がかりで抑えているのを、井口の父親は獣を見るように見ている。及び腰だ。その肩口を突き飛ばし、充はまた唾を飛ばして言い募る。

「何言ってんだよ、何バカやってんだよ、帰れよ。おめェなんか何しにきたんだよ。いつも競輪ばっか行ってるくせして、なんでノコノコ出てきたんだよ！」

哀れをもよおすような眺めだ。一人、大出俊次はゲラゲラ笑っている。笑いつつ、やめろよ親父と、腕を伸ばして父親の上着をつかんで引き戻す。

「取り消せ！　今の言葉を取り消せ！　倅に謝れ！　この野郎、ただじゃおかねぇぞ！」

大出勝はわめいて暴れ続け、井口の父親は、頑固に椅子を離れない。ただしきりと彼を罵倒《ばとう》する大出集成材社長と、汗をかきかき「バカ親父」と罵《のの》る息子の顔を見比べている。橋田光子は大テーブルをぐるりと回って避難すると、祐太郎の隣に落ち着いた。息子の骨ばった長身に寄り添い、母親というよりは女らしく怯《おび》えた顔をしている。祐太郎は椅子に腰を据えたまま、この騒ぎを傍観しているだけだ。

「とにかく、す、座ってください。落ち着いて！」

やっと大出勝を椅子に引っ張りおろすと、庄田は息を切らしていた。

「あなたが署内で暴力沙汰《ざた》を起こせば、事実の解明も息子さんの身の証も何もあったもんじゃありませんよ」

大出勝の鼻の穴が倍くらいに膨らんでいる。彼の吐き出す鼻息と呼気の熱気で、室内が暑くなったような気がするほどだ。

「こ、このバカが！」井口の父親に太い指をつきつけると、腹の底から震えるような声を出した。「てめえの伜がどンだけうちの伜の世話になってるか棚にあげやがって、他人様《ひとさま》の伜を犯罪者呼ばわりしやがって、何様のつもりだ。てめえンとこの伜が学校へ行ってられんのは、うちの伜が面倒みてやってるからなんだぞ！」

「何をどう面倒みてもらっとるのか、私は知らないよ」と、井口の父親は言った。

「おまえ、何してもらってんだ、大出君に」

問いかけられた充は、青くなったり赤くなったりしている。汗びっしょりだ。

「もう黙っててくれよ、親父」

泣くような声でそう言った。橋田祐太郎が、そんな「仲間」をじっと見つめている。

「充、母ちゃんを呼べ！」と、大出勝は他人様の伜に命令した。「こんなバカ親父じゃ話にならん。母ちゃんは何やってんだ！」

忠義の充は「すみません、母ちゃん、今日出かけてンです」と、忠実に答えるがしどろもどろだ。

「店に親父しかいなくって、おまわりが来たから、親父が出てきちゃって。すみません」

井口充の家は、ライブラ・ロード内で雑貨屋を営んでいる。だから三人組を見つけたパトロール巡査が、井口の保護者にだけは、電話で連絡するのではなく、直接足を向けたのだろう。居合わせた井口の父親は、いつもなら妻に任せるか、知らん顔で逃げ出してしまうところを、さすがに巡査に迎えにこられたので、逃げられずに署までやって来たのだ。

井口充の母親は、何かあればすぐ泣いて謝り、こんなことは二度とさせませんと簡単に誓い、しかし事が過ぎればすぐ忘れてしまうタイプの保護者である。どんな不祥事でも問題行動でも、とにかくその場がしのげればよしとしてしまう。橋田光子とはまた表現形が違うが、本気で息子の問題行動と向き合う意思を欠いていることでは一緒だ。

だからこれまで、三人組が一緒くたに補導されると、大出勝にとってはまことに都合のいい形になっていた。怒鳴ったり反論したりしつつ、彼一人で場を仕切ることができるからだ。母親の二人組が彼に楯突《たてつ》くなど、あり得ないことだった。

それだもの、この事態に、大出勝が怒り狂うのも、彼からすれば無理はない。礼子はこみあげてくる笑いを噛み殺すのに苦労した。増井君には申し訳ないが、今回の事件は、この三人組の土台を揺るがす絶好の機会になってくれるかもしれない。

「私《わたし》ゃいくじなしなんで」

一同が何とか落ち着くと、井口の父親が言い出した。しゃべると口の端に白い泡が浮く。

「何かっていうとすぐ大声を出したり、暴力をふるうのには反対なんですよ」

ケッと声をたてて、大出勝が嘲《あざけ》った。

「何を利《き》いたふうな口きいてんだ、博打《ばくち》狂いの分際で」

井口の父親が競輪好きで、そのために家庭内に諍《いさか》いが絶えないことは、礼子も知っている。充がしょっちゅう父親の悪口を言っていることも知っている。早く死ねばいいんだと公言していることも。死なねきゃ役に立たねえよ、あの親父は。死んだら保険金になるもんな。

「親父黙ってろ」

いっそ頼むように、充がぼそりと呟《つぶや》いた。すっかりうなだれてしまっている。未《いま》だ大出俊次の顔を彩《いろど》っているニヤニヤ笑いの底にある怒りを、彼は感じ取っているのだ。

あとでどんな目に遭わされるかわからない。俊次からも、彼の父親からも。

「しかし暴力はいけません。大出さん、お願いしますよ」と、里中課長がたしなめた。

「もとはと言えば、おめえらが倅を不当逮捕したからじゃねえか。偉そうな顔をするんじゃねえ」

「不当逮捕ってね、大出さん。俊次君は逮捕などされていませんよ。さっきもそうご説明したはずですがね」

「俊次君」

何事もなかったかのような穏やかな声で、庄田が俊次に話しかけた。

「協力してもらえるかな。君が今持っている持ち物を、見せてもらいたいんだ。ポケットの中身をね、出してみせてもらえるか」

再び、大出勝の席が空になった。巨体が瞬時に大会議室を横切り、庄田は胸倉をつかまれた。罵声と怒声が窓ガラスをびりびり振るわせる。橋田光子が両手で耳を押さえた。

「大出さん、大出さん、やめてください！」

課長も入って三人で揉《も》み合っている。それをよそに、大出俊次はズボンのポケットに手を突っ込むと、大テーブルの上にばらばらと持ち物を落とし始めた。キーホルダー、財布。エナメル製のカード入れ。ガムの包み紙。

礼子は立ち上がり、彼と井口充の椅子のあいだに割り込んだ。

「これで全部?」

「そうだよ、おばさん」

大出俊次はジーンズをはき、厚手の綿のシャツの上から、肩と肘当《ひじあ》ての部分に革を使ったウールのジャンパーを着ている。いつもながら金のかかった服装だ。

「ジャンパーのポケットは?」

「何にもねぇよ」

こんがらがっていた大人三人が、テーブルの上のものに気づいた。大出勝のこめかみに青筋が立った。

「俊次! なんでこいつらの言うことなんか聞くんだ」

「面倒じゃん」と、息子はうるさそうに答えた。「いいじゃん、オレ何もやってねぇからさ。ポケットの中身出すぐらい、いいよ」

大出勝はのしのしと息子のそばに戻った。庄田がネクタイを直す。締め上げられたせいか、顔が赤らんでいる。

「こういう態度をとられると、大出さん、我々としても問題にせざるを得なくなります」

「黙ってろ、このクソボケが」

大出勝は椅子を蹴り飛ばした。派手な音をたてて、椅子は大会議室の窓際《まどぎわ》まで滑っていった。

いいぞいいぞ、もっとやれ。礼子は心のなかで煽《あお》っていた。もっともっと理不尽で暴力的な態度をとってくれ。クソボケなのはあんたの方だ。橋田光子と井口の父親が、今、どういう目であんたを見ているのか、まったく気づいていないじゃないか。

いつも自分の身の上話のことばかりで頭がいっぱいの橋田光子も、井口の父親の発言という新鮮な風に、ほんの少しだが目が覚めたらしい。今、大出父子を観察する彼女のすぼんだ目の奥には、はっきりと嫌悪《けんお》の色合いが混じっていた。

「オレたちもポケットの中身、見せンの？」

言うが早いか、井口充は立ち上がり、よれよれの綿パンのポケットに手を入れようとした。父親がその手首をつかんだ。

「やめとけ」

「何だよぉ！」

「ヘコヘコすることたぁねえって言ってるんだ」

充は父親の手を振り払うと、ポケットから薄汚れたハンカチを引っ張り出した。折りたたんだ千円札と、いくらかの小銭がそれに続く。まるめたティッシュも出てきた。ついで、ぶかぶかで毛玉だらけのプルオーバーのポケットにも手を入れたが、そこからは何も出てこない。

座ったまま、無言のまま、橋田祐太郎もポケットの中身を取り出し始めた。彼もジーンズばきで、Tシャツの上から丸首セーターを着ている。上着はない。出てきたのはポケットティッシュと小銭入れだけだった。母親はそれらの品物を、不安そうに眺めている。使いかけのポケットティッシュと、温泉旅館の土産物みたいな安手の小銭入れが、何かひどく凶悪な謎《なぞ》を秘めてでもいるかのように。

「どうだね、え? 何があるってんだ」

大出勝は仁王立ちになり、勝ち誇ったように課長や礼子たちを見おろした。

「何か中学二年生が持ってちゃ悪いようなものがありますかね、え、おまわりさんよ?」

ちょうどそこへ、大会議室の引き戸をノックする音が聞こえてきた。礼子は急いで戸を開けた。婦警が一人、その後ろに、背広を着てネクタイを締め、半白の髪をきちんと撫《な》で付けた五十がらみの男性が立っている。

大出家御用達《ごようたし》の風見《かざみ》弁護士だ。礼子とは三度目のご対面になる。ああ、どうもと気楽に挨拶《あいさつ》をした。別段、渋面でもなければ闘争心丸出しでもない。

「ご苦労様です」

会釈《えしやく》をして通した。弁護士が会議室内に入ると、大出勝が奇声を放って飛んできた。

「先生、遅いよ。何グズグズしてたんだね。これこのとおりだよ。俊次はね、不当逮捕だよ。先生、こりゃ大変なことだろ？」

大テーブルから少し離れたのをいいことに、礼子は深くため息をついた。

大出勝は、あれでも会社の社長で、その会社は大いに隆盛だ。社名は大出集成材だが、それは親から社名を受け継いだだけで、現在では集成材の製造は仕事のほんの一部分でしかない。大出集成材の現在の成功は、沸き立つ高級住宅建築ブームに上手に乗っかったことに拠《よ》っている。

ここ数年の「超」のつく好景気は、必然的に住宅建築ラッシュを呼んだ。もっともそれは、六〇年代のマイホーム熱とは根本的に違う、もっと豪奢《ごうしや》な建築熱に浮かれてのものだ。

地価も株価もうなぎのぼりの昨今、誰でも彼でもローンさえ組めれば家を持てるというものではない。世の中全体が金持ちになったように思えるのは、単なる錯覚に過ぎない。どこでもここでも地価が上がりすぎて、一般庶民には、マイホームは遠い夢となった。ただ景気がいいので、貯蓄にこだわる必要も薄れた。で、マイホーム資金になるはずだった金を消費に回す。だから一見、みんなが贅沢三昧《ぜいたくざんまい》できるようになったように見えているだけに過ぎない。

だからこそ、こういう状況下で、家を持とうという人びとが望むのは、ただのマイホームではない。大邸宅や億ションだ。見えないところにも金はかけられるが、それ以上に、見えるところにふんだんに金を注《つ》ぎ込み、世間に見せつけるために建てる家だ。だから予算だの節約だのという言葉は無意味だ。金はかかればかかるほど尊い。業者にとっては、まさに濡《ぬ》れ手に粟《あわ》の有難いご時世だ。

大出勝は、そういう世の流れと金の動くところに聡《さと》く目をつけ、大手住宅建築会社に食い込んだ。景気が平常の状態なら、原材料を売買するだけの、それも小さな材木会社に、大きな利益が流れ込むことはない。が、今は異常な金余り現象の只中《ただなか》にある。うちでは他所《よそ》では手に入らない超高級品を扱っているのだという看板さえ掲げられれば、会社の大小や過去の取引実績に関わりなく、大手のデベロッパーだって興味を寄せてくる。

これは本人が自慢気に口にしていたことだから、多少は割り引いて聞く必要があるかもしれないが、床の間の柱が一本五千万円という家の建築に関わったそうである。それも一軒や二軒ではない。本物の金持ちはそういうことができるのだと言っていた。その一本五千万円の値段のなかに、大出集成材を含む業者の利益分が、どれぐらい突っ込まれているのか知らないが。

大出勝は商売人だ。礼子もそれは認める。その商売が、好景気が通り過ぎた後でも通用する誠実な内容を持っているかどうかはさておき、彼が金を儲《もう》けることに長《た》けていて、利に聡いことは認めざるを得ない。

しかし、一社会人としての彼は？　保護者としての彼は？　あれが常識ある大人のふるまいか？　子供の養育に全責任を負うべき親の行為だろうか？

「いけませんね、こういう形は」

風見弁護士の声が響き、礼子は振り返った。

「この混乱状態では、こちらがいくら捜査に協力しようと思ったところで無理ですよ。プライバシーもへったくれもない。俊次君だけでなく、誰の権利も守られない」

「じゃ、個別にお話を伺えますか」

こっちだってそれを望んでいたんだ——と、礼子に目配せを送りながら、庄田が立ち上がった。礼子はうなずいた。

最初から三人をバラバラに分けて事情聴取をしたならば、事の重大さに気づいて青くなった井口や橋田が——崩れるとするならば井口が真っ先だろう——実際にやらかした事柄についてしゃべりだしたとき、またぞろ大出勝が暴れる口実を与えることになる。いわく、でっちあげだ。井口のガキは嘘《うそ》つきだ。橋田のバカはうちの倅《せがれ》を陥《おとし》いれる気なんだ。おまえら警察はそれを知っていて、あいつらめを抱きこんで嘘の証言をさせやがったな！　告発してやる！

まあ警察としては告発されてもかまわないが、そういう形の仲間割れが、あまりに急激に起こると、井口と橋田の今後に根深い不安を残す。あとになって証言を翻《ひるがえ》される危険もある。これも井口が危ない。大出俊次のいないところでは我が身可愛《かわい》さに白状しても、俊次と顔を合わせれば、我が身を可愛がるためにはやっぱり俊次に迎合しておいた方がいいということを、光よりも早く思い出すだろうから。

だから最初はわざと三人をひとくくりにし、大出勝にも喚《わめ》くだけ喚かせて、井口と橋田と二人の保護者にも、それをよく見ておいてもらおう。そして大出勝の側から、個別の事情聴取を要求させるのだ。その間、こちらとしては、今度の件がこれまでの事件とは次元が違うのだということを、じっくり説明しておけばいい。そういう作戦だった。おまけに、そのうえに、井口の父親という不測の要素が加わり、それが図らずも援軍となって、井口充を動揺させている。もっとも冷静に、彼自身の保護者よりも冷めた目をして事態を観察している橋田祐太郎にも、いくらかの効果は及ぼしているだろう。これまで礼子が、何度となく彼に問いかけ、回答をもらうことができずにいる質問も、真正面からぶつけ直してみることができる。ねえ橋田君、どうして大出君とつるんでるの？　君にとって大出君の存在は何なの？　どうして彼と一緒になって問題を起こすの？　君、本来はそういう人じゃないと思うんだけどね？

お膳立《ぜんだ》ては整った。よし、と礼子は心の中で拳《こぶし》を握った。

22

本当は、図書館の閲覧室で席取りをすることは禁じられているのだが、誰もその規則を守ろうとしない。だから藤野涼子も、隣の席の上に鞄《かばん》を置いた。

日曜日の午後一時五分過ぎ、閲覧室の椅子《いす》は、七割ほど埋まっていた。ほとんどは学生だが、大人もちらほら混じっている。ここでは、閲覧者が大机を囲んで向かい合うのではなく、縦列に並べられている細い机について、全員が同じ方向を向くように配置されている。だから席についてしまうと、一緒に閲覧室にいる人たちのことは、背中と頭の後ろしか見ることができない。

倉田まり子は、待ち合わせの時間どおりに来たためしがない。十分や十五分遅れるのは当たり前だし、小一時間遅刻したことさえある。だから昨日は、電話で釘《くぎ》をさしておいた。

「試験が近いから、図書館混むからね。まりちゃんがあんまり遅くなったら、席取りしておけないよ。ちゃんと来てね」

涼ちゃんって心配性だと、まり子は笑っていた。

違うわよ、あたしはあなたより几帳面《きちょうめん》なだけよと、言い返したかった。もちろん言いやしない。その代わりしつこく念を押した。

だが、やっぱりまり子は遅れた。おかげで涼子は勉強に集中できない。いつまり子が来るかわからないし、一人、また一人と新しい利用者が閲覧室に入ってくるたびに、隣の席に置いた鞄が気になってしまう。ここ空いていますかと訊《き》かれたら、嫌だな。

基本的に、涼子は規則を破ることが嫌いだ。

「基本的」と断りを入れるのは、規則のなかには、学校で決められたスカートの丈とか前髪の長さとか、そこまでやったらかえってバカバカしいと思うような種類のものもあるからだ。でもそれ以外の、大勢の人間がひとつの地域でスムーズに暮らしていくために守らなくてはならない決まり事は、尊重されて然《しか》るべきだと思う。図書館で席取りをしてはいけないという規則も、そのひとつだ。図書館は公共の場所なのだから。だけどまり子と一緒だと、決まりを守らないのが当然というふうになる。だってみんなやってることだよ、涼ちゃん。いいじゃない。

良くないよと、涼子は思う。でもそれを口に出したり、顔に出したりすると、涼ちゃんはお堅いからと言われる。お堅いに決まってるじゃない、あたしは警察官の娘よ。そう切り返すと、まり子は笑う。他の友人たちも笑う。笑わないのは古野章子だけだ。章子は、涼子の気持ちを理解してくれている。彼女も、規則を守らない人間が嫌いだ。

「涼ちゃんが一緒だと、わかんないところをすぐ教えてもらえるから安心なんだ」

だったらうちへおいでよと誘ってみると、まり子は渋《しぶ》る。涼ちゃん家《ち》には妹さんたちがいるし、それにあたし図書館が好きなんだもの。図書館の閲覧室の机に向かってると、涼ちゃんと同じくらい頭が良くなったような気がするんだもの。

涼子はまり子を突っ放せない。

一事が万事だ。相手がまり子である場合だけじゃない。いつも、何となくずるずると、周囲に引っ張られて行動してしまう。心のなかでは反対していても、その意思を外に出すことが、涼子は下手だ。

あたしは気が小さいのだ。だから間違ったことを間違ってると言えない。そのくせ、まり子に頼りにされると気分がいい。自惚《うぬぼ》れ屋だからだ。卑怯《ひきょう》だ。汚いのだ。

彼女がそんなふうに自己認識をしていると知ったら、両親も先生たちも、友人たちも驚くだろう。藤野涼子は優等生だ。生まれ持った能力も優秀なら、親の躾《しつけ》も行き届いている。必ず良き市民に育つ、みずみずしい芽だ。大人たちの目には、ひとつの疵《きず》も見えない。

誰も涼子の内側に淀《よど》む自己嫌悪と、根深い怒りを知らない。それは奥深く秘められているから。だが時々、たとえば図書館の席取りのような些《さ》細《さい》な問題をきっかけに、もうもうと沸き立って涼子の心を包み込む。

このごろ、そういう機会が増えた。涼子自身にも何故《なぜ》だかわからない。柏木卓也の死がきっかけになったのだろうか。あのとき、自分ひとりだけ乾いた目をしていたことが、やっぱり今でも心に引っかかっているからだろうか。

あのとき涼子は、自分のなかの本音を見た。柏木卓也は学校社会のルールを守らず、勝手に生きて、勝手に死んだ。それをみんなが涙を絞って悼《いた》んだ。涼子は気にいらなかった。どうして可哀想《かわいそう》がってあげるの？　どうして彼が犠牲者だなんて思うの？　彼はただの負け犬じゃないか。

だから涙が出てこなかった。そのことを、高木先生だけは見てとっていた。そして涼子を認めてくれた。そういう考え方もあると。先生にはわかるわよ、と。

だから、それで全部済んだはずだったのに。

涼子の内側で、今になってチクチクと疼《うず》くものがある。おまえはそんなに立派なのか。柏木卓也を負け犬と決めつける資格が、おまえにあるのか。おまえはちっとも優秀ではなく、強くもない。ただ融通がきかず、人間に必要な優しさが欠けているだけだ――

「ここ、空いてますか」

声をかけられて、涼子は目をあげた。同年代の女の子だ。知らない顔だ。私服姿だが、大きなスクールバッグを背負っている。バッグに四中の校章がついていた。

「ごめんね、友達がすぐ来るの」

涼子の返事に、女の子はプイと顔を背けて離れていった。空いた席を探して、閲覧室のなかを歩いてゆく。

涼子は頭を下げ、数学の問題集に目を落とした。集中しよう。一心不乱という感じで勉強していれば、声をかけられにくい。

次々と問題を解く。ほとんどつまずかない。今度のテストは三学期の期末試験だ。

二学期ほど出題範囲が広くないのが楽でいい。それほど苦労しなくても、いい成績がとれるだろう。噂《うわさ》では、このテストの結果を基にして、三学年では能力別学級編成が行われるのだという。今度は古野章子と同じクラスになれるといい。まり子とは、ちょっと離れたい。能力別編成なら、その可能性はある。二人の学力には大きな差があるのだ。

そんなことを考えちゃいけない。小学校のときから仲良しのまり子を侮辱《ぶじょく》することだ。

でも事実じゃない？　まり子は勉強ができない。何をやらせてもスローペースで、そりゃ性格は優しくて明るくていい子だけど——

でも、でも、真の友達になるには、もうちょっと足並みの揃《そろ》う相手でなくちゃ。

頭は滑らかに回転し、数学の練習問題を解いてゆく。公式を書き、計算をする。その一方で、心は涼子が〝汚い〟と忌《い》む本音を吐き、涼子の優越感で膨らみ、涼子の自己嫌悪《けんお》を刺激する。

疾風のようなペースで問題を解き終えると、自分の書いた公式を見直し、検算を済ませた。次は応用問題篇だ。ページをめくり、ふっと顔をあげて息を吐いた。今まで水に潜っていて、呼吸のために浮上したという感じだ。

そのとき、見覚えのある顔を見つけた。

この図書館では、大きなワンフロアに閲覧室と開架式書架のスペースが同居している。あいだを仕切っているパーティションは、天井まで届く高さがあるが、上半分が透明な樹脂でできているので、閲覧室の側にいても、書架のコーナーの一部を見通すことができた。

あの横顔は、野田健一だ。

涼子のいる席から、十メートルほど離れているだろうか。書架に並んだ本を見ながら、ゆっくりと横歩きしているところだ。

と、立ち止まり、手を伸ばして一冊抜き出そうとして、素早い視線で周りを見回した。日曜日のことで、書架のスペースも混み合っているが、今は、彼のそばには誰もいない。

野田健一はそれを確認すると、目当ての書籍を抜き出した。ずっしりと重そうな、辞書みたいな本だ。

涼子はとびきり視力がいいが、さすがに何の本だかわからない。ただ、閲覧室に出入りするとき、健一が立っているあたりの書架の間を通り抜けることはよくあるので、見当はついた。あの書架は「化学」の棚だ。

へえ……と思った。試験勉強もせずに、何を調べているんだろう。ずいぶん余裕があるじゃないか。

野田健一は、成績はまさに中の中という感じで、クラスのなかではBGMのような存在だ。これは涼子の言葉ではない。男子生徒たちがしゃべっていたのだ。おとなしく、可もなく不可もなく、自己主張もない。そういう生徒はつまりは頭数で、学校にとっても安全パイだ。喫茶店に流れるBGMと同じだ。いいじゃないか、そういう存在は必要だ。そうなれたら、むしろ楽じゃないか。

重そうな本を広げて読みながら、野田健一は、盛んにきょろきょろと周囲を気にしている。華奢《きゃしゃ》な背中を丸め、頭を下げ、手にしている本を、身体《からだ》で隠そうとしているかのようだ。図書館で蔵書を読んでいるのではなく、コンビニでエロ本を盗み見ているみたいだ。

何を読んでいるのだろう。涼子は興味を感じた。

唐突に、隣で椅子が引かれた。驚きのあまり、涼子は危うく飛び上がりそうになった。

「あれ？　これキミの鞄？」

見上げると、大きなデイパックを担《かつ》いだ若い男がこちらをのぞきこんでいた。ぬうっと背が高く、首が長く、肩幅が広い。涼子の頭の上から覆《おお》いかぶさってくるような感じだ。

とっさに、涼子は鞄をつかんで自分の膝《ひざ》の上に載せた。若い男はにっこり笑った。「ありがとう」と言って、どすんと腰をおろす。黒いとっくりセーターにジーンズ。座って席に落ち着くとき、涼子の肩に肩が触れた。

涼子は閲覧室を見渡した。利用者が増えているが、まだ空いている席もある。無理やりここに割り込んでこなくてもいいのに。

まるでその心の声を聞きつけたかのように、隣の若い男が小声で言った。「席取りはしちゃいけないんだよ」

涼子がそちらを見ると、彼はデイパックのなかからテキストの類《たぐい》を取り出しながら、横目でちらりと視線を返してきた。涼子はあわてて前を向いた。嫌な感じに、心臓がトクトクと音をたて始めた。

若い男は机の上に必要なものを並べると、かがんでデイパックを椅子の足の間に押し込んだ。そのとき、また肩が涼子の肩に触った。涼子は、椅子の狭い座面のなかで、できる限り反対側に寄った。自分の鞄も椅子の下に置きたかったが、うっかりすると隣の若い男に触れてしまいそうなので、動けなかった。

仕方なしに、応用問題を解き始めた。読んでも読んでも、問題の内容が理解できない。目は文字の上を滑ってゆくだけだ。

そうしているうちに、隣の若い男の右肘《みぎひじ》が涼子の脇腹《わきばら》をかすめた。背が高いし、身体の大きい人だから、しょうがないんだ。わざとやってるんじゃない。ただちょっと無神経なだけだ。

そう思おうとした。シャープペンシルを握り直し、問題集に目を向ける。集中、集中。

隣の男が身を寄せてきた。もぞもぞと座りなおす。履き古したスニーカーの爪先《つまさき》が、涼子の運動靴の踵《かかと》を軽く蹴《け》った。

今度は涼子が横目になった。

隣の男は本を広げている。そして、涼子の視線に気づいたからそうするのだというように、こちらを見て目を合わせた。そらとぼけた、焦点の定かでないまなざしだ。涼子はあわててうつむいた。手からシャープペンシルが滑って落ちる。急いで握りなおす。

と、また男の肘が涼子の身体に触れた。お気に入りのカーディガンに包まれた、ちょうど胸のふくらみのあたりに。

わざとやってるんだ。

ばさばさと音をたてて、涼子は問題集を閉じ、筆記用具を片付けた。そのあいだずっと息を止めていた。けっして隣を見なかった。それでも、若い男がニヤニヤ笑いを浮かべているのがわかった。

鞄を持って立ち上がり、席を離れる瞬間、隣の男に腕をつかまれるのではないかと悪寒が走った。

実際には何事もなかった。涼子は足音をたてて閲覧室を逃げ出した。書架のコーナーに出ると、透明なパーティション越しに、さっきまで自分が座っていた席が見えた。隣の男は立ち上がりかけていた。嫌らしい笑いを顔に貼《は》りつけたまま。

涼子の喉《のど》が干上《ひあ》がった。絨毯《じゅうたん》敷きの床を蹴り、まっしぐらに「化学」の書架へ走った。

野田健一はまだそこにいた。さっきまでとは違う本を手にしていた。気配を感じて顔を上げ、涼子を見つけて、バネ仕掛けの安い玩具《おもちゃ》みたいにぴょんと飛び下がった。

「野田君」

涼子は前後を忘れ、彼の服の袖《そで》をつかんだ。やわらかいウールの感触を握った。

「ごめんね、あたしと一緒に外へ出てくれる？」

健一は目に見えてへどもどした。涼子は彼の腕を引っ張った。その拍子に健一の手から本が落ち、床に落ちて湿ったばさりという音をたてた。

とっさに、二人はその本を見た。表紙が上になっていたので、書名が読めた。

「日常のなかの毒物事典」

健一の目はその書名に釘付《くぎづ》けになっている。涼子も棒立ちになった。

ニチジョウノナカノドクブツ。

涼子は背後に気配を感じた。振り返ると、さっきの若い男が閲覧室を出てきて、通路をこちらに近づいてくる。すでに二、三歩の距離に迫っていた。ニヤニヤ笑いがどんどん大きくなる。

「あのさぁ」

馴《な》れ馴れしく涼子に指を突きつける。

「キミさぁ、ナンか誤解してない？　それだとこっちも困るんだけどさぁ」

涼子は素早くしゃがみこむと、「日常のなかの毒物事典」を拾い上げ、それを野田健一に突きつけた。彼は面食らったように後じさりしながらそれを受け取った。涼子は逃げ出そうとした。が、そのとき、あるかなきかの細い喉仏をごくりとさせて、健一が若い男に向き直った。

「あの、僕たちに何か用ですか」

若い男は立ち止まった。今にも涼子に触ろうと、伸ばしかけていた腕も止まった。

「何だよ」と、若い男は問い返した。下卑《げび》た笑顔はそのままだが、声は低く鋭い。

「オレはこっちのカノジョに用があるんだ」

「僕の友達なんですけど」と、健一は涼子の前に出た。彼の華奢な肩が、涼子を守るように、若い男とのあいだに立ちはだかった。涼子と健一はほとんど身長が同じだし、筋肉のつき具合は涼子の方がしっかりしていたが、それでもその瞬間、涼子は彼を頼もしく思った。彼の背中が確かに壁に見えた。

「一緒に図書館に来たんです」

健一の声は緊張に震えていた。

「用が済んだから、一緒に帰るところなんです。ねえ、そうだよね？」

健一はぎくしゃくと涼子を振り返ろうとしたが、首がこわばったように動いただけで、上手《うま》くいかない。が、涼子は若い男の顔に目を据《す》えたままうなずいた。二人の目は、真っ黒な瞳《ひとみ》がいっぱいに広がり、さながら二対の銃口のようだった。

若い男は妙に長い腕を持ち上げると、ぼさぼさの髪を撫《な》でつけるような仕草をした。空いた片手はズボンの尻《しり》ポケットに引っかけている。

「何だか知らないけど、気分悪いんだよな」と、まるで小学生が先生に言いつけ口をするようにくちびるを尖《とが》らせて言った。

「何がですか」と、健一が問い返す。さっきより声の腰が据わってきた。

「そっちのカノジョだよ」男はまた涼子を指差した。涼子は身を縮めそうになったが、ぐっとこらえてふんばった。

「オレのこと、痴漢《ちかん》だと間違ってるみたいでさ」

「何だかよくわからないのはこっちの方です。僕らはもう帰るところで、この人は何もしていませんよ。閲覧室で勉強していただけだ」

健一は涼子を指して「この人」と言った。ひどく新鮮に響いた。

「おまえが何も知らなくたって、こっちは知らねえよ」毒づくような口調になって、若い男は一歩踏み出した。「おまえなんかに用はないんだ」

勇敢にも、健一はひるまずに顔をあげていた。

「謝れよ」と、若い男は涼子に迫った。息がかかる。「失礼しましたって謝れよな」

唐突に、猛然と、涼子のなかに眠る父親譲りの剛直さが頭をもたげた。「どうしてあたしが謝らなくちゃならないんですか。あたし、何もしていません」

女の子に言い返され、意外だったのだろう。若い男はちょっとひるんだ。

「オレのこと痴漢扱いしただろ」

「していません」

「したじゃねえか。そうでなかったら何で急に出て行くんだよ。謝れよな」

オレにもっと触らせろ――それがあんたの要求だろう？　オレはもっと触りたかったのに、途中で逃げやがって。だから謝れよ。女なんて、本当はみんな触られたがってるくせしやがってよ。

世界中のどんな女だって、死んでもあんたみたいな男には触られたいと思っちゃいないわよ。

「僕らは帰る時間が来たから帰るだけだ」と、健一がきっぱり言った。痩《や》せた胸を張っている。「年下の女の子にからむなんて、ちゃんとした男のすることじゃないですね」

若い男の表情が、急に崩れた。平凡な顔立ちが、瞬《また》く間に醜くなった。「何だと？」怒りの反問のつもりだろうが、涼子の耳には悲鳴に聞こえた。心臓が高鳴った。半分は高揚で。半分は恐怖で。閃光《せんこう》のように思考が走る。ひょっとしたらこいつ、ただの嫌らしい痴漢じゃなくて、変質者なのかもしれない。あのポケットに引っ掛けている手。あの手が動いて、もしもナイフでも飛び出してきたら。

「ちょっと」

書架と書架のあいだから声が聞こえた。

「ここは図書館ですよ。静かにしてください」

本を満載したワゴンを押した、図書館の女性職員だった。大柄で、眼鏡をかけた中年の女性だ。よく受付のカウンターで見かける。館長ではないが、けっこう偉い立場の人のはずだった。今、明らかに咎《とが》めるような目をしているが、その視線の標的は、涼子たちではなく若い男の方だった。

若い男はくるりと回れ右をした。閲覧室へと大股《おおまた》に戻ってゆく。あまりにも素早い撤退に、ほっとするより先に涼子は呆気《あっけ》にとられた。なるほど、本物の大人が相手だと、何も言えないんだ。

「すみませんでした」野田健一は、職員の女性に頭を下げた。一拍遅れて、涼子もそれに倣《なら》った。

「何かトラブル？」と、女性職員は訊《き》いた。

健一が気を使うような顔で涼子を見た。洗いざらい話そうかと、涼子は迷ったが、

「閲覧室の席取りのことで」とだけ答えた。思ったよりも小さな声しか出てこないのが、自分で情けなかった。

「ああ、そう」ワゴンの取っ手に両手をあずけたまま、女性職員はちょっと目を上げて閲覧室の方を見やった。

「時々、ありますからね。お互いに譲り合いましょうね」

「はい」涼子と健一は声をそろえて答えた。

「失礼します」

女性職員はワゴンを押して歩き出した。涼子も歩き出した。もう閲覧室の方を振り返りはしなかった。それでも野田健一が、手にしていた本を急いで書架に戻してから、ついてくることはわかった。

雑誌や新聞を読んでいる大人の利用者たちで満杯のロビーを横切り、涼子は出入口へ向かった。自動ドアは二重になっている。外側のドアが開くと、二月の寒風がまともに顔に吹きつけてきた。でも今はそれがすがすがしく感じられる。

野田健一が追いついてきた。涼子と並ぼうとはせず、一歩下がっている。涼子は足を止め、首をよじって彼を見た。

「どうもありがとう」

健一はまたへどもどと狼狽《ろうばい》した。涼子は可笑《おか》しくなって、ぷっと吹き出した。さっきまではあんなに頼もしかったのに。

「何にもしなかったよ」

「そんなことない」

二人は並んで歩き出した。図書館の前からバス通りまで一本道だ。並びの建物は区役所の施設と公園で、その向こうにはスーパーもある。カラー舗装の歩道を大勢の人たちがそぞろ歩いている。寒いけれど天気がいいからだろう。買い物袋を提げている人たちも多い。

「変な奴《やつ》だったね」

「痴漢よ」と、涼子は言い捨てた。

「嫌なことされたんだね」

「ぶっ飛ばしてやりたい」

「やっちゃえばよかったんだよ」健一は大真面目《おおまじめ》に言った。「藤野さん、強いんだから」

涼子はまた笑った。今度の笑いで、やっと心が底の方まで攪拌《かくはん》されたような気がした。沈殿した悪いガスが抜けてゆく。

「ちっとも強くないよ。怖かったもの。あいつが追いかけてきたのを見て、もうぞっとして動けなくなりそうだった」

あたしは弱い。その認識が心を打つ。あたしは、自分でも思いがけないくらい弱虫なんだ。

「女子は大変だね」と、野田健一が言った。いかにもしみじみと労《いた》わるような口調で、誠実で、だからこそ愉快で、涼子はころころと笑った。ちょっと涼子の笑顔に見入ってから、健一も照れくさそうに微笑《ほほえ》んだ。

「さっきの奴が引き下がらなかったら」

「うん？」

「僕、言ってやろうと思ってたんだ。この女の子のお父さんは警察官ですよって」

涼子には、それは思いつかなかった。

「言っても効果なかったろうな。あいつ、信じなかっただろうから」

「その可能性は大ね」

「イッちゃった目をしたもんな、あいつ。今日が初めてじゃなかったんじゃないかな。常習犯かもしれないよ」

「その可能性も認める。何か手馴れてたもの。因縁《いんねん》のつけ方も、職員の人が来たら途端にさっと逃げ出したこともね」

二人はバス通りに出た。ちょうど、反対方向のバスが発車したところだ。

涼子は野田健一の家を知らない。近所だろうとは思うが、そういえば、彼と図書館で顔を合わせたのも初めてだ。

「野田君、どうやって帰るの？」

「歩きだよ。藤野さんはバスに乗るの？」

涼子一人なら、自転車で行き来できる距離なのだ。だが今日はまり子と一緒に帰るはずだったから、バスを使った。まり子は自転車に乗れないのである。

「早く帰った方がいいと思うよ。気分が良くないだろうから。家に帰れば落ち着くよ」

大人びた、思いやりのある台詞《せりふ》だった。涼子は、依然として遠慮がちにちょっと後ろを歩き続けている野田健一の横顔を盗み見た。さっき、隣の男の表情を窺《うかが》ったのとは、正反対の興味を抱いて。

ふ〜ん。野田君て、こういう子だったんだ。

涼子に見られて、彼はまばたきをした。安いブラインドが風ではためくような、軽くて忙しいまばたきだ。

「な、何？」と、彼はつっかえた。

「何でもない」

涼子はにっこりした。男の子が百人いたら、百人全員が、ちっとも何でもなくはないけれどでもそれはゼッタイに悪いことではないとわかる——そういう〝にっこり〟だ。ある年頃の、ある基準以上に可愛《かわい》い女の子にだけ可能な、魔法の〝にっこり〟だ。

「今日、ホントは図書館でまりちゃんと待ち合わせしてたんだ」と、涼子は言った。

「倉田さん？」

「うん。だけどすっぽかされちゃった。まりちゃん、忘れてるんじゃないかな」

「ああ、倉田さんならありそうだねえ」健一はまた老成したような声を出す。「おおらかだから」

「そうなのよ。これから行って、とっちめてやろうっと。まりちゃんの家は千川町だけど、野田君の家ってどっち？」

それはつまり、方角が同じならこのまま一緒に歩こう——という誘いである。ここで野田健一が聡《さと》い男の子であるならば、たとえ自宅がまったく見当違いの場所にあったとしても、「同じ方角だよ」と答えるところだ。それがスマートな態度である。

が、経験が足らず才覚も足りない健一は、バカ正直にこう答えた。「ボクん家《ち》は反対方向だ」

涼子はがっかりした。それが表情に出た。経験が足らず才覚も足りない健一は、バカ正直ではあるがバカではない。

「だけど一緒に行くよ。何か心配だから」

あわてるあまりに舌を嚙《か》みそうになる。

「あの、もう心配すること、ないとは思うけど。でもさ、念のため」

声がだんだん尻《しり》すぼみになった。涼子は笑顔でうなずいた。

「うん。ありがとう」

涼子は元気よく歩き出した。嬉《うれ》しかった。心が弾んでいた。これまで視界の隅に引っかけていただけで、ほとんど付き合いのなかった同級生の男の子に、思いもかけない光をもらった。彼のいいところを見つけてしまった。その発見の喜びが、涼子の頰を緩《ゆる》ませていた。

「野田君、まりちゃんとはよく話したりしてるよね？」

教室で見かけたことがある。たいていは向坂行夫が一緒だ。

「向坂が倉田さんと幼馴染《おさななじみ》だから」と、彼は答えた。

「そうなんだってね。でもあたしは、向坂君のことはよく知らないんだ。まりちゃんとは小学校から一緒なのに」

「藤野さん、優等生だからさ」健一は笑いながらもうつむいている。「向坂とか僕とかとは、かかわりなくて当たり前だよ」

涼子は黙った。自転車に乗った親子連れが脇《わき》を通り過ぎてゆく。

「そういうのって、ホントはつまんない」

「え？」

「たくさんの友達と付き合った方が、本当は面白いに決まってるじゃない？　だけどなかなかそうはいかないんだよね。どうしてなのかわかんないけど」

後半の言葉は嘘《うそ》だった。涼子はどうしてなのか知っていた。野田健一も知っているはずだ。だから、今度は彼が黙ってしまった。

同級生や級友だからといって、一切の隔てがないわけではない。現実は逆だ。成績。容姿。運動能力。適切な場面でみんなにウケることを言えるかどうか。性格の明るさと暗さ。ありとあらゆる物差しで、生徒たちは互いを計り、計られる。そして付き合う相手を決める。先生たちは、人間はみんな平等につくられているというけれど、そんなのは嘘だ。大人の社会に区別や格差があるように、学校のなかにもそれはある。子供は誰でもそれを知っている。理解している。認めている。

そうでなければ、生きていかれない。

涼子とまり子の付き合いも、その標準から見たら不釣合いだ。現に涼子は、まり子が重たくなってきた。まり子にぶら下がられていると、しんどいと感じることが増えた。

今まで、涼子がまり子と仲良くし続けてきたのは、自分のなかにある、そういう優越感みたいなものを認めたくなかったからだ。デキる子とデキない子。上の方にいる子と、真ん中の子と、下の方にいる子。そういう区別を認めたくないという、一種の正義感のようなものがあったからだった。

でも、中学生になって、いささかそれにも疲れてきた。今日だって、もし一人で勉強するのなら、そもそも図書館には行かず、こんな嫌な目に遭うこともなかったのだ。だけど——図書館に行かなければ、こうして野田健一と歩くこともなかった。彼の勇敢な一面を発見して喜ぶこともなかった。

自分で体感している以上に、涼子は混乱していた。野田健一と親しくするなんて、たぶんこの場限りのことだろう。でも、今はこの時を大切にしたい。こういう気持ちを、なんて表現したらいいのだろう。

「野田君、いつも図書館に行くの？」

返事が来るまで、ちょっと待たされた。

「たまにだよ」

「珍しい本を読んでたね。ちょっとビックリしちゃった」

今度はなかなか返事が来ない。歩きながら後ろを見ると、健一の顔から色が抜けていた。

「何か調べものしてたの？」

取り繕《つくろ》うつもりで、涼子は訊《たず》ねた。

「そういう——ことじゃないよ」下を向いてせっせと歩きながら、健一は答えた。「ぶらぶら歩いてて、たまたまあの書架の辺が空いてたから、適当にぱらぱらめくって見てただけなんだ」

それは嘘っぽい。健一はかなり長いこと「化学」の書架のそばにいた。こそこそと周りを気にしながらも、じっくりと本の内容を吟味《ぎんみ》しているようにも見えた。

涼子にあの書名——「日常のなかの毒物事典」という表紙を見られたときの、彼の反応も強すぎた。目が飛び出しそうになってたじゃないか。あれは、たまたま物騒な本を手にしていたのでバツが悪かった、という程度のものではなかった。

適当にぱらぱらめくってた。涼子としては、もっと具体的ながら、軽い返事が返ってくると思っていた——って、たとえばどんな？　推理小説に出てくる毒物を調べてたとか、ドラマで見た薬の名前を引いてたとか、そんなふうなこと。ありそうじゃない？

そうよ。別にそれほど奇妙なことじゃない。毒物について調べる必要に迫られる中学二年生が、まったくいないわけじゃないわよ。

「うちにも、ああいう事典があるのよ。父の本棚に」

「ああ」と、健一は腑抜《ふぬ》けたような声を出す。「捜査の資料だね」

「らしいのね。鍵《かぎ》のかかる書棚に入れてあるの。間違っても妹たちが見ないように」

「藤野さんは——見てもいいの？」

「ちゃんと許可をもらったらね。前にね、テレビで、塩素系の洗剤を合わせると危ないっていう特集をやっててね、そこに出てきた薬品の名前を調べるために、化学事典みたいなのを見せてもらったことがあるんだ」

作り話ではない。事実だ。涼子の母は、忙しい身なので、時間を節約するためだろう、掃除にしろ洗濯にしろ、無造作に漂白剤と洗剤を合わせたり、やたら大量に使う癖《へき》がある。テレビのその特集を見て、母親のそういう習慣が危険なものだと知り、きちんと説明してやめさせるために、涼子は勉強したのである。

大通りから逸《そ》れ、歩道のない道へ入った。歪《ゆが》んだガードレールが途切れがちに続いている。健一は、ただ涼子の後ろを歩くだけでなく、ガードレールを間に挟んだ。

「警察の人は、そういう薬品の鑑定とか、もちろんするわけだよね？　だから知識が必要なんだね」

「基礎的なことをね。本式の鑑定や分析は、ちゃんと専門の部署でやるんだもの」

「鑑識とか？」

「あと大学の法医学教室とか、科捜研とか」

科学捜査研究所だねと、健一は正しく言い直した。

「専門家には、わからないことなんかないんだろうな」

「そうね」

「犯罪者が毒物を使えば、警察にとっては、かえって大きな手がかりになるんだろうね」

涼子に尋ねているのではなく、独り言のようだった。しかもぼやきに近い。悩んでいるみたいな響きもある。それが涼子には引っかかった。ただ、自分の感じているもやついた疑惑を、どう言葉にして問いかけていいかわからない。

まさかズバリと訊《き》けないでしょ？　野田君、誰かに毒でも飲ませようと思ってんの？　なんて。

前方に、まり子の家が見えてきた。古びたモルタル塗りの二階家で、ぐるりを囲んでいるコンクリートの低い塀ごしに、枯れた植え込みが見える。すぐ向こうの角に小さな児童公園があるので、休日には子供たちや親子連れが集まる。近づいてゆくと、にぎやかな声が聞こえてきた。

「ほら、あれがまりちゃん家《ち》」

窓の外、ひさしの下に、盛大に洗濯物がはためいている。涼子が下からそれを指さしたそのとき、その窓からひょっこりと顔がのぞいた。

「あ〜、涼ちゃん!」

千切《ちぎ》れるように手を振りながら、まり子は大きな声で呼びかけてきた。

「ごめん、ごめん! すぐ図書館に行こうと思ってた!」

だったら何をぐずぐずしてるのだと、涼子は苦笑した。両手をラッパにして口元にあてて、

「コラ、すっぽかし〜」

「ごめんね、ホントにごめん」

手すりに乗り出すようにして、まり子は明るく笑っている。そしてひときわ大きな声をあげた。

「あれ? 野田君が一緒なの?」

「図書館で会ったんだよう」涼子は手をラッパにしたまま応じた。野田健一はすっかり小さくなっている。二人の少女の大声が恥ずかしいのだろう。

「デートしてたのお？」

「まりちゃんが来ないからだ！」

「だからごめんねってば。おいでよ。早く、早く！」

涼子が健一を振り返ると、彼は指で自分の鼻の頭をさし、「ボクも？」と情けなさそうに訊いた。

「帰っちゃったら、まりちゃん傷つくよ。いいじゃない、向坂君も呼べば」

それで健一も安堵《あんど》したようだ。そうだね、と気弱そうに笑った。

お父さんお母さんは仕事だし、お祖父《じい》ちゃんとお祖母《ばあ》ちゃんは親戚《しんせき》の家に出かけてる。まり子はけたたましく説明し、二人を家のなかに引っ張りあげた。

「大樹《だいき》君は？」

何かとナマイキなまり子の弟だ。

「サッカーの試合。夕方まで帰ってこないよ」

野田健一は、玄関に入るとき、靴を脱ぐとき、リビングに通されたとき、そして手近の椅子《いす》に腰かけるとき、都合四回「お邪魔します」と言った。室内にある雑多な家具や家電のすべてに向けて、言い訳がましく挨拶《あいさつ》しているみたいだった。

　倉田家はいつもごった返している。片付けるという言葉は、この家の辞書にはない。涼子は実はそれが苦手で、まり子の家にはあまり上がったことがなかった。だが、今日はこの家庭的散乱ぶりに温かいものを感じた。嫌らしい痴漢男に浴びせられた悪気を、倉田家の日用品が吸い取ってくれるようだ。

「ちょうどよかった、ちょうどよかった」

　まり子は歌うように言いながら、冷蔵庫から出した紙箱入りのココアを三つのマグカップに注《つ》ぎ分けた。

「何がちょうどいいのよ。約束を忘れてたくせに」

「だから謝ってるでしょう。忘れてもしょうがないくらいの大ニュースがあったんだから」

　マグカップを電子レンジに入れると、チンと鳴るのが待ちきれないという様子でリビングに戻ってきた。

「お昼にね、スーパーに行ってね、ほら郁美《いくみ》ちゃんに会ったの。涼ちゃん覚えてない？　小学校の三年のときに一緒だったでしょ。四中に行った郁美ちゃん」

　うろ覚えだが、顔はわかる。

「凄《すご》いこと聞いちゃったのよ。話し込んじゃってね、それで向坂君とかにも電話しちゃって、図書館に行くの忘れちゃったの。ねえ野田君も、これ大ニュースよ」

大出俊次たち三人組が、いよいよ警察に捕まったというのである。

「先週の日曜日に、四中の子をカツアゲして、大怪我《おおけが》させて、逮捕されちゃったんだって。だからさ、あいつら、今週ずっと学校を休んでるでしょ」

そうだったろうか。すぐにはピンと来ない。なにしろ遅刻早退は常習犯の連中のことだから、学校内で顔を見ないことが珍しくないのだ。

「あのいちばんのっぽのヤツ」と、健一が言った。「橋田だっけ。あいつは見たよ」

「え？　いついつ？」

「一昨日《おととい》――かな。体育の授業に出てた。窓から見ただけだけど」

「あら、それじゃ三人全員が捕まったわけじゃないんだ」まり子は目を丸くした。

「どういうことなんだろね？　だって大変な事件らしいんだよ。今度こそ大出は少年院送りだろうって。間違いないって」

キッチンから甘い匂《にお》いが漂ってくる。

「まりちゃん、ココア。温まったみたい」

涼子は促した。まり子は飛び立つようにキッチンへ行った。野田健一は、落ち着きのないまなざしで、ひらひらする洗濯物を眺めている。

本当に大出俊次たちが少年院送りになるのならば、三中の大きな悩みがひとつ解決することになる。涼子はふうとため息を吐《つ》いた。まり子は、向坂君も呼ぶからねーと、張り切っている。

「お菓子も出しちゃう。嬉《うれ》しいじゃない。お祝いだわよ、お祝い！」

涼子は健一の顔を見た。彼は一瞬だけ涼子の視線を受け止めて、恥ずかしそうにそらしてしまった。もう頼もしくは見えなかったし、涼子の心にあった発見の喜びも消えていた。ここに来るまではかかっていた黄金の魔法が、解けてしまったことを涼子は感じた。

（下巻につづく）

淋しい狩人　宮部みゆき著

東京下町にある古書店、田辺書店を舞台に繰り広げられる様々な事件。店主のイワさんと孫の稔が謎を解いていく。連作短編集。

火車　宮部みゆき著

山本周五郎賞受賞

休職中の刑事、本間は遠縁の男性に頼まれ、失踪した婚約者の行方を捜すことに。だが女性の意外な正体が次第に明らかとなり……。

幻色江戸ごよみ　宮部みゆき著

江戸の市井を生きる人びとの哀歓と、巷の怪異を四季の移り変わりと共にたどる。〝時代小説作家〟宮部みゆきが新境地を開いた12編。

初ものがたり　宮部みゆき著

鰹、白魚、柿、桜……。江戸の四季を彩る「初もの」がらみの謎また謎。さあ事件だ、われらが茂七親分——。連作時代ミステリー。

平成お徒歩《かち》日記　宮部みゆき著

あるときは、赤穂浪士のたどった道。またあるときは箱根越え、お伊勢参りに引廻し、島流し。さあ、ミヤベと一緒にお江戸を歩こう！

堪忍箱　宮部みゆき著

蓋を開けると災いが降りかかるという箱に、心ざわめかせ、呑み込まれていく人々——。人生の苦さ、切なさが沁みる時代小説八篇。

伊坂幸太郎著　オーデュボンの祈り

卓越したイメージ喚起力、洒脱な会話、気の利いた警句、抑えようのない才気がほとばしる！　伝説のデビュー作、待望の文庫化！

伊坂幸太郎著　ラッシュライフ

未来を決めるのは、神の恩寵か、偶然の連鎖か。リンクして並走する4つの人生にバラバラ死体が乱入。巧緻な騙し絵のごとき物語。

伊坂幸太郎著　重力ピエロ

ルールは越えられるか、世界は変えられるか。未知の感動をたたえて、発表時より読書界を圧倒した記念碑的名作、待望の文庫化！

伊坂幸太郎著　砂漠

未熟さに悩み、過剰さを持て余し、それでも何かを求め、手探りで進もうとする青春時代。二度とない季節の光と闇を描く長編小説。

伊坂幸太郎著　ゴールデンスランバー
山本周五郎賞受賞
本屋大賞受賞

俺は犯人じゃない！　首相暗殺の濡れ衣をきせられ、巨大な陰謀に包囲された男。必死の逃走。スリル炸裂超弩級エンタテインメント。

伊坂幸太郎著　オー！ファーザー

一人息子に四人の父親!?　軽快な会話、悪魔的な箴言、鮮やかな伏線。伊坂ワールド第一期を締め括る、面白さ四〇〇％の長篇小説。

村上春樹著

世界の終りとハードボイルド・ワンダーランド

谷崎潤一郎賞受賞（上・下）

老博士が〈私〉の意識の核に組み込んだ、ある思考回路。そこに隠された秘密を巡って同時進行する、幻想世界と冒険活劇の二つの物語。

村上春樹著

ねじまき鳥クロニクル

読売文学賞受賞（1〜3）

'84年の世田谷の路地裏から'38年の満州蒙古国境、駅前のクリーニング店から意識の井戸の底まで、探索の年代記は開始される。

村上春樹著

神の子どもたちはみな踊る

一九九五年一月、地震はすべてを壊滅させた。そして二月、人々の内なる廃墟が静かに共振する——。深い闇の中に光を放つ六つの物語。

村上春樹著

海辺のカフカ（上・下）

田村カフカは15歳の日に家出した。姉と並んだ写真を持って。世界でいちばんタフな少年になるために。ベストセラー、待望の文庫化。

村上春樹著

1Q84

—BOOK1〈4月－6月〉前編・後編—

毎日出版文化賞受賞

不思議な月が浮かび、リトル・ピープルが棲《す》む1Q84年の世界……深い謎を孕《はら》みながら、青豆と天吾の壮大な物語《ストーリー》が始まる。

村上春樹文
大橋歩画

村上ラヂオ

いつもオーバーの中に子犬を抱いているような、ほのぼのとした毎日をすごしたいあなたに贈る、ちょっと変わった50のエッセイ。

小野不由美著
屍鬼（一～五）

「村は死によって包囲されている」。一人、また一人、相次ぐ葬送。殺人か、疫病か、それとも……。超弩級の恐怖が音もなく忍び寄る。

小野不由美著
魔性の子
―十二国記―

孤立する少年の周りで相次ぐ事故は、何かの前ぶれなのか。更なる惨劇の果てに明かされるものとは――「十二国記」への戦慄の序章。

小野不由美著
月の影 影の海（上・下）
―十二国記―

平凡な女子高生の日々は、見知らぬ異界へと連れ去られ一変した。苦難の旅を経て「生」への信念が迸る、シリーズ本編の幕開け。

小野不由美著
風の海 迷宮の岸
―十二国記―

神獣の麒麟が王を選ぶ十二国。幼い戴国《たいこく》の麒麟は、正しい王を玉座に据えることができるのか――『魔性の子』の謎が解き明かされる！

小野不由美著
東の海神 西の滄海
―十二国記―

王とは、民に幸福を約束するもの。しかし雁国に謀反が勃発した――この男こそが「王」と信じた麒麟の決断は過ちだったのか!?

小野不由美著
丕《ひ》緒《しょ》の鳥
―十二国記―

書下ろし2編を含む12年ぶり待望の短編集！希望を信じ、己の役割を全うする覚悟を決めた名も無き男たちの生き様を描く4編を収録。

上橋菜穂子著
精霊の守り人
野間児童文芸新人賞受賞
産経児童出版文化賞受賞

精霊に卵を産み付けられた皇子チャグム。女用心棒バルサは、体を張って皇子を守る。数多くの受賞歴を誇る、痛快で新しい冒険物語。

上橋菜穂子著
闇の守り人
日本児童文学者協会賞・
路傍の石文学賞受賞

25年ぶりに生まれ故郷に戻った女用心棒バルサを、闇の底で迎えたものとは。壮大なスケールで語られる魂の物語。シリーズ第2弾。

上橋菜穂子著
夢の守り人
路傍の石文学賞・
巖谷小波文芸賞受賞

女用心棒バルサは、人鬼と化したタンダの魂を取り戻そうと命を懸ける。そして今明かされる、大呪術師トロガイの秘められた過去。

上橋菜穂子著
虚空の旅人

新王即位の儀に招かれ、隣国を訪れたチャグムたちを待つ陰謀。漂海民や国政を操る女たちが織り成す壮大なドラマ。シリーズ第4弾。

上橋菜穂子著
神の守り人
（上 来訪編・下 帰還編）
小学館児童出版文化賞受賞

バルサが市場で救った美少女は、〈畏ろしき神〉を招く力を持っていた。彼女は〈神の子〉か？　それとも〈災いの子〉なのか？

上橋菜穂子著
天と地の守り人
（第一部 ロタ王国編・第二部 カンバル王国編・第三部 新ヨゴ皇国編）

バルサとチャグムが、幾多の試練を乗り越え、それぞれに「還る場所」とは――十余年の時をかけて紡がれた大河物語、ついに完結！

高村薫著　黄金を抱いて翔べ

大阪の街に生きる男達が企んだ、大胆不敵な金塊強奪計画。銀行本店の鉄壁の防御システムは突破可能か？　絶賛を浴びたデビュー作。

高村薫著　神の火（上・下）

苛烈極まる諜報戦が沸点に達した時、破天荒な原発襲撃計画が動きだした――スパイ小説と危機小説の見事な融合！　衝撃の新版。

高村薫著　リヴィエラを撃て（上・下）
日本推理作家協会賞／日本冒険小説協会大賞受賞

元IRAの青年はなぜ東京で殺されたのか？　白髪の東洋人スパイ《リヴィエラ》とは何者か？　日本が生んだ国際諜報小説の最高傑作。

高村薫著　マークスの山（上・下）
直木賞受賞

マークス――。運命の名を得た男が開いた扉の先に、血塗られた道が続いていた。合田雄一郎警部補の眼前に立ち塞がる、黒一色の山。

高村薫著　レディ・ジョーカー（上・中・下）
毎日出版文化賞受賞

巨大ビール会社を標的とした空前絶後の犯罪計画。合田雄一郎警部補の眼前に広がる、深い霧。伝説の長篇、改訂を経て文庫化！

高村薫著　晴子情歌（上・下）

本郷の下宿屋から青森の旧家へ流されてゆく晴子。ここに昭和がある。あなたが体験すべき物語がある。『冷血』に繫がる圧倒的長篇。

筒井康隆著
笑うな
タイム・マシンを発明して、直前に起った出来事を眺める「笑うな」など、ユニークな発想とブラックユーモアのショート・ショート集。

筒井康隆著
虚航船団
鼬族と文房具の戦闘による世界の終わり――。宇宙と歴史のすべてを呑み込んだ驚異の文学、鬼才が放つ、世紀末への戦慄のメッセージ。

筒井康隆著
旅のラゴス
集団転移、壁抜けなど不思議な体験を繰り返し、二度も奴隷の身に落とされながら、生涯をかけて旅を続ける男・ラゴスの目的は何か？

筒井康隆著
ロートレック荘事件
郊外の瀟洒な洋館で次々に美女が殺される！史上初のトリックで読者を迷宮へ誘う。二度読んで納得、前人未到のメタ・ミステリー。

筒井康隆著
パプリカ
ヒロインは他人の夢に侵入できる夢探偵パプリカ。究極の精神医療マシンの争奪戦は夢と現実の境界を壊し、世界は未体験ゾーンに！

筒井康隆著
七瀬ふたたび
旅に出たテレパス七瀬。さまざまな超能力者とめぐりあった彼女は、彼らを抹殺しようと企む暗黒組織と血みどろの死闘を展開する！

山崎豊子著
暖簾《のれん》

丁稚からたたき上げた老舗の主人吾平を中心に、親子二代"のれん"に全力を傾ける不屈の大阪商人の気骨と徹底した商業モラルを描く。

山崎豊子著
花のれん
直木賞受賞

大阪の街中へわての花のれんを幾つも幾つも仕掛けたいのや――細腕一本でみごとな寄席を作りあげた浪花女のど根性の生涯を描く。

山崎豊子著
華麗なる一族
（上・中・下）

大衆から預金を獲得し、裏では冷酷に産業界を支配する権力機構〈銀行〉――野望に燃える万俵大介とその一族の熾烈な人間ドラマ。

山崎豊子著
沈まぬ太陽
(一)アフリカ篇・上
(二)アフリカ篇・下

人命をあずかる航空会社に巣食う非情。その不条理に、勇気と良心をもって闘いを挑んだ男の運命。人間の真実を問う壮大なドラマ。

山崎豊子著
白い巨塔
（一～五）

癌の検査・手術、泥沼の教授選、誤診裁判などを綿密にとらえ、尊厳であるべき医学界に渦巻く人間の欲望と打算を迫真の筆に描く。

山崎豊子著
不毛地帯
（一～五）

シベリアの収容所で十一年間の強制労働に耐え、帰還後、商社マンとして熾烈な商戦に巻き込まれてゆく元大本営参謀・壹岐正の運命。

山本周五郎著

青べか物語

うらぶれた漁師町浦粕に住みついた〝私〟の眼を通して、独特の狡猾さ、愉快さ、質朴さをもつ住人たちの生活ぶりを巧みな筆で捉える。

山本周五郎著

さぶ

ぐずでお人好しのさぶ、生一本な性格ゆえに不幸な境遇に落ちた栄二。二人の心温まる友情を描いて〝人間の真実とは何か〟を探る。

山本周五郎著

ながい坂（上・下）

下級武士の子に生れた小三郎の、人生という〝ながい坂〟を人間らしさを求めて、苦しみつつも着実に歩を進めていく厳しい姿を描く。

山本周五郎著

町奉行日記

一度も奉行所に出仕せずに、奇抜な方法で難事件を解決してゆく町奉行の活躍を描く表題作ほか、「寒橋」など傑作短編10編を収録する。

山本周五郎著

人情裏長屋

居酒屋で、いつも黙って飲んでいる一人の浪人の胸のすく活躍と人情味あふれる子育ての物語「人情裏長屋」など、〝長屋もの〟11編。

山本周五郎著

おごそかな渇き

〝現代の聖書〟として世に問うべき構想を練った絶筆「おごそかな渇き」など、人生の真実を求めてさすらう庶民の哀歓を謳った10編。

松本清張著

わるいやつら（上・下）

厚い病院の壁の中で計画される院長戸谷信一の完全犯罪！　次々と女を騙しては金をまき上げて殺す恐るべき欲望を描く長編推理小説。

松本清張著

砂の器（上・下）

東京・蒲田駅操車場で発見された扼殺死体！新進芸術家として栄光の座をねらう青年の過去を執拗に追う老練刑事の艱難辛苦を描く。

松本清張著

Dの複合

雑誌連載「僻地に伝説をさぐる旅」の取材旅行にまつわる不可解な謎と奇怪な事件！　古代史、民俗説話と現代の事件を結ぶ推理長編。

松本清張著

共犯者

銀行を襲い、その金をもとに事業に成功した内堀彦介は、真相露顕の恐怖から五年前に別れた共犯者を監視し始める……表題作等10編。

松本清張著

渡された場面

四国と九州の二つの殺人事件が、小さな同人雑誌に発表された小説の一場面によって結びついた時、予期せぬ真相が……。推理長編。

松本清張著

黒革の手帖（上・下）

横領金を資本に銀座のママに転身したベテラン女子行員。夜の紳士を相手に、次の獲物をねらう彼女の前にたちふさがるものは――。

ソロモンの偽証《ぎしよう》

第I部　事件（上）

新潮文庫　み－22－25

平成二十六年九月一日発行

著者　宮《みや》部《べ》みゆき

発行者　佐藤隆信

発行所　株式会社 新潮社

郵便番号　一六二―八七一一
東京都新宿区矢来町七一
電話　編集部（〇三）三二六六―五四四〇
　　　読者係（〇三）三二六六―五一一一
http://www.shinchosha.co.jp

価格はカバーに表示してあります。

乱丁・落丁本は、ご面倒ですが小社読者係宛ご送付ください。送料小社負担にてお取替えいたします。

印刷・大日本印刷株式会社　製本・憲専堂製本株式会社

ISBN978-4-10-136935-8　C0193